Chasseurs-cueilleurs

Sous la direction de
Sophie A. de Beaune

Chasseurs-cueilleurs

Comment vivaient nos ancêtres
du Paléolithique supérieur

CNRS ÉDITIONS

Sommaire

Préface
Claudine COHEN 1

Introduction
Sophie A. DE BEAUNE 7

André Leroi-Gourhan et la restitution de la vie quotidienne
Philippe SOULIER... 15

Que peut-on retrouver des techniques ?

Quarante ans d'études technologiques
Comment et jusqu'où aller dans la reconstitution du quotidien ?
Miguel ALMEIDA, Thierry AUBRY, Javier MANGADO LLACH,
Maria João NEVES, Jean-Baptiste PEYROUSE, Bertrand WALTER..... 35

Le travail des matières dures d'origine animale
Concepts acquis, interprétations neuves des vestiges ?
François-Xavier CHAUVIÈRE 49

L'équipement en os
Une fenêtre sur le quotidien des Paléolithiques
Élise TARTAR... 59

Voir les baguettes demi-rondes avec le regard d'un menuisier
André RIGAUD 69

Une ethnologie du feu au Paléolithique est-elle possible ?
Jacques COLLINA-GIRARD 79

Les bouillons gras au Paléolithique
Un exemple de comparatisme ethnographique critiquable
Thierry TILLET.. 89

Territoire parcouru, territoire connu ?

Saisonnalité, mobilité et spécialisation des sites
Une approche polythématique
Pierre-Yves DEMARS, Olivier LE GALL, Hélène MARTIN.................   99

Modes d'acquisition et d'exploitation des ressources
Laure FONTANA, François-Xavier CHAUVIÈRE,
avec la collaboration de Laurent LANG   117

Matières premières et territoires au Magdalénien
Exemples du Plateau et du Jura suisse
Marie-Isabelle CATTIN   131

Que peut-on percevoir du rituel ?

Étude du rituel chez les chasseurs-cueilleurs
Apport de l'ethnoarchéologie des sociétés de la Terre de Feu
María Estela MANSUR, Raquel PIQUÉ, Assumpció VILA.................   143

Nouvelle approche de l'analyse du contexte
des figurations pariétales
Suzanne VILLENEUVE, Brian HAYDEN...   151

Les rituels des grottes ornées
Rêves de Préhistoriens, réalités archéologiques
Romain PIGEAUD..   161

Art et vie quotidienne dans l'Épigravettien final
Les galets utilisés de la Grotta della Ferrovia
Daniela ZAMPETTI, Cristina LEMORINI, Massimo MASSUSSI...........   171

La musique et les mythes
Marcel OTTE..   187

Que peut-on dire des sociétés
du Paléolithique supérieur ?

Une société hiérarchique ou égalitaire ?
Brian HAYDEN   197

Réflexions sur la parure
De l'Atlantique à l'Oural
Andrei SINITSYN...   209

Que peut-on montrer au public et au lecteur ?

La Préhistoire-réalité et le mythe de la Caverne
Fernand COLLIN... 223

Mise en scène muséographique de l'habitat
Marie-Chantal FRÈRE-SAUTOT..................................... 233

Du *Bulletin de la Société préhistorique française* à Jean Auel
Un exercice de style
Sophie A. DE BEAUNE 247

Restituer la vie quotidienne
En guise de conclusion
Alain GALLAY 261

Résumés – *Abstracts* 271

Les auteurs.. 291

Préface

« Qui était cet homme ?… Quel était son nom ? » Au premier volume de ses *Antiquités celtiques et antédiluviennes* (1847), Jacques Boucher de Perthes s'interroge en ces termes sur l'Homme fossile qu'il vient de révéler au monde. En présentant aux yeux de ses contemporains la figure incroyable d'une humanité qui, des millénaires durant, a côtoyé les grands animaux éteints, il pose d'emblée des questions qui s'attachent à l'individu, à sa personne, à son quotidien. Pourtant, cette préoccupation « romantique » de l'individu qui surgit des premières interrogations sur la Préhistoire, va bientôt s'effacer devant les exigences d'une approche descriptive et typologique, essentiellement préoccupée de classifications et de datations des objets, reléguant la reconstitution du quotidien au vulgarisateur, au peintre ou au romancier.

Cette attitude tient non seulement à la prudence d'une science commençante qui préfère accumuler des matériaux plutôt que les interpréter, mais aussi au climat positiviste dans lequel se développe alors la Préhistoire. Pour conquérir sa scientificité, celle-ci calque ses démarches et ses catégories sur celles des sciences de la nature : les classifications d'artefacts empruntent aux taxinomies naturalistes des biologistes ; les noms donnés aux cultures préhistoriques s'inspirent de la désignation des étages stratigraphiques des géologues. La notion de « culture » elle-même se dépouille de sa signification vivante pour ne désigner en Préhistoire que des assemblages d'outils de pierre, à quoi s'ajoutent aux époques les plus récentes du Paléolithique, de rares vestiges de sépultures, d'objets de parure ou d'art pariétal ou mobilier. Ces recherches sont généralement orientées par le modèle évolutionniste qui détermine l'approche des sociétés préhistoriques sur le modèle des sociétés « primitives » connues alors.

Dans le même temps, l'interprétation des vestiges, et avec elle la représentation des « scènes de la vie préhistorique » se trouvent essentiellement reléguées aux ouvrages de vulgarisation. Dès les années 1870, les reconstitutions « en chair et en os » sont livrées à l'imagination, au lyrisme parfois exubérant ou aux représentations conventionnelles des peintres pompiers ou des romanciers « naturalistes », même si les préhistoriens eux-mêmes inspirent les artistes ou les romanciers et ne dédaignent pas (sous couvert d'un pseudonyme) de signer quelques-unes de ces fictions. Tout se passe comme si ces tentatives de représenter le quotidien vécu constituaient la part honteuse, inavouée, mais indispensable, du discours de la Préhistoire.

À partir du milieu du XXe siècle, une nouvelle génération de préhistoriens, cherchant à dépasser les paradoxes d'une « science humaine » qui est plutôt une science centrée sur les objets, met au point d'autres approches qui visent à « reconstituer la vie ». En France, les travaux d'Annette Laming-Emperaire, d'André Leroi-Gourhan, de François Bordes, illustrent cette volonté de mieux saisir les modalités de l'existence humaine au sein des cultures paléolithiques. Ce courant est porté par le renouvellement d'une histoire qui délaisse l'épopée des rois et des batailles pour s'intéresser aux « mentalités », et d'une ethnologie qui, s'écartant des perspectives évolutionnistes des décennies précédentes, vise à approcher les cultures humaines dans leur spécificité et leur diversité irréductibles ; il se nourrit aussi d'importantes innovations méthodologiques venues de Russie (les fouilles « horizontales » de Zamiatnin et Efimenko, la tracéologie de Semenov) et des États-Unis (la *New Archeology* de Lewis Binford).

De nouvelles méthodes de fouille et de relevé visent à mettre au jour des sols d'habitat intacts, où pourront être identifiées nombre d'activités quotidiennes, à travers leur traduction matérielle et spatiale : le « remontage d'outils » permet de lire, dans la dispersion des fragments d'un même nucléus sur un site, l'opération de la taille dans ses phases successives, mais aussi les allées et venues des différents acteurs et les localisations dans l'espace des différentes activités domestiques. Les perspectives ouvertes par la tracéologie permettent une enquête fine sur la fabrication des objets et sur leurs utilisations. L'expérimentation portant sur la fabrication de l'outil de pierre taillée vise à reproduire le geste qui a rendu possible l'inscription de cette trace : orientation des percussions, usages de différents types de percuteurs. En restituant la « chaîne opératoire », l'expérimentation de la taille des outils renseigne sur les processus matériels de la fabrication, sur l'utilisation des propriétés de la matière première, mais aussi sur les processus mentaux et les intentions du tailleur, sur les traditions culturelles auxquelles il participe. L'art pariétal fait également l'objet d'études renouvelées qui s'attachent à relever la fréquence et la localisation des figures dans la grotte ornée, et à décrire les assemblages récurrents de thèmes animaliers dans ces compositions. Tout un faisceau d'approches et de techniques de recherche sont ainsi convoquées pour faire surgir une image plus vivante de l'existence des Paléolithiques. Tout un univers surgit alors, selon la découpe « horizontale » que livre la synchronie.

Le présent ouvrage se situe résolument dans le prolongement de ces recherches. En livrant le fruit d'une réflexion collective menée par des spécialistes du Paléolithique supérieur à partir de leurs propres travaux, il ouvre de passionnantes questions sur les méthodes, les concepts, les pratiques de recherche et les limites d'une approche de la vie quotidienne en Préhistoire. Comment identifier, dans les vestiges partiels et dispersés qui constituent l'ordinaire du préhistorien, des éléments permettant de reconstituer le quotidien des hommes préhistoriques ? Quels modes de preuves et de raisonnement doivent être mis en œuvre pour aborder ces vestiges au niveau du quotidien, voire de l'individuel ? Quelles formes discursives sont-elles requises pour présenter les hypothèses rendant compte de l'existence de nos ancêtres ? Comment ces hypothèses peuvent-elles être validées, vérifiées ?

L'ambition d'aborder la « vie quotidienne » au Paléolithique exige de se situer dans le temps concret, qualifié, vécu, de l'existence des groupes et des individus, et de pouvoir déceler, à partir d'un matériel rare et fragmentaire, les pratiques habituelles et les actes exceptionnels, les rythmes saisonniers des activités et des déplacements, les croyances et les rites religieux, mais aussi ce qui peut permettre de distinguer la division des tâches, les activités des enfants et des adultes, des hommes et des femmes. De tels questionnements exigent des approches fines et inventives, des techniques de recherche et d'étude sophistiquées. Ils se heurtent aussi à d'évidentes difficultés, voire parfois à de véritables impasses.

S'ils savent traduire en termes de gestes, de besoins, d'intentions, d'opérations cognitives, les opérations qui président à la fabrication et à l'utilisation des objets, les préhistoriens savent aussi qu'une grande partie de la subjectivité individuelle leur reste inaccessible, et que l'essentiel de ce qui fait les comportements humains, la parole, les sentiments, les rapports entre les individus, les croyances, les rituels mêmes, leur demeure inaccessible, sauf à projeter leur propre subjectivité et leurs propres cadres mentaux dans l'interprétation.

Par ailleurs, la légitimité de l'usage du modèle ethnographique, central dans de telles enquêtes, reste un objet de discussion. À quelles conditions le savoir de l'ethnologue peut-il être invoqué pour éclairer les activités des hommes de la Préhistoire ? On est loin aujourd'hui de l'évolutionnisme culturel du tournant du XIXe siècle, qui abusait de ces rapprochements au nom de la « primitivité » commune aux « sauvages » d'hier et à ceux d'aujourd'hui. Les analogies des modes de vie, des contextes climatiques ou environnementaux suffisent-elles à justifier l'utilisation de ces modèles ? Jusqu'à quel point l'existence des chasseurs-cueilleurs d'Afrique du Sud, des tailleurs de pierre polynésiens ou des Eskimos d'Alaska peut-elle éclairer les modes de vie au Paléolithique ?

La question se pose enfin des formes discursives rendant compte de ces interprétations. Car il ne s'agit plus de produire de sèches énumérations de « matériaux » que l'on situera sur l'axe d'un progrès indifférencié, mais bien d'appréhender des événements qui s'enchaînent selon une succession causale et temporelle, et qui engagent des acteurs doués de désirs et d'intentions, des actes qui se développent dans la densité du temps vécu : inévitablement, le préhistorien construit des *récits*. On a abondamment dénoncé, depuis quelques décennies, tout ce que les récits de la Préhistoire doivent aux schèmes des mythes d'origine, de la Bible ou des contes de fées. Si les préhistoriens ont renoncé aujourd'hui à désigner le moment ponctuel d'une origine, à narrer les grandes fresques des « progrès » de l'humanité ou l'épopée des migrations et des valeureux chasseurs, s'ils savent se situer au niveau plus précis et modeste du « scénario » visant à rendre compte de tel épisode, de telle activité d'un groupe humain, voire d'un individu, peuvent-ils pour autant éviter d'y projeter leurs propres cadres culturels, leurs propres préjugés, voire les schèmes narratifs inventés par les romanciers du tournant du XIXe siècle ? La fiction, l'imagination, restent à l'œuvre dans l'invention d'hypothèses construites à partir de preuves rares et dispersées que livre la Préhistoire. Sans doute, reconnaître le caractère indispensable du récit en Préhistoire, ce n'est pas la « rabaisser » à de la « littérature » (formulation inacceptable tant du point de vue de la Préhistoire que de la littérature). Nombre de disciplines scientifiques comme la biologie, la géologie, la cosmologie ou l'histoire (les sciences *historiques* de la nature ou de l'homme) ont en commun de présenter leurs hypothèses sous forme de récits. Il est nécessaire cependant que ces modèles narratifs puissent être soumis à la vérification, à la critique, à la réfutation.

Les interrogations qui rythment les pages de cet ouvrage dense et exigeant sont loin d'être des questions formelles ou rhétoriques, elles signalent de réelles difficultés et ouvrent de larges espaces de savoir. À l'écart des chemins balisés, elles explorent une multitude de voies nouvelles pour « reconstituer la vie » aux temps préhistoriques, et tenter de faire de la Préhistoire une science sociale à part entière, une science de l'Homme au sens plein du terme.

Claudine Cohen

Introduction

Cette nécessité, propre à la préhistoire, de séparer clairement l'établissement des faits de leur interprétation commande [...] la constitution d'une sémantique qui permette de prolonger indéfiniment, de chercheur en chercheur, les possibilités de l'interprétation.

André LEROI-GOURHAN, leçon inaugurale
au Collège de France, 5 décembre 1969.

La science préhistorique a déjà presque un siècle et demi. Ne vient-on pas de fêter le centenaire de la Société préhistorique française en 2004 ? Mais, au-delà des années institutionnelles, notre discipline est bien plus vieille si on la fait remonter à Jacques Boucher de Perthes, dont *Les Antiquités celtiques et antédiluviennes* ont été publiées à partir de 1847.

Les réflexions des premiers préhistoriens ont été d'ordre chronologique. En l'absence de méthodes de datation absolue, il leur était, en effet, indispensable de dresser un cadre chronologique cohérent. Les préoccupations d'ordre palethnologique ne leur étaient pourtant pas totalement étrangères et sont apparues très tôt, mais on assimilait alors l'homme préhistorique à ces hommes « sauvages » que l'on avait découvert au cours des siècles précédents. En particulier les tenants de l'évolutionnisme culturel du XIXe siècle qui, à la suite de Darwin lui-même, considéraient ceux que l'on a longtemps appelés les « primitifs » comme des fossiles vivants de l'espèce humaine, voire des descendants de nos ancêtres préhistoriques, qui portaient témoignage dans le présent de ce que ceux-ci avaient jadis été. Il s'agissait d'un placage, d'un collage, ce que l'on a appelé le « comparatisme ethnographique » qui consistait à croire en l'analogie de deux sociétés à partir de la convergence d'un ou deux points. Si ce comparatisme a, par la suite, été fortement décrié et condamné, certains chercheurs y reviennent aujourd'hui mais de façon beaucoup moins simpliste, comme on le verra dans cet ouvrage.

Depuis une cinquantaine d'années, d'autres démarches, de plus en plus rigoureuses, se sont imposées, comme le recours de plus en plus systématique à l'expérimentation, ou encore le remontage ou l'analyse spatiale des vestiges. Il n'est pas utile de rendre compte ici de l'évolution de ces différentes démarches visant à restituer le quotidien de l'homme de la Préhistoire, à l'échelle du campement, de la tente, voire de l'individu.

Les modes d'approche se sont multipliés en même temps que le nombre de chercheurs. Parallèlement, la discipline s'institutionnalisait et les chercheurs se spécialisaient de plus en plus. Cette spécialisation s'est faite non seulement par sous-discipline mais aussi par sous-période. Dans un sens, cela était bénéfique puisque l'on parvenait ainsi à un degré d'analyse très fin. Les différents aspects de la vie quotidienne au Paléolithique supérieur sont maintenant de mieux en mieux connus grâce aux découvertes et aux analyses menées ces dernières années. En mettant en commun nos résultats, il est aujourd'hui possible de tenter de proposer une reconstitution des actes techniques et symboliques de cet homme du Paléolithique.

Cependant le cloisonnement disciplinaire s'est avéré parfois dommageable. Ainsi, de nombreuses monographies de sites sont des juxtapositions d'études très poussées sans réel souci d'homogénéisation et de synthèse entre elles. Par ailleurs, la sophistication de certaines de ces disciplines est devenue telle qu'elles semblent avoir oublié ce pourquoi elles avaient été constituées. Combien de jeunes chercheurs en sont venus aujourd'hui à faire du « lithique » pour lui-même, en oubliant l'homme qui tenait l'outil. À force d'examiner la feuille, on en a oublié la branche, l'arbre et la forêt qui se cachaient derrière.

Cet ouvrage a donc un objectif précis, qui peut paraître ambitieux, celui de proposer de marquer une pause dans cette avancée rapide des connaissances, éventuellement d'évaluer le chemin parcouru, mais surtout de réfléchir au sens de la démarche du préhistorien.

On peut aujourd'hui tenter de dresser une synthèse en portant un regard d'ethnographe sur nos connaissances. Notre travail de recherche quotidien consiste à partir du vestige archéologique pour essayer d'en inférer une réalité disparue. Considérons aujourd'hui l'homme du Paléolithique supérieur comme acteur et non plus comme objet d'étude.

L'ensemble du Paléolithique supérieur a volontairement été pris en compte, puisque les subdivisions chrono-typologiques actuellement

en vigueur constituent un outil de travail commode pour le préhistorien, mais ne correspondent peut-être pas à une réalité tangible pour le
Préhistorique.

Les auteurs de cet ouvrage ont donc été invités, non pas à présenter de nouvelles données archéologiques sur tel ou tel aspect de la vie
quotidienne – même si l'avancée dans les connaissances archéologiques proprement dites est toujours agréable –, mais à s'interroger sur
la démarche intellectuelle qui consiste à passer du vestige à l'homme
qui en est à l'origine. En d'autres termes, il leur a été demandé de réfléchir à des questions telles que celles-ci : comment traduit-on en terme
de comportement technique, social ou spirituel la réalité du vestige
archéologique ? Comment élabore-t-on un « modèle » comportemental à partir des vestiges recueillis dans un ou plusieurs sites ? Il va de
soi que la Préhistoire est un monde sans aucune mémoire qui nous soit
parvenue et qui nous est à jamais inaccessible. En ce sens, il ne peut y
avoir de restitution d'une quelconque réalité préhistorique mais simplement – et c'est déjà beaucoup – une reconstruction intellectuelle
contemporaine à partir de l'analyse des vestiges matériels. Ceci
ramène finalement à la question essentielle de savoir ce que, au fond,
les préhistoriens cherchent à retrouver et à restituer.

Il a ainsi été souhaité, lors du colloque à l'origine de cet ouvrage,
que puissent se développer des discussions d'ordre épistémologique
sur les limites et surtout le sens de la démarche du préhistorien. Avec
l'ambition que ce nouveau regard porté sur eux-mêmes par les préhistoriens puisse peut-être (qui sait ?) déboucher sur quelque chose de
neuf, voire de fondateur. Une meilleure clairvoyance sur les buts et les
méthodes des préhistoriens est susceptible de déboucher sur la décision
de promouvoir de nouvelles approches davantage fondées sur l'inter-
disciplinarité et le croisement des données, et tournées sur une remise
en perspective de ce qui fait l'objet du travail du préhistorien, à savoir
l'homme préhistorique dans sa vie quotidienne.

Par ailleurs, cet ouvrage a pour ambition de nouer un véritable dialogue entre les différents acteurs de la recherche et de la restitution au
public, les historiens de la discipline, les archéozoologues, technologues, pariétalistes… sur les moyens épistémologiques dont ils
disposent, et sur leur éventuelle transposition d'un contexte « matériel »
à un contexte moins tangible, « rituel » ou « spirituel ».

De fait, les articles de cet ouvrage reflètent une grande variété de
points de vue. Certains auteurs ont abordé la question du point de vue
historique, en soulignant les progrès accomplis dans les dernières

décennies, avec une grande rigueur dans l'analyse et le croisement des données. Philippe Soulier montre que André Leroi-Gourhan, par sa triple formation d'anthropologue, d'ethnologue et de préhistorien, est passé, de 1936 à 1976, d'une explication globalisante des phénomènes culturels humains à une description plus focalisée sur les modes d'occupation du territoire, finalement restreinte à l'échelle de l'habitat. En réduisant ainsi la portée de son approche, il a gagné en précision et a mis au point des méthodes d'analyse rigoureuses des structures d'habitat, tant sur le terrain qu'en laboratoire, méthodes dont la pertinence n'a jamais été démentie. Miguel Almeida et ses collaborateurs retracent à grands traits l'évolution des études technologiques avec la prolifération de démarches scientifiques de plus en plus diversifiées. Il fait cependant le constat de l'inaccessibilité de certains domaines de la vie au Paléolithique, en particulier celui du symbolique. François-Xavier Chauvière centre sa réflexion sur le travail des matières dures animales et dresse un panorama des attitudes scientifiques qui ont mobilisé et mobilisent encore les chercheurs en insistant sur les options les plus récentes qui privilégient le fait technique comme moyen d'accès privilégié à la compréhension des comportements des hommes du Paléolithique supérieur. Il met en évidence le fait que les problématiques des préhistoriens du début du XXe siècle, redécouvertes aujourd'hui, mais abordées avec des moyens instrumentaux de plus en plus performants, connaissent un nouvel essor.

La plupart des auteurs ont cependant abordé la question à partir de leur thème de recherche de prédilection. Si beaucoup de communications soulignent les obstacles à la restitution de la vie quotidienne, certains exemples montrent que cette quête n'est pas vaine, en particulier lorsqu'on confronte plusieurs approches différentes. Ceux qui se sont penchés plus spécifiquement sur l'aspect technique de la vie de tous les jours ont souligné la difficulté à retrouver les gestes quotidiens et surtout à les resituer malgré le recours à des données ethnographiques et/ou expérimentales. Certains dénoncent même les pièges dans lesquels se prennent souvent les préhistoriens, en particulier lorsqu'ils manient la documentation ethnographique. Il en est ainsi de Jacques Collina-Girard à propos de la question du feu et de Thierry Tillet à propos de la récupération de la moelle osseuse et de la préparation de bouillons gras. D'autres sont beaucoup plus optimistes. C'est le cas d'Élise Tartar qui indique que certains vestiges négligés jusqu'à présent, comme les outils en os non façonnés, peuvent apporter des connaissances précises sur les activités courantes engagées par les

Paléolithiques. André Rigaud montre que des analyses technologiques poussées peuvent permettre d'identifier de modestes « événements » techniques – ratage, abandon d'ébauche, mise au rebut de déchet – qui révèlent le quotidien des Préhistoriques et montrent que les préhistoriens ont souvent une vision simpliste des comportements techniques héritée des traditions typologistes.

Qu'ils soient archéozoologues, lithiciens ou spécialistes de l'industrie osseuse, plusieurs auteurs sont sensibles au thème de la mobilité des groupes humains avec en toile de fond une question récurrente : peut-on restituer les déplacements des hommes du Paléolithique supérieur et que peut-on percevoir de leur territoire ? Pierre-Yves Demars et ses collaborateurs soulignent la nécessité de croiser les données de l'archéozoologie, de l'éthologie animale et de la paléogéographie pour mieux percevoir les modes de prédation des « chasseurs-pêcheurs » paléolithiques. Laure Fontana et François-Xavier Chauvière vont plus loin encore dans ce sens en insistant sur la nécessité d'intégrer véritablement les données des archéozoologues, des lithiciens et des spécialistes de l'outillage en matière dure animale pour identifier les modes d'exploitation des ressources animales et minérales du territoire à l'échelle d'un cycle saisonnier. Quant à Marie-Isabelle Cattin, elle examine, à partir de l'exemple du plateau et du Jura suisse, les différentes hypothèses de circulation que l'on peut avancer pour le Magdalénien. Et, Andrei Sinitsyn s'interroge sur les raisons des similitudes que l'on observe parfois dans des sites éloignés de plusieurs milliers de kilomètres, en prenant l'exemple de la parure provenant de sites russes et de l'Altaï.

Le constat général est tout de même que, même si l'on parvient parfois à retrouver des éléments concrets de la vie quotidienne, la dimension sociale et symbolique reste le plus souvent hors de portée. Plusieurs auteurs s'interrogent pourtant courageusement sur nos capacités à aller au-delà de l'aspect domestique ou technique de ces sociétés et sur ce que l'on peut percevoir de leur organisation sociale et religieuse. Ainsi, Brian Hayden s'attaque à l'idée communément admise selon laquelle les sociétés des chasseurs du Paléolithique supérieur seraient comparables à celles des chasseurs-cueilleurs égalitaires d'Afrique telles que celles des Bushmen. Il montre, à partir d'une analyse fine de ce que l'on perçoit des sociétés du Paléolithique supérieur grâce aux témoins matériels, que c'est plutôt aux sociétés de chasseurs-cueilleurs complexes et hiérarchisées de la Côte nord-ouest qu'il conviendrait de les comparer. Suzanne Villeneuve et Brian Hayden s'interrogent sur la nature de la fréquentation des grottes ornées. Une étude précise du contexte topographique des grottes permet d'estimer la taille des groupes humains qui avaient accès aux œuvres pariétales et d'aborder la question de sanctuaires réservés à quelques initiés ou au contraire accessibles au groupe entier. À partir d'une étude de terrain menée en Terre de Feu et grâce à des informations d'ordre ethnographique, Estela Mansur et ses collaboratrices montrent qu'on a parfois les moyens de distinguer des vestiges d'activités d'ordre rituel de vestiges d'habitats domestiques. Mais si de telles différences entre les deux types de structures ont existé au Paléolithique, elles ont toutes les chances d'être aujourd'hui indiscernables ou tout au moins interprétées comme résultant d'une gestion différente de l'espace plutôt que comme une différence de nature rituelle ou domestique. Daniela Zampetti et ses collègues montrent la difficulté qu'il y a à démêler le rôle fonctionnel du rôle artistique et/ou symbolique de certains outils en pierre peu élaborés et pourtant gravés. La diversité des cas rencontrés met en relief la variabilité des comportements et donc des degrés d'intersection entre art et vie quotidienne. Romain Pigeaud tente de réaliser une typologie des traces de passage dans les grottes ornées en fonction de leur fréquence et s'interroge sur le caractère rituel de certaines répétitions. Au prétexte qu'il n'existe aucune société sans musique et sans mythologie, Marcel Otte est le seul à oser se lancer dans la voix du rêve et de l'intuition. On voit que certaines de ces approches laissent espérer la possibilité de toucher du doigt certains aspects pourtant immatériels de ces sociétés, grâce à l'analyse rigoureuse d'autres vestiges, bien matériels ceux-là.

D'autres acteurs de la recherche se sont interrogés sur la pertinence des restitutions offertes au grand public. À partir de sa propre expérience professionnelle, Fernand Collin directeur du Préhistosite de Ramioul aborde la question de savoir ce que l'on peut et ce que l'on doit restituer au public dans le cadre des musées, ce qui l'a conduit à établir un code de déontologie qui pourrait avantageusement être recommandé à l'ensemble de la profession. Marie-Chantal Frère-Sautot s'interroge sur le fait que les musées, les expositions et les parcs à thème archéologiques se cantonnent depuis plus de trente ans dans des restitutions d'habitat paléolithique très stéréotypés, toujours fondés sur le même modèle alors que l'on a aujourd'hui des connaissances beaucoup plus précises sur la variabilité des habitats et de leur contexte environnemental. Ceci pose la question du décalage entre l'état des connaissances scientifiques et les visions stéréotypées livrées par les médias, soit par ignorance, soit par souci de simplification.

Une analyse plus théorique menée par moi-même invite à s'interroger sur la proximité entre trois modes de publication différents : les publications scientifiques, les ouvrages de vulgarisation et les œuvres de fiction, romanesques ou autres.

Pour finir, après une synthèse des différents problèmes rencontrés par chaque auteur, Alain Gallay propose d'envisager le recours à ce qu'il appelle un programme logiciste capable de proposer des constructions condensées réduites aux informations essentielles. Mais, si l'information condensée de cette manière serait sans doute plus digeste, résoudrait-elle pour autant le problème de l'interprétation ? On en revient finalement à la question sous-jacente à toute la problématique de l'ouvrage : la Préhistoire est-elle une science exacte dont on peut trouver les lois ou bien s'agit-il d'une science humaine, avec toute la dimension interprétative que cela implique ?

D'autres thèmes auraient pu être développés, comme celui de l'apport de l'étude de la pierre taillée, mais ce sujet est omniprésent dans les publications de Préhistoire et il a paru intéressant de laisser la place, pour une fois, à d'autres thèmes souvent relégués à l'arrière-plan. Dans un autre registre, le rôle des femmes au Paléolithique et les moyens dont on dispose pour l'évaluer auraient pu être évoqués, mais c'est apparemment un thème peu prisé en France.

Il m'est particulièrement agréable de remercier ici les différentes personnes qui m'ont aidé à concrétiser le colloque de mars 2005 et en particulier mes collègues de l'Université Jean Moulin - Lyon III, Michel Debidour, professeur d'Histoire ancienne et directeur du CEROR (Centre d'Études et de Recherches sur l'Occident Romain) et Nicole Gonthier, doyen de la Faculté des Lettres et professeur d'Histoire médiévale qui ont fait le nécessaire pour que je puisse accueillir les congressistes à Lyon dans les meilleures conditions possibles. Annelise Poulet, secrétaire du CEROR m'a beaucoup aidé à organiser cette rencontre. Je les en remercie. Les soutiens financiers qui m'ont été accordés par l'Université (Service de la Recherche, CEROR, Faculté des Lettres, Présidence) ont été déterminants. Le ministère de la Recherche et le CNRS ont également financé partiellement la réalisation de ce colloque.

Sophie A. de Beaune

André Leroi-Gourhan et la restitution de la vie quotidienne

Philippe SOULIER

« Restituer au plus près et au plus juste la vie quotidienne des hommes de la Préhistoire » est certainement l'objectif qui reste aujourd'hui le plus présent à l'esprit pour qui évoque l'apport d'André Leroi-Gourhan à la recherche préhistorique. Cependant cette idée très générale doit, pour être comprise et évaluée à sa juste valeur, être analysée selon une perception historique de la formation et de la progression de ses idées et de ses domaines de travail en la matière.

En effet, après des formations en anthropologie physique et en langues et civilisation orientales, il s'est tourné vers l'ethnologie pour finalement s'investir dans la recherche en Préhistoire. Cependant, chez André Leroi-Gourhan, point de coupure entre ces différentes approches de l'homme : la transversalité est la règle, voire le principe agissant. C'est pourquoi les bases de ses essais de restitution de la vie des hommes de la Préhistoire s'organisent selon des préceptes élaborés et mis en œuvre dans ses précédents travaux, que ce soit en anthropologie ou en ethnologie, en mythologie ou en technologie (Soulier, 2003).

Ces travaux privilégient essentiellement trois aspects de la vie des hommes : le cadre environnemental, les techniques et modes de vie, enfin la production symbolique. Pour chacun de ces domaines, toute son activité va tendre à dégager les moyens de produire des données qu'il veut « objectives » – issues directement du terrain de l'analyse –, partageables et communicables, sujettes à reprise pour en tirer d'autres enseignements. Il va également, et c'est un des moteurs fondamentaux de sa démarche dès les années 1940, jouer simultanément d'une approche qu'il qualifie d'extensive (qui donne un cadre pour l'orientation générale des recherches) et d'une approche intensive (qui fournit la masse et le détail des matériaux de base de la recherche).

Trois grandes périodes se dégagent dans la mise en place de ses méthodes et l'élaboration de ses résultats.

1ʳᵉ PÉRIODE : 1936-1943. LA CONSTRUCTION THÉORIQUE, DES ESKIMOS À L'ENQUÊTE EXTENSIVE

Avec *La Civilisation du renne*, André Leroi-Gourhan construit un véritable trait d'union entre populations du passé – les Magdaléniens – et populations du présent – Lapons et Eskimos – (Leroi-Gourhan, 1936). Si cette « œuvre de jeunesse » (il a à peine 25 ans) est une vaste compilation qui reprend les thèmes et théories en cours, il l'enrichit considérablement par une documentation croisée qui emprunte à plusieurs registres – anthropologie physique, préhistoire, géologie et topographie, climatologie, zoologie appliquée, mythologie, technologie... – et en tire des leçons d'ordre très général, lui permettant de franchir en une vaste fresque les milliers d'années et de kilomètres.

Il développe là ses premiers essais de « zoologie appliquée », c'est-à-dire d'étude de l'interaction entre l'animal et l'homme, au niveau individuel et social. Cet essai, fortement inspiré des travaux des géographes (la collection dans laquelle il publie est dirigée par le géographe Pierre Deffontaines) et des paléontologues, reprend certaines notions développées par Marcel Mauss, dont il suit alors les enseignements, mais en s'en démarquant quant à la méthode (Mauss, 1906 ; Soulier, à paraître).

Sa démarche s'apparente en effet alors à un comparatisme primaire entre populations arctiques actuelles de rennes et d'humains et populations anciennes (Homme de Chancelade et période du Renne) de l'Europe occidentale. Migration millénaire, déterminisme géographique et paléontologie humaine lui fournissent un cadre général sur lequel il appuie sa thèse :

> *Poser le principe des caractéristiques constantes de la Civilisation du renne équivaut à préparer l'énoncé des effets d'identité inévitables qu'on peut observer sur des peuples différents placés dans des conditions de milieu similaires. [...] ces liens tiennent tout d'abord au sol et ils entraînent une uniformisation des techniques et une mise en valeur de celui-ci ; ils tiennent aussi, dans le cas présent, au fond zoologique et*

> *apportent un matériel commun aux différentes manifestations de l'adaptation au milieu.*
>
> Leroi-Gourhan, 1936, p. 28.

Il poursuit en postulant que :

> *Les documents nombreux que l'on possède sur l'existence, au Paléolithique supérieur, d'une civilisation déjà très hautement organisée ont permis de tenter l'esquisse d'une ethnologie préhistorique. Cette ethnologie, à vrai dire embryonnaire, ne présente pas moins l'intérêt d'être la première synthèse de quelque envergure à laquelle on puisse se livrer sur l'homme.*
>
> *Ibid.*, p. 40.

Et il en tire des conséquences directes sur les interprétations à proposer pour les découvertes de terrain :

> *Les Eskimo construisent des maisons de neige [...] et rien ne prouve que les Paléolithiques n'en ait pas fait autant. Rien ne prouve, lorsque l'on trouve une station en plein champ, que sur cet emplacement ne s'élevait pas une hutte de bois ou une tente de peau [...].*
>
> *Ibid.*, p. 51.

Ce travail de confrontation documentaire trace ainsi des pistes de recherche théorique. À l'opposé, les années suivantes, dont deux ans au Japon, lui fournissent l'opportunité d'une expérience de terrain décisive : non seulement il y analyse une société en période de mutation technique, passant d'un mode de production artisanal à l'ère industrielle, mais il met au point son système de classement des faits en élaborant des fichiers qui seront la source des deux volumes d'*Évolution et techniques* (Leroi-Gourhan, 1943b et 1945). Cette maturation le conduit à formuler la construction théorique de sa démarche sous l'intitulé « enquête extensive » à l'occasion d'une séance organisée par la Société du Folklore français (Leroi-Gourhan, 1943a).

> *Le travail de technologie extensive auquel je me suis consacré est prématuré ; il faudrait encore cinquante ans avant qu'on puisse avancer avec assez de sécurité... Mais il n'est peut-être pas inutile, car il permet d'orienter la recherche intensive ; il ouvre des pistes, il donne un cadre classificateur aux millions de témoignages qu'on ne saurait autrement maîtriser ; à cet égard, il est légitime mais il ne faut pas se méprendre sur ses moyens actuels.*

> *[...] notre travail ne sera fécond que s'il s'assure un fondement*
> *solide dans l'observation complète des différents corps techniques. Ce*
> *travail, on ne peut pas le demander en comparatiste. L'enquête extensive,*
> *c'est une vue aérienne des terres exploitées par l'enquête intensive...*
>   Leroi-Gourhan, 1943a, p. 4.

En une décennie, de *La Civilisation du renne* aux principes d'organisation des échelles – extensives et intensives – de l'observation, André Leroi-Gourhan a ainsi construit une base méthodologique qu'il lui reste maintenant à exploiter.

2ᵉ PÉRIODE : 1944-1965.
LES PREMIERS CHANTIERS DE FOUILLES

À la fin de la deuxième guerre mondiale, André Leroi-Gourhan bénéficie de la création, à Lyon, d'un poste d'enseignement dédié à l'« ethnologie coloniale » (Soulier, 2005).

Il commence dès 1944-1945 ses premières approches du terrain archéologique en entraînant ses étudiants à la découverte des stratigraphies quaternaires : il cherche alors à identifier les niveaux témoins de l'occupation humaine et développe une méthodologie de lecture fine des coupes de terrain.

La tendance des années 1950 est à la précision centimétrique des relevés, notamment dans les trois dimensions de l'espace. Cependant, se démarquant ainsi de ses confrères, plutôt que de choisir la lecture verticale, André Leroi-Gourhan va privilégier les deux dimensions de la projection sur le plan horizontal, avec restitutions des courbes de niveau pour indiquer les données d'altitude. Dirigeant ses études simultanément sur deux champs qui lui sont familiers – faune et technologie – il élabore des propositions méthodologiques basées sur la différenciation des interprétations à apporter selon leur répartition spatiale, mais aussi selon la nature des vestiges et leurs conditions de conservation, de la Préhistoire à nos jours.

Ces manières de voir et d'interpréter sont loin d'être partagées par tous. Mettant à profit sa position de président du Congrès préhistorique de France qui se tient à Strasbourg en juillet 1953, il y développe un discours d'ouverture remarqué. Ce discours, militant, est avant tout de méthode : analyses, prélèvements, études diverses, mais responsabilité finale du fouilleur, que ce soit pour la fouille elle-même ou pour l'enregistrement et la publication des données.

Encore plus que celle de l'analyse des vestiges, la question essentielle devient en effet celle de la fouille, car les spécialistes ne pourront faire dire aux vestiges que le préhistorien leur confie que ce que leur permettra la façon dont ils ont été prélevés.

De même :

> Lorsqu'on lit les revues de Préhistoire, [...] on s'étonne de trouver tant de travaux sur l'industrie des sites, tant d'inventaires, et presque rien sur les structures au milieu desquels l'outillage gisait. [...] Si l'on publiait plus souvent des plans d'habitat, des groupements d'objets [...] le préhistorien prendrait rapidement l'habitude de voir avec d'autres yeux que ceux du typologiste. [...] La connaissance intime des hommes fossiles [...] appartient au fouilleur patient.
>
> Leroi-Gourhan 1955a, p. 54.

Le lien étroit entre fouille enregistrée et interprétation publiée est ainsi scellé.

Un autre aspect de l'approche d'André Leroi-Gourhan dans les essais de reconstitution de la vie des hommes préhistoriques est l'exploitation éditoriale grand public de ses principes (Leroi-Gourhan, 1955c).

Sur la base de généralités et d'anecdotes propres à faire comprendre le travail et les limites de la recherche en archéologie, il présente une application de sa vision générale d'évolution extensive dans le double cadre de la géologie générale du quaternaire et de l'évolution paléontologique (des paléanthropiens aux néanthropiens). Il suffit alors d'insérer au cadre général quelques exemples anecdotiques pour faire vivre un tableau de la vie de nos ancêtres.

Cependant, le site d'Arcy-sur-Cure, qui fournit l'essentiel de sa documentation, étant caractérisé par l'étendue de sa stratigraphie (du Moustérien aux niveaux du Paléolithique supérieur), c'est par comparatisme avec les plus anciens niveaux qu'il propose ses restitutions des occupations plus récentes. C'est donc autant la description d'un processus évolutif que celle d'une habitation en place qu'il développe dans cet ouvrage.

> La vie et les coutumes des hommes de l'âge du renne nous sont beaucoup mieux connues que celles de leurs prédécesseurs paléanthropiens. Quand nous tentions de [les] ressusciter [...], nous devions nous

contenter de petits instantanés sans grande liaison entre eux. Au con-
traire, nous sommes à même de nous représenter d'une façon cohérente
la vie de l'Homo sapiens à l'âge du renne.

Leroi-Gourhan, 1955c, p. 107.

Ainsi, pour ce qui est des activités de chasse, pêche ou cueillette,
« On peut [...] imaginer les hommes de l'âge du renne grappillant les
végétaux plutôt que les récoltant pour les emmagasiner. Sans gibier et
sans poisson, ils n'auraient pu subsister ; heureusement pour eux, ces
deux ressources étaient abondantes. » (*ibid.*, p. 110). Le « bon sens » ne
suffit cependant pas, et il rappelle qu'« en utilisant les témoignages
directs et indirects, nous veillerons constamment à ne pas laisser à l'imagination d'autre place que celle qu'elle doit avoir dans toute science :
son rôle est de guider la recherche, non d'en tenir lieu. » (*ibid.*, p. 55).

Dix ans plus tard, écrivant cette fois-ci pour les spécialistes, il ne
profite toujours pas de l'occasion pour, enfin, publier des plans de
structure alors qu'il le demande pourtant à ses collègues de façon
récurrente depuis des années.

Ainsi, son article des *Hommages à l'abbé Breuil* (Leroi-Gourhan,
1965), qui offrait le champ d'un exercice libre pour mettre en évidence
les avancées rendues possibles par une exploitation ethnologique des
données spatiales, s'oriente plutôt sur l'analyse technologique fonctionnelle des outillages du Châtelperronien d'Arcy.

Les descriptions précises et les plans de répartition des vestiges au
sol ne figurent pas plus dans *La Préhistoire*, ouvrage collectif paru aux
PUF (Leroi-Gourhan *et al.*, 1966), qui se veut pourtant « manuel de
référence », propre à développer cette approche novatrice : les plan-
ches typologiques sont les seules à illustrer les temps du Paléolithique.
Dans le chapitre « problèmes ethnologiques », il ne développera pas
d'autre discours que général sur les notions d'« évolution et progrès ».

3ᵉ PÉRIODE : 1964-1976.
PINCEVENT, DE L'« HABITATION N° 1 »
À LA « SECTION 36 »

De fait, ce n'est qu'avec la découverte du site de Pincevent, en
avril 1964, que les propositions de restitution vont prendre une toute
autre dimension.

Avec Pincevent, André Leroi-Gourhan gagnait l'opportunité de réaliser un décapage extensif car il s'agissait d'un site en plein air dont les vestiges n'étaient apparemment pas déplacés. Cependant, fidèle en cela à sa manière de faire, il va restreindre ses hypothèses aux seuls vestiges mis au jour, préférant explicitement approfondir les détails réellement descriptibles que d'en étendre la signification par des hypothèses élargies. De plus, ne disposant toujours pas des indispensables données de l'analyse « intensive », il se refuse à toute proposition « extensive » des restitutions envisageables.

> *Les manques de précédents donnent à la tentative de synthèse qu'on peut faire sur l'habitation 1 de Pincevent un caractère encore hypothétique. [...] Établir que l'habitation 1 est à foyers alignés, qu'elle est ovale, jonchée de débris osseux et de silex, imprégnée d'ocre rouge, suffit pour affirmer qu'elle appartient à la catégorie générale des habitations de plein air du Paléolithique supérieur européen. C'est pourquoi cette synthèse sera limitée à ce que l'habitation 1 a livré avec une raisonnable certitude.*
>
> Leroi-Gourhan et Brézillon, 1966, p. 361.

Et ce qui est « raisonnablement certain » réside dans l'esquisse prudente de traits essentiels (fig. 1) :

> *La forme de l'habitation est donnée par la superposition des différents éléments, en particulier par les cordons de déchets de débitage du silex, par l'ocre répandue sur le sol et par les débris osseux. [...]*
> *La nature même de l'habitation reste du domaine de l'hypothèse, mais la netteté des traces permet d'orienter les suppositions [vers] une tente de peaux ou d'écorces. [...]*
> *Les traces qui entourent le foyer III suggèrent avec netteté l'implantation d'une tente conique dont le sommet serait décalé pour ménager au maximum l'espace intérieur et assurer l'évacuation de la fumée du foyer placé à l'entrée. Le bloc-siège (A) est placé sur le seuil, en pleine lumière, le foyer (B), couvert de pierres, assure la protection de l'intérieur contre le froid et les insectes. À l'intérieur une couchette (C) recouvre une moitié de l'espace disponible, l'autre moitié (D) est destinée à la circulation et aux opérations techniques et alimentaires.*
> *Ce plan défini, il apparaît que les traces environnant les deux autres foyers reproduisent le même dispositif dans un agencement tel que les foyers soient alignés, les espaces de circulation mis en commun, et les couchettes éloignées au maximum les unes des autres, les issues s'offrant naturellement, au raccordement de chacune des trois cellules. Une structure de cet ordre implique de toute évidence l'existence d'un*

modèle de tente correspondant à une armature de mâts sur lesquels est tendue une couverture souple. On est donc conduit à supposer que chaque unité de subsistance (vraisemblablement une famille de deux à cinq ou six membres) disposait du moyen de construire un abri person- nel dont les éléments pouvaient entrer dans une construction collective. Il resterait à déterminer si chaque cellule sociale transportait ses mâts et sa couverture, ou si les éléments étaient constitués sur place en abat- tant des perches et en utilisant des peaux de renne fraîches. Il est difficile de trancher avant d'avoir pu étudier d'autres structures semblables.

Ibid., p. 361 et suivantes.

Ces conclusions sur Pincevent seront prises en compte dans les propos tenus en 1969 dans le cadre de sa leçon inaugurale au Collège de France (Leroi-Gourhan, 1970). Il y récapitule aussi bien son propre itinéraire que les grandes étapes de la recherche préhistorique, ce qui lui permet, dans le cadre d'un programmé pour les recherches à déve- lopper, d'avancer des pistes pour l'étude comparée, technologique et ethnologique, des habitats en grotte et des habitats en plein air :

L'ethnologie préhistorique [...] vise à constituer [...] des assem- blages synchroniques caractérisant des entités culturelles qui couvrent de manière aussi complète que possible les différents domaines de l'acti- vité des hommes du passé, y compris ce qui ne se matérialise pas directement dans les objets exhumés, mais dans les rapports que ces objets entretiennent entre eux.

Leroi-Gourhan, 1970, p. 7-8.

Cette définition rejoint les préoccupations qui sont les siennes depuis 1943 avec les notions d'enquête extensive et dans *Évolution et techniques*, même si, pour y parvenir, il est toujours, et plus que jamais, question de commencer par analyser au plus près la réalité des faits matériels par l'enquête intensive.

Le problème de l'habitation est le plus important qui se pose au préhistorien, car de sa solution dépend l'interprétation d'une grande partie des autres structures. Une fois déterminées la forme et la nature de la maison, la position des foyers et celle des moindres objets peuvent devenir significatives, puisque presque toute l'activité humaine se traduit en fonction du microcosme domestique.

Ibid., p. 19-20.

Cependant, la précision accrue de la fouille et de l'enregistrement de terrain le conduisent non seulement à restreindre les interprétations et restitutions au seul périmètre dégagé, mais subordonne explicitement celles-ci à une démarche en deux étapes :

> *L'interprétation, présente dès le début des travaux, doit rester subordonnée à l'enregistrement, concourir à la mise en évidence des détails, inspirer les vérifications grâce auxquelles la fouille peut devenir une véritable expérience, mais céder dans tous les cas le pas à l'établissement imperturbable des faits. Cette nécessité [...] commande [...] la constitution d'une sémantique qui permette de prolonger indéfiniment, de chercheur en chercheur, les possibilités de l'interprétation. Sur les documents protégés au maximum de l'influence personnelle du fouilleur, l'interprétation prend alors valeur expérimentale.*
>
> *Ibid.*, p. 22.

L'objectif fondamental, qui consiste à trouver le moyen d'une objectivité de l'observation des traces des activités des humains – par essence uniques – par le biais des méthodes expérimentales – car reconductibles – semble enfin possible...

Le programme qu'il se fixe désormais ne verra son plein développement qu'à travers les séminaires au Collège de France et les fouilles à Pincevent. En effet, une deuxième publication (Leroi-Gourhan et Brézillon, 1972) propose à la fois une critique du premier « modèle » d'habitat établi en 1966, une méthode affinée pour les enregistrements, une réflexion sur les pertinences et les limites en matière d'interprétation des faits mis au jour, et une proposition pour l'établissement d'un vocabulaire dit « d'attente ». Le développement de ce vocabulaire est en effet d'autant plus important que les structures identifiées et décrites ne le sont pas toujours immédiatement, sur le terrain : André Leroi-Gourhan distingue explicitement deux niveaux d'interprétation en fonction de deux types de structures, les évidentes et les latentes (fig. 2).

> *[...] si l'enregistrement des objets ne pose pas de problèmes particuliers, celui des structures évidentes est beaucoup plus aléatoire. Si paradoxal qu'il puisse paraître, ces structures évidentes sont plus difficiles à maîtriser que les structures latentes parce qu'elles risquent, par leur apparente simplicité, de cristalliser prématurément l'explication. Un bon enregistrement peut permettre après coup d'en récupérer quelque chose, mais si l'on n'a pas compris l'essentiel sur le terrain et conduit le décapage en fonction du problème posé, les risques sont considérables.*
>
> Leroi-Gourhan et Brézillon, 1972, p. 259.

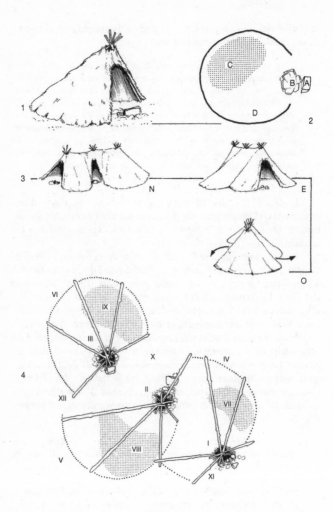

Figure 1.

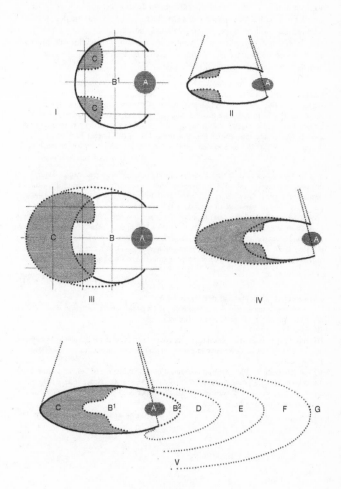

Figure 2.

Figures 1 et 2. D'un modèle à l'autre, au vu des nombreuses données mises au jour à Pincevent et des analyses des structures évidentes comme des structures latentes, le modèle a perdu en réalisme naturaliste mais s'est enrichi en possibilités d'interprétations. De plus, l'extension des fouilles sur plusieurs centaines de mètres carrés en continu donne la possibilité de caractériser les abords immédiats des unités d'habitation.

Légende Figure 1 : Reconstitution de l'habitation 1 de Pincevent. 1. Vue cavalière de la reconstitution générale d'une cellule fondamentale revêtue de sa couverture. 2. Plan d'une cellule fondamentale (A : bloc-siège ; B : foyer à l'entrée ; C : couchettes ; D : espace libre). 3. Vues cavalières de la tente composée de trois unités fondamentales, avec indication des directions cardinales (Nord, Est, Ouest). 4. Plan de l'assemblage. La disposition des perches de charpente a été établie sur une maquette en grandeur réelle. I, II et III : foyers ; IV, V et VI : arcs de détritus ; VII, VIII et IX : espaces vides (sans ocre et peu de vestiges), espaces de couchage ?

(Leroi-Gourhan et Brézillon, 1966, p. 363).

Légende Figure 2 : « La définition de superstructures de matériaux légers, comme de perches et de peaux ou d'écorces, est particulièrement délicate. La couverture d'un espace d'environ 3 m de diamètre, avec le foyer à peu près à cheval sur l'un des bords du cercle, est rendue évidente par tout ce qui a été considéré au cours de cette étude. Cette surface d'environ 7 m² peut avoir constitué toute l'habitation ; c'est l'hypothèse que j'ai suivie dans l'analyse de l'habitation n° 1 [...] [Cependant] certaines anomalies de distribution [...] m'ont conduit à supposer l'existence d'une surface couverte plus grande que n'autorisait l'hypothèse d'une tente de 3 m de diamètre. [...] Il est donc apparu que les unités isolées offraient peut-être un plan légèrement différent de celui des éléments de la tente aux trois foyers. Ce plan suppose un contour plus ovale »

(Leroi-Gourhan et Brézillon, 1972, p. 247).

« Modèle théorique des habitations de la section 36.
I : modèle conforme à celui de l'habitation n° 1. La partie libre de vestige et d'ocre (C) est réduite à deux surfaces de dimensions restreintes.
II : vue oblique.
III : modèle développé, dans lequel la surface couverte est ovale et ménage une large surface C délimitée par une cloison avec ouverture sur B ou par une couchette en croissant, surélevée.
IV : vue oblique.
V : vue oblique du modèle complet d'une unité d'habitat ; A : foyer ; B1 : espace interne d'activité domestique ; B2 : espace externe d'activité domestique ; C : espace réservé ; D : espace d'évacuation rapprochée ; E : espace d'évacuation dispersée ; F : espace d'évacuation raréfiée ; G : espace des découvertes isolées. »

(Leroi-Gourhan et Brézillon, 1972, p. 254.)

Conduite avec encore plus de rigueur, cette démarche – non seulement de fouille et d'enregistrement, mais de dénomination et d'identification – autorise alors à plus d'exactitude, même si la précision de la restitution semble moindre.

> *Le modèle théorique proposé ici ne répond évidemment pas à tout ce qu'on pourrait souhaiter savoir. Au point où en sont les recherches, il est impossible de dessiner le contour exact des couchettes ou l'emplacement préféré pour le rangement des sagaies au retour de la chasse ; il n'est même pas certain que les contours du modèle théorique soient absolument précis, on constate seulement que, projeté au sol, il encadre les vestiges de manière assez frappante, laissant les déchets à l'extérieur, et donnant aux témoins « nobles » comme l'ocre ou les outils, une signification topographique non équivoque[1]. Dans ses grandes lignes, le modèle théorique confirme celui que j'avais proposé lors de la fouille de l'habitation n° 1.*

> *Ibid.*, p. 246-247.

Quoi qu'il en soit, il s'autorise à conclure que

> *on connaît maintenant sur Pincevent plus que l'esquisse d'une population dont l'économie reposait sur la chasse au renne et qui s'abritait dans des structures rondes ou ovales. L'apport des connaissances de détail, dans les domaines de l'activité technique, depuis la découverte de l'habitation n° 1, a été considérable.*

> *Ibid.*, p. 258-259.

1976 : CONGRÈS DE L'UISPP.
OUVRIR LE CHAMP DES RÉFÉRENCES DU TERRAIN

Simultanément aux travaux menés à Pincevent et aux séminaires du Collège de France, André Leroi-Gourhan et son équipe préparent les interventions prévues dans le cadre du congrès de l'UISPP en 1976.

---

1. « La restitution des structures au sol est une des tâches les plus difficiles qu'offre l'archéologie, préhistorique ou non ; mais la reconstitution des superstructures est certainement l'un des pièges les plus alléchants de nos sciences. Pour éviter ce piège sans renoncer à ce que l'on peut légitimement escompter de la vision au sol, j'ai préféré recourir à un "modèle théorique", uniquement fondé sur la répartition des différents témoins, modèle qui constitue en quelque sorte le portrait-robot de l'habitation magdalénienne de Pincevent », LEROI-GOURHAN et BRÉZILLON, 1972, p. 258.

Que ce soit dans les documents préparatoires aux colloques scientifiques ou dans les articles constituants la somme éditoriale publiée au moment du Congrès, on retrouve une même préoccupation au sujet des interprétations des structures d'habitat.

L'article publié dans *La Préhistoire française* est d'ordre plus général et fait appel autant aux observations de terrain qu'à la logique d'analyse que l'on peut mettre en place à partir de l'observation de comportements et de faits actuels.

Après des propos généraux et une définition de ce qu'il entend par « structure » [2], il étend son thème d'investigation au-delà des limites de l'habitat, mais reste à sa périphérie immédiate :

> *La même progression intéresse l'habitat, dont l'élément central est l'habitation alors que les autres structures significatives (dépotoirs, chemins, annexes, voisinage, postes de chasse, etc.) se développent en ondes centrifuges jusqu'aux limites du territoire. Ces structures péri- phériques sont rarement accessibles, car lorsque les conditions sont bonnes, on ne peut guère définir que le territoire domestique d'une habitation ; si elles sont excellentes, on parvient au maximum à situer plusieurs unités d'habitation dans leurs rapports mutuels.*
>
> *Jusqu'à présent on ne dispose pas d'éléments suffisamment copieux pour établir les structures latentes, celles que révèlent les rapports entre les objets le plus souvent minimes, esquilles de débitages, lamelles de burins…, repérés avec une précision absolue. Il est par contre possible de mettre en valeur les structures évidentes, dont le dessin à vue ou la photographie rendent compte de façon satisfaisante.*
>
> Leroi-Gourhan, 1976a, p. 656-657.

Il est cependant remarquable que, pour la première et la seule fois, la notion de « structure » pour l'habitat paléolithique soit ici argumentée également avec des illustrations (et des références bibliographiques) dépassant le cadre des sites fouillés par André Leroi-Gourhan lui-même : Marsangy et Étiolles dans le Bassin parisien, Plateau Parrain, abri du Facteur, Fourneau du Diable et Corbiac, pour le Périgord… Mais peut- être le fait que cet article ait probablement été préparé en collaboration n'est-il pas étranger à cette exception.

---

2. « L'emploi ici du terme "structure" n'est ni tout à fait l'emploi courant, ni tout à fait celui des structuralistes. Nous entendons par structure "l'assemblage de témoins liés entre eux de manière significative" », LEROI-GOURHAN, 1976a, p. 656.

Il en vient donc à proposer une double assise aux voies de l'interprétation des traces matérielles. C'est ainsi que, suite aux propositions de vocabulaire élaborées lors de ses séminaires au Collège sur le thème des structures de combustion, présentées ici à partir de l'analyse critique des identifications du passé et des expériences récentes de terrain à Pincevent, il écrit :

> *Nos connaissances sur l'habitat préhistorique reposent entièrement sur les fouilles et sur la nomenclature. Sur la nomenclature : il est évident que si l'on nomme « foyer » ou « atelier » n'importe quel amas de matériaux charbonneux ou amas de silex, la fouille aura, du point de vue qui nous intéresse, été inutile. Sur la fouille : la connaissance des structures réelles ne peut venir que de la fouille par décapage.*
>
> Leroi-Gourhan, 1976b, p. 87.

CONCLUSION

À mesure de ses expériences, la démarche d'André Leroi-Gourhan s'organise vers de plus en plus de précision. Tout d'abord, l'approche extensive permet de formuler le cadre de ce qu'il faut chercher à reconstituer : la chronologie, le contexte environnemental, la vie, l'habitat, le geste technique… Ensuite, avec la confrontation au terrain, il est devenu indispensable de déterminer comment intervenir pour obtenir des données constitutives de la connaissance : protocoles de fouille, de lecture sur place, d'enregistrement et de restitution. Enfin, et simultanément, s'est posée la question de l'interprétation des restes matériels mis au jour, et de ses limites.

Après le développement d'un cadre d'objectifs puis la mise en pratique par la fouille, André Leroi-Gourhan reprend son travail théorique en s'emparant de la question de la nomenclature, car nommer c'est dire et créer, pour le meilleur et pour le pire ! Avec cette nouvelle étape dans l'élaboration des outils d'analyse des faits archéologiques, qui doivent tendre à une réelle « objectivité » appelée de tous ses vœux et permettre d'accéder à la compréhension des modes de vie au Paléolithique, André Leroi-Gourhan renouvelle alors ses attentes sous forme d'appel : pas plus que vingt ans auparavant avec l'absence quasi-générale de plans de structure évidente, il ne peut aller plus loin dans les propositions d'interprétation et de restitution de la vie des hommes de la Préhistoire s'il est le seul (même avec son équipe !) à travailler les vocabulaires de cette façon. Il faut donc que chacun contribue à augmenter le corpus des structures mais aussi celui des termes les décrivant, puis les interprétant.

Des premières constructions brassant millénaires et continents aux derniers travaux d'approfondissement sur les habitats de Pincevent, on observe chez André Leroi-Gourhan une évolution qui le conduit de l'extensif le plus large à l'intensif le plus minutieux et rigoureux.

Pour autant, même si des différences fondamentales subsistent entre les démarches des deux savants (Soulier, à paraître), il faut rapporter ici les mots qui concluent l'article de Marcel Mauss à propos des Eskimos et qui ne peuvent manquer de faire écho à cette étape ultime du travail de terrain chez André Leroi-Gourhan : « ainsi le présent travail aura tout au moins ce profit méthodologique d'avoir indiqué comment l'analyse d'un cas défini peut, mieux que des observations accumulées ou des déductions sans fin, suffire à prouver une loi d'une extrême généralité » (Mauss, 1906, p. 132).

Bibliographie

LEROI-GOURHAN A. (1936), *La Civilisation du Renne*, Paris, NRF, Gallimard, coll. « Géographie humaine ».

(1943a), *Quelques problèmes d'enquête technologique en ethnographie ; enquête extensive*, conférence à la Société du folklore français, 23 novembre 1943, dactyl., 8 p. archives MNATP.

(1943b), *Évolution et techniques, I. L'homme et la matière*, Paris, Albin Michel.

(1945), *Évolution et techniques, II. Milieu et techniques*, Paris, Albin Michel.

(1955a), « Discours d'ouverture », *Congrès préhistorique de France*, XIVe session, Strasbourg-Metz, 1953, p. 51-66.

(1955b), « L'interprétation des vestiges osseux », *Congrès préhistorique de France*, XIVe session, Strasbourg-Metz, 1953, p. 377-394.

(1955c), *Les Hommes de la Préhistoire. Les chasseurs,* Paris, Bourrelier, coll. « La joie de connaître ».

(1965), « Le Châtelperronien, problème ethnologique », in *Miscelanea in homenaje al Abate Henri Breuil*, t. 2, Barcelone, Instituto de prehistoria y arqueologia, p. 75-81.

(1970), *Leçon inaugurale, faite le vendredi 5 décembre 1969*, Collège de France, Chaire de Préhistoire.

LEROI-GOURHAN A. (1976a), « Les structures d'habitat au Paléolithique supérieur », *La Préhistoire française*, t. I, *Les civilisations paléolithiques et mésolithiques de la France*, Paris, Éditions du CNRS, p. 656-663.

(1976b), « L'habitat au Paléolithique supérieur », in *Les Structures d'habitat au Paléolithique supérieur*, IXᵉ Congrès international de l'UISPP, Nice, colloque XIII, prépublications, p. 85-92.

LEROI-GOURHAN A., BAILLOUD G., CHAVAILLON J., LAMING-EMPERAIRE A. et al. (1966), *La Préhistoire*, Paris, PUF, coll. « Nouvelle Clio ».

LEROI-GOURHAN A., BRÉZILLON M. (1966), « L'habitation magdalénienne n° 1 de Pincevent près Montereau (Seine-et-Marne) », *Gallia Préhistoire*, t. 9, fasc. 2, p. 263-365.

(1972), *Fouilles de Pincevent. Essai d'analyse ethnographique d'un habitat magdalénien (la section 36)*, Paris, Éditions du CNRS, VIIᵉ supplément à *Gallia Préhistoire*, 2 vol.

MAUSS M. (1906), « Essai sur les variations saisonnières des sociétés Eskimos. Étude de morphologie sociale », *L'Année sociologique*, t. IX, p. 39-132.

SOULIER P. (2003), « André Leroi-Gourhan (25 août 1911-19 février 1986) », *La Revue pour l'Histoire du CNRS*, n° 8, p. 54-68.

(2005), « André Leroi-Gourhan enseignant à Lyon (1944-1956) : de l'ethnologie coloniale à l'ethnologie préhistorique », *in* J. ÉVIN et M. PHILIPPE (dir), *150 ans de Préhistoire autour de Lyon, Cahiers scientifiques*, Hors série n° 3, p. 43-56.

(à paraître), « André Leroi-Gourhan, de la muséologie à l'ethnologie (1934-1946) », *in* M. COLLARDEL (ed), Actes du colloque international MNATP et CEF, *Du folklore à l'ethnologie : Musées, idées en France et en Europe, de 1936 à 1945*, Paris, 19-21 mars 2003.

Que peut-on retrouver
des techniques ?

Quarante ans d'études technologiques

Comment et jusqu'où aller dans la reconstitution du quotidien ?

Miguel ALMEIDA, Thierry AUBRY, Javier MANGADO LLACH,
Maria João NEVES, Jean-Baptiste PEYROUSE, Bertrand WALTER

HISTORIQUE

L'apport initial de l'ethnologie et la contribution de Leroi-Gourhan

C'est sous l'influence des tendances post-positivistes que l'ethnologie connaît un bouleversement décisif vers le milieu du xxe siècle. La prise de conscience du caractère subjectif des récits des membres des sociétés étudiées et des déviations imposées par la perspective eurocentriste rend nécessaire de trouver de nouveaux champs et moyens analytiques, et l'intérêt pour le domaine technique, jugé plus objectif et porteur d'informations sur l'organisation sociale et culturelle, se développe. Marcel Mauss et Marcel Maget créent le concept de « chaîne technique », traitant non seulement des objets, mais aussi des séquences gestuelles et des connaissances techniques de l'artisan (Pelegrin *et al.*, 1988 ; Julien, 1992).

Cette évolution eut une influence décisive sur la Préhistoire et rapprocha les deux champs scientifiques, qui partagèrent alors un même programme méthodologique : appréhender le « tout socio-culturel » à partir du domaine spécifique des techniques. Disposant désormais des outils analytiques créés dans le domaine spécifique de l'ethnologie, la Préhistoire opéra une lente réorientation, délaissant le paradigme chronoculturaliste, évolutionniste, au profit d'une approche de caractère palethnologique. L'homme se substitue à l'outil comme objet de la recherche, mais se voit également repositionné dans un environnement biologique et culturel dont il ne constitue qu'un élément (Pelegrin *et al.*, 1988).

Définissant la technique comme « geste et outil organisés en chaîne par une véritable syntaxe », André Leroi-Gourhan produit la première expression complète de cette nouvelle orientation scientifique de la Préhistoire lors de l'étude de Pincevent (Leroi-Gourhan et Brézillon, 1966). La méthode du remontage des vestiges archéologiques est appliquée en relation avec leur analyse spatiale, pour reconstruire les chaînes opératoires concrètes et l'histoire des outils. L'organisation des faits dans l'espace et le temps pendant les occupations, jugée porteuse d'une forte signification culturelle, devient alors une priorité de l'analyse.

Ce travail pionnier introduit de nouvelles ambitions pour la Préhistoire et ouvre la porte aux développements méthodologiques des dernières décennies du XXᵉ siècle.

Vers une Préhistoire des techniques, réponse méthodologique des préhistoriens

La reconstitution du quotidien des groupes paléolithiques est donc tributaire du corpus conceptuel et méthodologique développé entre les années 1940-1950 dans le champ de l'ethnologie, et qui fut adapté aux contraintes propres à l'étude des groupes humains du passé.

Depuis les années 1960-1970, la prise de conscience de l'intérêt des techniques pour la compréhension des sociétés préhistoriques (Pelegrin *et al.*, 1988 ; Julien *et al.*, 1992) fait progresser le « mouvement technologique » (Tixier, 1988). Les outils analytiques se perfectionnent, ce qui permet de comprendre les systèmes techniques de ces groupes et de tenter de reconstituer leur environnement socio-économique, répondant ainsi aux ambitions de fonder une « ethnologie préhistorique ».

LES MÉTHODES

Sur la notion de donnée archéologique

Conséquence directe de l'introduction de la contemporanéité dans le domaine des sciences sociales, le fait observé perd son caractère objectif et extérieur à l'observateur. Aux « faits » d'un monde positiviste qui se donnent objectivement à l'observateur passif, se substitue la subjectivité inhérente d'une science qui dépend de l'intervention d'un acteur qui reconstruit l'univers chaotique de ses observations.

Parallèlement, si la vision objectiviste du document archéologique s'adaptait à la perfection à une Préhistoire qui visait à classer les objets, elle ne convient plus à une approche qui prétend comprendre les options et actions des hommes et des groupes préhistoriques.

Ainsi, depuis les travaux d'André Leroi-Gourhan et de Pierre Lemonnier, le fait archéologique interprétable n'est plus l'objet en soi (éventuellement contextualisé au sein d'une séquence stratigraphique), mais plutôt l'ensemble des relations entre l'objet, le geste et les connaissances de l'individu ; entre matériel, action et culture.

Les programmes de remontage systématique : une base pour la construction interprétative

Dans ce nouveau paradigme, les remontages des vestiges archéologiques se révèlent d'une importance décisive. D'une part pour la compréhension taphonomique des processus d'accumulation et évolution post-dépositionnelle des vestiges (Villa, 1983 ; Petraglia, 1992 ; Bordes, 2000), notamment en ce qui concerne la détermination de la nature et de l'ampleur des processus ayant affecté les vestiges après leur déposition originelle ; d'autre part, parce que la constitution d'ensembles de vestiges remontés produit les liens (à valeur spatiale et temporelle) sur lesquels se fondent les analyses qui permettent de restituer l'organisation spatiale, la fonctionnalité et la dimension temporelle du site archéologique.

Bien qu'il s'agisse d'une démarche très consommatrice en temps, les remontages sont entrepris dès la phase de terrain, ce qui conditionne définitivement leurs possibilités interprétatives (Leroi-Gourhan et Brézillon, 1972 ; Tixier, 1976 ; Villa, 1991). La prolifération des remontages systématiques d'une large panoplie de catégories de vestiges (Hofman, 1992 ; Villa *et al.*, 1986) devient une exigence méthodologique d'une science préhistorique qui s'intéresse désormais davantage à l'individu et à l'organisation sociale des groupes préhistoriques (Hofman, 1992).

Taphonomie : l'exigence d'une critique des unités stratigraphiques

La critique taphonomique est l'un des plus importants développements issus des querelles fonctionnalistes initiés durant les années 1960.

Parce que l'on comprend que les niveaux archéologiques préservés ne reflètent pas directement les comportements préhistoriques et que leur interprétation n'est possible que par le biais d'une compréhension des processus de leur formation et évolution post-dépositionnelle (Binford, 1981a et b ; Villa, 1982 et 1983), l'évaluation contextuelle de la destruction, détérioration et du degré général de déplacement des niveaux et séries archéologiques devient un préalable à toute analyse de site (Ascher, 1961 ; Binford, 1981b ; Villa, 1983 ; Hofman, 1992).

Archéozoologie : biologie et économie des ressources fauniques

La démarche interprétative du préhistorien doit, par ailleurs, intégrer la totalité des vestiges (archéofacts et écofacts) disponibles.

Pilier de la nouvelle science préhistorique, la nouvelle approche archéozoologique place l'étude des vestiges fauniques au centre de la compréhension des options économiques fondamentales du groupe : stratégies cynégétiques, types d'acquisition, traitement du gibier, saisonnalité des chasses (période et durée) et implications pour les déplacements du groupe sont les questions primordiales de cette approche (Enloe et David, 1989 ; Fontana, 1998). L'objectif consiste à déterminer la fonctionnalité des occupations du site, afin de proposer son intégration dans une stratégie économique régionale (Hofman, 1992 ; Fontana, 1998).

Étude de l'approvisionnement en matières premières lithiques

Une autre voie de recherche complémentaire et parallèle réside dans l'étude de l'approvisionnement en matières premières siliceuses (Demars, 1982 ; Geneste, 1985). L'analyse comparée des différentes ressources (biotiques et abiotiques) corrélée avec les données obtenues sur la saisonnalité, la durée et la matière de chaque occupation, permet de tenter une reconstitution des stratégies économiques des groupes humains préhistoriques.

Les limitations inhérentes au fait que seules les sources d'origine et le lieu d'abandon d'un objet sont effectivement définis et que la relation chronologique entre plusieurs sites n'est pratiquement jamais objectivement établie ne doivent pas être oubliées lorsque l'on propose des hypothèses de modalités d'exploitation des ressources d'un espace géographique (Mangado, 2004 ; Aubry, 2005).

Technologie... et archéologie expérimentale

À la suite des travaux pionniers de François Bordes (1947), le développement de la technologie lithique s'accélère à partir de la fin des années 1960, notamment avec les travaux de Jacques Tixier (1967 et 1978) et le développement du concept de « chaîne opératoire » (Geneste, 1985 ; Boëda, 1986 ; Pelegrin, 1995).

La réponse aux nouvelles ambitions des préhistoriens se matérialise progressivement dans un nouveau paradigme analytique, dit « technologique », regroupant une variété d'outils d'analyse : caractérisation de l'origine des matériaux, remontages, description de chaînes et schémas techniques, reproduction expérimentale et analyse tracéologique. Les études de technologie lithique s'intéressent alors à des questions comme les techniques de débitage, la détermination de l'outillage du tailleur, les schémas opératoires mentaux et les degrés de compétence technique.

En conséquence, l'expérimentation directe de la taille devient indispensable pour la résolution de problèmes particuliers posés par cette nouvelle orientation des études du matériel lithique taillé. Des programmes expérimentaux se développent, notamment à partir des travaux de François Bordes (1947) et Don E. Crabtree (1972). De nouvelles variables sont analysées, comme l'influence de la position du tailleur, de sa technique de débitage, du schéma opératoire réalisé, des objectifs qu'il s'est fixés, de ses outils de taille, sur la répartition spatiale des vestiges au sol (Newcomer et Sieveking, 1980 ; Pelegrin, 1995). Des protocoles expérimentaux de plus en plus rigoureux contrôlent les divers paramètres de l'expérimentation (Newcomer et Sieveking, 1980).

Cet effort d'application d'une approche expérimentale en Préhistoire s'étend d'ailleurs à de nombreux autres domaines de la technique des sociétés paléolithiques (Allain, 1957 ; Rigaud, 1977 ; Leroi-Gourhan et Allain, 1979 ; Allain et Rigaud, 1986).

Fonction : typologie et analyse tracéologique

La possibilité de conduire des études tracéologiques des stigmates d'usure des zones actives des outils archéologiques permet de dépasser le caractère purement inductif des « attributions » fonctionnelles d'ordre typologique. Objet d'un très important développement dans le monde de la recherche préhistorique en Europe orientale (Semenov, 1964), cette nouvelle approche connaît sa première application expressive dans le site de Meer (Belgique) (Keeley, 1978 ; Cahen *et al.*, 1979). Actuellement, l'approche tracéologique intègre de plus en plus l'éventail des ressources analytiques auquel les archéologues font appel pour caractériser la nature des activités qui se sont déroulées sur un site.

Par ailleurs, le développement de la méthode, fortement tributaire des travaux d'expérimentation qui lui confèrent l'indispensable référentiel de comparaison (Allain et Rigaud, 1986), permet aussi d'entreprendre des programmes spécifiques de recherche qui ont déjà produit de très importants résultats pour l'interprétation des vestiges lithiques des groupes paléolithiques (Plisson et Geneste, 1989).

L'analyse spatiale

Initialement destinée à évaluer l'intégrité taphonomique des niveaux archéologiques (Hofman, 1992), l'analyse spatiale de la répartition des vestiges, en liaison avec les résultats de remontage et les analyses technologiques et tracéologiques, devient décisive pour la compréhension de l'organisation spatiale et fonctionnelle du site (Leroi-Gourhan et Brézillon, 1966 et 1972). L'utilisation conjointe de ces outils analytiques permet d'identifier la variabilité fonctionnelle, les types d'activités de taille (Cahen *et al.*, 1979) et même des déplacements d'objets et d'individus dans un espace qui devient ainsi structuré par la diversité fonctionnelle des différentes zones et par les rapports dont témoignent ces déplacements d'objets et de personnes (Leroi-Gourhan et Brézillon, 1966).

Faisant encore appel aux résultats des remontages, l'analyse morphologique des concentrations lithiques en rapport avec la répartition spatiale et microstratigraphique des débris, toujours par rapport à un référentiel expérimental, permet d'identifier la genèse et l'évolution de ces concentrations, contribution très importante pour la compréhension de l'organisation fonctionnelle de l'espace (Villa, 1991).

Finalement, si le taux de remontage obtenu est suffisamment élevé, l'analyse peut porter sur les modèles de fragmentation spatiale des chaînes opératoires et contribuer ainsi non seulement à l'interprétation de l'organisation spatiale au niveau du site, mais aussi à la compréhension de la variabilité fonctionnelle des divers sites et des systèmes de mobilité des groupes (Hofman, 1992). Il devient alors possible d'aborder des questions comme la position exacte du tailleur, les interruptions de la chaîne opératoire et d'éventuels changements de tailleur, des techniques de taille, les modalités de dépôt des concentrations et les caractéristiques de l'environnement immédiat du tailleur (Karlin et Newcomer, 1982 ; Newcomer et Sieveking, 1980 ; Almeida *et al.*, 2003).

Micro-stratigraphie et évaluation de la durée de l'occupation

Au début des années 1980, s'impose la nécessité d'une démarche interprétative capable de déceler toute la dynamique des activités des groupes humains dans l'information livrée par les plans des niveaux d'occupation archéologiques (Newcomer et Sieveking, 1980).

La récupération de la dimension diachronique des occupations préhistoriques devient alors l'une des préoccupations des équipes travaillant sur le Tardiglaciaire du Bassin parisien où la découverte de nouveaux sites très bien conservés offre l'opportunité de compléter le programme scientifique initié par André Leroi-Gourhan à Pincevent en abordant la question de l'épaisseur chronologique de l'occupation.

L'interprétation de cartes de répartition des vestiges auxquelles les remontages confèrent les liens à valeur chronologique permet de retrouver la séquence des événements et la direction des actions (Hofman, 1992). Cette approche a connu plus récemment l'application systématique d'une démarche interprétative à une échelle micro-stratigraphique (Ketterer *et al.*, 2004). Les niveaux archéologiques nous informent désormais non seulement sur l'organisation fonctionnelle de l'espace occupé, mais aussi sur l'agencement chronologique des activités réalisées sur place et même sur la durée de l'occupation (Ketterer *et al.*, 2004).

MICROHISTOIRE, PALETHNOLOGIE, PALÉOHISTOIRE

Reconstitution microhistorique des sites et palethnologique des groupes humains

L'application de ces différentes approches à des études à dimension régionale permet d'établir la saisonnalité, la durée et la fonction d'un site, et ainsi de retracer les axes probables de déplacement des groupes et de comprendre leurs stratégies économiques d'exploitation de l'environnement.

Les effectifs, types de remontages et distances entre les éléments remontés révèlent tout particulièrement la nature des activités sur le site et les liens entre les différentes aires fonctionnelles (Cziesla, 1990), aires dont la reconnaissance résulte d'analyses technologiques, typologiques, tracéologiques et spatiales (Villa, 1982).

L'objectif est de reconstituer les activités qui se sont déroulées sur un site et de les replacer dans le contexte de son organisation spatiale et de son agencement chronologique à l'échelle de l'occupation. Il s'agit, bien évidemment, d'une restitution de fragments des travaux quotidiens au Paléolithique, mais directement ancrés sur les évidences archéologiques. Cette démarche de reconstitution « microhistorique » du site n'est pas exempte d'interprétation. Mais les opérateurs de cette interprétation doivent être explicites et formulés en propositions vérifiables *a posteriori* et dans d'autres cas archéologiques.

La fragmentation spatiale d'une chaîne opératoire, démontrée par le remontage d'une séquence, peut s'interpréter comme un changement de tailleur si les deux fragments de la chaîne témoignent d'une différence technique, notamment en terme de savoir-faire ou de connaissances conceptuelles.

Ce changement peut correspondre à une répartition sociale du travail si la fragmentation de la chaîne intervient à un moment stratégique déterminant, et si l'analyse démontre la concentration dans un même emplacement de pièces issues de chaînes fragmentées au même moment stratégique.

La répétition de ces observations fonctionne comme contrôle de la validité de ces opérateurs interprétatifs, qui doivent ainsi être constamment confirmés, perfectionnés ou infirmés par l'accumulation des observations.

Des apports de l'ethnologie, ethnoarchéologie et archéosciences

Une telle reconstitution microhistorique vise à organiser les données archéologiques en faits significatifs pour l'approche palethnologique du groupe qui a occupé un site et laissé derrière lui les vestiges qui nous sont parvenus. Cette ambition de comprendre les hommes préhistoriques dans leur vie quotidienne et non plus seulement dans le vaste champ de la chronologie exige donc le recours aux concepts mis au point par les ethnologues, mais adaptés aux sociétés depuis longtemps disparues (Pelegrin *et al.*, 1988).

Outre cette contribution méthodologique décisive, l'ethnologie a introduit dans son propre champ d'étude un ensemble de méthodes spécifiques à l'archéologie, qui visent une autre perspective informative sur des sujets dont nous disposons encore de témoins vivants, et a ainsi fondé l'ethnoarchéologie. Les retombées pour la Préhistoire sont de deux ordres : d'une part, le référentiel de comparaison ethnologique s'élargit, d'autre part, en s'intéressant à la fouille archéologique de sites livrant des vestiges d'activités que nous connaissons par des témoignages plus ou moins directs, l'ethnoarchéologie fonctionne comme un laboratoire qui permet de comprendre la relation entre les activités et leurs vestiges, et d'évaluer notre capacité à reconstituer ces activités à partir de tels vestiges et l'ampleur des déviations possibles de nos interprétations.

Finalement, « l'ethnologie préhistorique », que André Leroi-Gourhan réclamait et que nous pouvons aujourd'hui entrevoir ne sera jamais possible sans la participation de l'ensemble des « archéosciences » qui rend significatifs de nombreux vestiges auparavant considérés comme inutilisables, mais aujourd'hui indispensables à la compréhension de la paléo-économie et de l'organisation sociale des groupes préhistoriques.

Construction d'une paléohistoire : territoire, approvisionnement, stratégie et paléo-économie

L'application pratique, pourtant, n'est pas sans difficultés, et l'ambition de André Leroi-Gourhan de fonder une ethnologie de la Préhistoire ne peut être considérée comme réalisée, d'autant plus que le progrès des méthodes ne fait que repousser les attentes d'une discipline à la recherche d'une véritable paléohistoire sociale et économique (Valentin, 1995).

Toutefois, les perspectives méthodologiques ouvertes sont énormes :

– la reconstitution de la composition et de la structure sociale des groupes, la compréhension des rôles sociaux des différents individus à partir de l'étude des niveaux de technicité, notamment des tailleurs, et la reconnaissance de la main du tailleur sur la base du style et de la compétence (Ploux, 1991) ;

– la mise en évidence de comportements d'imitation et d'apprentissage renseignant sur les rapports sociaux entre les membres du groupe (Tixier, 1988 ; Pigeot, 1988 ; Ploux, 1996 ; Almeida, 2005), mais également des indices de spécialisation et de répartition sociale des tâches et des questions fondamentales tournant autour des apports nutritionnels et du partage des ressources ;

– l'importance décisive des études des stratégies d'approvisionnement, de gestion des différentes ressources et de circulation dans le territoire, renforcées par les analyses de paléo-économie portant sur la gestion des ressources animales, les études de rentabilité de la production lithique et de l'économie de la matière première et du débitage, ainsi que par les études de saisonnalité et de durée des occupations.

Toutes les dimensions de la vie des hommes préhistoriques ne nous sont pourtant pas accessibles. Les difficultés d'interprétation dans le domaine du symbolique, *a fortiori*, demeurent largement insurmontables, car même quand le sens esthétique se manifeste de manière évidente, même quand il sous-tend l'existence d'une symbolique, la signification de celle-ci nous échappe complètement (Allain et Rigaud, 1986).

Restituer la vie quotidienne au Paléolithique : mode d'emploi et avertissements

La prolifération de démarches scientifiques insuffisamment formalisées ou méthodologiquement fragiles et l'existence de produits littéraires essayant d'intégrer les résultats de la recherche ne justifient pas la confusion entre les domaines de la science, de la divulgation et de la littérature (Beaune, ce volume).

La science est toujours conflictuelle et subjective, mais ce constat trivial ne nous condamne pas à la capitulation. Au contraire, accepter cet état de fait nous incite à une recherche d'objectivité qui passe par un examen critique des données et des méthodes que nous employons.

Adopter une telle posture nous conduit alors à prendre conscience de la valeur et du degré de fiabilité des informations disponibles pour « replacer un groupe humain dans son milieu et mettre en évidence son adaptation à ce milieu » (Pelegrin *et al.*, 1988).

Bibliographie

ALLAIN J. (1957), « Contribution à l'étude des techniques magdaléniennes. Les navettes », *Bulletin de la Société préhistorique française*, T. 54, n° 3-4, p. 218-222.

ALLAIN J., RIGAUD A. (1986), « Décor et fonction. Quelques exemples tirés du Magdalénien », *L'Anthropologie*, t. 90, n° 4, p. 713-738.

ALMEIDA F., ARAÚJO A.C., AUBRY T. (2003), « Paleotecnologia lítica : dos objectos aos comportamentos », *in* J.E. MATEUS et MORENO-GARCÍA (eds), *Paleoecologia Humana e Arqueociências, Um programa Multidisciplinar para a Arqueologia sob a Tutela da Cultura*, Trabalhos de Arqueologia n° 29, p. 299-349.

ALMEIDA M. (2005), *Première approche à l'interprétation palethnologique du groupe solutréen des Maitreaux, perspective sur la technologie et répartition spatiale des vestiges lithiques et ses implications pour l'interprétation du registre archéologique*, DEA de l'université de Paris I Panthéon-Sorbonne.

ASCHER R. (1961), « Analogy in Archaeological Interpretation », *Southwestern Journal of Anthropology*, n° 17, p. 317-325.

AUBRY T. (2005), « Étude de l'approvisionnement en matières premières lithiques d'ensembles archéologiques : remarques méthodologiques et terminologiques », *in* D. VIALOU, J. RENAULT-MISKOSKY, M. PATHOUS-MATHIS (dir), *Comportements des hommes du Paléolithique moyen et supérieur en Europe. Territoires et milieux*, Liège, ERAUL n° 111, p. 87-99.

BINFORD L.R. (1981a), *Bones. Ancient Man and Modern Myths*, New York, Academic Press.

(1981b), « Behavioural Archaeology and the "Pompeii Premise" », *Journal of Anthropological Research*, n° 37 (3), p. 195-208.

BOËDA E. (1986), *Approche technologique du concept Levallois et évaluation de son champ d'application*, thèse de l'université de Paris X Nanterre.

BORDES F. (1947), « Étude comparative des différentes techniques de taille du silex et des roches dures », *L'Anthropologie*, t. 51 (1-2), p. 1-29.

BORDES J.-G. (2000), « La séquence aurignacienne de Caminade revisitée : l'apport des raccords d'intérêt stratigraphique », *Paléo*, vol. 12, p. 387-408.

CAHEN D., KARLIN C., KEELEY L.H., VAN NOTEN F. (1980), « Méthodes d'analyse technique, spatiale et fonctionnelle d'ensembles lithiques », *Helinium*, n° 20, p. 209-259.

CAHEN D., KEELEY L.H., VAN NOTEN F. (1979), « Stone Tools, Toolkits and Human Behaviour », *Current Anthropology*, n° 20, p. 661-683.

CRABTREE D. (1972), *An Introduction to Flint Working*, Occasional Papers of the Idaho State University Museum, n° 28.

CZIESLA E. (1990), « On Refitting of Stone Artefacts », *in* E. CZIESLA *et al.* (eds), *The Big Puzzle, International Symposium on Refitttig Stone Artefacts*, Bonn, Holos, Studies in Modern Archaeology, n° 1, p. 9-44.

DEMARS P.-Y. (1982), *L'utilisation du silex au Paléolithique supérieur : choix, approvisionnement, circulation, l'exemple du bassin de Brive*, Paris, Éditions du CNRS, *Cahiers du Quaternaire* n° 5.

ENLOE J.G., DAVID F. (1989), « Le remontage des os par individus : le partage du renne chez les Magdaléniens de Pincevent (La Grande-Paroisse, Seine-et-Marne) », *Bulletin de la Société préhistorique française*, T. 86, n° 9, p. 275-281.

FONTANA L. (1998), « Subsistance et territoire au Magdalénien supérieur dans les Pyrénées : l'apport des données archéozoologiques de la Grotte de Belvis (Aude) », *Bulletin de Préhistoire du Sud-Ouest, Nouvelles Études*, n° 5, p. 131-146.

GENESTE J.-M. (1985), *Analyse lithique d'industries moustériennes du Périgord : une approche technologique du comportement des groupes humains au Paléolithique moyen*, thèse de l'université de Bordeaux I, 2 vol.

HOFMAN J.L. (1992), « Putting the Pieces Together : an Introduction to Refitting », *in* J. HOFMAN, J. ENLOE (eds), *Piecing Together the Past : Applications of Refitting Studies in Archaeology*, Oxford, BAR, International Series n° 578, p. 1-20.

JULIEN M. (1992), « La technologie et la typologie, du fossile directeur à la chaîne opératoire », *in* J. GARANGER (dir), *La Préhistoire dans le Monde*, Paris, PUF, coll. « Nouvelle Clio », p. 163-193.

JULIEN M., KARLIN C., VALENTIN B. (1992), « Déchets de silex, déchets de pierres chauffées. De l'intérêt des remontages à Pincevent (France) », *in* J. HOFMAN, J. ENLOE (eds), *Piecing Together the Past : Applications of Refitting Studies in Archaeology*, Oxford, BAR, International Series n° 578, p. 287-295.

KARLIN C., NEWCOMER M. (1982), « Interpreting flake scatters : an example from Pincevent », *Studia Praehistorica Belgica*, n° 2, p. 159-165.

KELLEY L.H. (1978), « Preliminary Microwear Analysis of the Meer Assemblage », *in* F. VAN NOTEN (ed), *Les Chasseurs de Meer, Dissertationes Archaeologicae Gandenses*, n° 18, p. 73-86.

KETTERER I., PIGEOT N., SERRA S. (2004), « Le temps de l'occupation : une histoire des activités et des comportements », *in* N. PIGEOT (dir), *Les Derniers Magdaléniens d'Étiolles : perspectives culturelles et paléohistoriques*, Paris, Éditions du CNRS, XXXVIIe supplément à *Gallia Préhistoire*, p. 235-254.

LEROI-GOURHAN A., BRÉZILLON M. (1966), « L'habitation magdalénienne n° 1 de Pincevent, près de Montereau (Seine-et-Marne) », *Gallia Préhistoire*, n° 9, p. 263-371.

(1972), *Fouilles de Pincevent : essai d'analyse ethnographique d'un habitat magdalénien (la section 36)*, Paris, Éditions du CNRS, VIIᵉ supplément à *Gallia Préhistoire*.

LEROI-GOURHAN Arl, ALLAIN J. (eds) (1979), *Lascaux inconnu*, Paris, Éditions du CNRS, XIIᵉ supplément à *Gallia Préhistoire*.

MANGADO LLACH X. (2004), *L'Arqueopetrologia del Sílex. Una Clau per al Coneixement paleoeconómico i social de les Poblacions Prehistoriques*, Barcelona, Societat Catalana d'Arqueologia, Barcelona.

NEWCOMER M.H., SIEVEKING G. (1980), « Experimental Flake Scatter-Patterns : a New Interpretative Technique », *Journal of Fied Archaeology*, n° 7 (3), p. 345-354.

PELEGRIN J. (1995), *Technologie lithique : le Châtelperronien de Roc de Combe (Lot) et de la Côte (Dordogne)*, *Cahiers du Quaternaire* n° 20, Paris, Éditions du CNRS.

PELEGRIN J., KARLIN C., BODU P. (1988), « "Chaînes opératoires" : un outil pour le paléolithicien », *in* J. TIXIER (dir), *Technologie préhistorique*, Paris, Éditions du CNRS, p. 55-62.

PETRAGLIA M.D. (1992), « Stone Artefact Refitting and Formation Process at the Abri Dufaure, an Upper Paleolithic Site in Southwest France », *in* J. HOFMAN, J. ENLOE (eds), *Piecing Together the Past : Applications of Refitting Studies in Archaeology*, Oxford, BAR, International Series n° 578, p. 163-178.

PIGEOT N. (1988), « Apprendre à débiter des lames : un cas d'éducation technique chez les Magdaléniens d'Étiolles », *in* J. TIXIER (dir), *Technologie préhistorique*, Paris, Éditions du CNRS, p. 63-70.

PLISSON H., GENESTE J.-M. (1989), « Analyse technologique des pointes à cran solutréennes du Placard (Charente), du Fourneau du Diable, du Pech de la Boissière et de Combe-Saunière (Dordogne) », *Paléo*, vol. 1, p. 65-105.

PLOUX S. (1991), « Technologie, technicité, techniciens : méthode de détermination d'auteurs et comportements techniques individuels », in *25 ans d'études technologiques en Préhistoire. Bilan et perspectives*, Actes des XIᵉ Rencontres internationales d'Archéologie et d'Histoire d'Antibes, 18-20 octobre 1990, Juan-les-Pins, Éditions APDCA, p. 201-214.

(1996), « Les questions de savoir-faire : une histoire de processus », in *La pierre taillée : ressources, technologies, diffusion*, Toulouse, Séminaire du Centre d'Anthropologie de Toulouse, p. 43-47.

RIGAUD A. (1977), « Analyse typologique et technologique des grattoirs magdaléniens de La Garenne à Saint-Marcel (Indre) », *Gallia Préhistoire*, t. 20 (1), p. 1-43.

SEMENOV S.A. (1964), *Prehistoric Technology*, Bath, Adams & Dart.

TIXIER J. (1967), « Procédés d'analyse et question de terminologie concernant l'étude des ensembles industriels du Paléolithique récent et de l'Épipaléolithique dans l'Afrique du Nord-Ouest », *in* W.W. BISHOP, J. DESMOND-CLARK (eds), *Back-Ground to Evolution in Africa*, Proceedings of a symposium held at Burg Waternstein, Austria, 1965, Chicago, University of Chicago Press, p. 771-820.

(1976), *Le Campement préhistorique de Bordj Mellala, Ouargla*, Algérie, Paris, Valbonne, Centre de recherches et d'études préhistoriques.

(1978), *Notice sur les travaux scientifiques de Jacques Tixier*, thèse d'État de l'université de Paris X Nanterre.

TIXIER J. (ed) (1988), *Technologie préhistorique*, Paris, Éditions du CNRS.

VALENTIN B. (1995), *Les groupes humains et leurs traditions au Tardiglaciaire dans le Bassin parisien : apports de la technologie lithique comparée*, thèse de l'université de Paris I Panthéon-Sorbonne, 3 vol.

VILLA P. (1982), « Conjoinable Pieces and Site Formation Processes », *American Antiquity*, n° 47, p. 276-290.

(1983), *Terra Amata and the Middle Pleistocene Archaeological Record of Southern France*, Berkeley, University of California Press, Publications in Anthropology 13.

(1991), « Lithic Technology Invited Review – From Debitage Chips to Social Models of Production : there Fitting Method in Old World », *Archaeology*, n° 417, vol. 12, n° 2, p. 24-30.

VILLA P., COURTIN J., HELMER D., SHIPMAN P., BOUVILLE C., MAHIEU É., BRANCA M. (1986), « Un cas de cannibalisme au néolithique. Boucherie et rejets de restes humains et animaux dans la Grotte de Fonbrégoua à Salernes (Var) ». *Gallia Préhistoire*, t. 29, n° 1, p. 143-171.

Le travail des matières dures d'origine animale

Concepts acquis, interprétations neuves des vestiges ?

François-Xavier CHAUVIÈRE

L'Homme moderne (Cro-Magnon), arrivé en Europe il y a environ 40 000 ans, est souvent considéré comme la seule espèce humaine apte à avoir réalisé des industries sur os, ivoire ou bois de renne. Mais Neandertal, son contemporain pour un temps, peut revendiquer une contribution notable à la production d'objets techniques ou symboliques en matières dures animales (D'Errico *et al.*, 1998). En outre, des découvertes ou réexamens récents d'artefacts mis au jour sur le continent africain viennent relancer le débat sur une probable utilisation technique de la matière osseuse pour des périodes beaucoup plus anciennes (Backwell et D'Errico, 2001 ; Henshilwood *et al.*, 2004).

Mais de par leur importance numérique, les vestiges du travail des matières dures d'origine animale constituent, pour l'archéologie du Paléolithique supérieur, une documentation de choix pour reconstituer les modes de vie des groupes humains préhistoriques. L'intérêt accordé à ces vestiges s'est d'ailleurs considérablement développé durant la dernière décennie et se traduit par l'accroissement exponentiel des études sur le sujet. Colloques, travaux universitaires, articles ou chapitres ciblés de monographies témoignent que ces industries sont bien devenues un champ d'investigation à part entière (Averbouh, 2000 ; Chauvière, 2003 ; Choyke et Bartosiewicz, 2001 ; Christensen, 1999 ; Goutas, 2004 ; Liolios, 1999 ; Pétillon, 2004 ; Ramseyer, 1996).

Après un bref rappel des caractéristiques de ces vestiges et de leur potentialité à renseigner sur la vie quotidienne des populations qui les ont produites, on s'intéressera plus spécifiquement aux diverses attitudes et prises de position scientifiques qui soumettent ces artefacts à leur appareil analytique. Loin d'être uniformes, et non dénuées des projections propres aux chercheurs du XXIe siècle, ces attitudes, par le fait qu'elles coexistent au sein de la recherche actuelle, déterminent une situation assez insolite que l'on ne retrouve pas dans d'autres champs disciplinaires de l'archéologie paléolithique. Enfin, on terminera en s'interrogeant sur la nature des études les plus récentes : sont-elles réellement novatrices ou renouent-elles avec des fils discursifs rompus depuis un temps plus ou moins long ?

LES VESTIGES DU TRAVAIL DES MATIÈRES DURES D'ORIGINE ANIMALE : DE QUOI PARLE-T-ON ?

Il n'est pas inutile de rappeler ici que seule une partie des matières organiques d'origine animale travaillées par les hommes du Paléolithique supérieur nous est accessible (Beaune, 1995). Au-delà du panel des matières les plus facilement dégradées (matières molles – tendons, crins, peaux – corne, carapace), seule une conservation finalement exceptionnelle permet la découverte des bois de cervidés, de l'os, de la dent, de l'ivoire (marin ou terrestre) ou de la coquille : tous matériaux durs extraits du monde animal et avec lesquels l'homme préhistorique a su composer pour confectionner armes, outils et parures, tout en générant une quantité non négligeable de déchets abandonnés sur le lieu même de leur production.

Soumises à une pluralité de gestes techniques, les industries qui nous concernent ici interviennent dans les cycles d'acquisition et de transformation des matériaux. Aux premiers sont liées les activités cynégétiques au sein desquelles les pointes, encollées sur des hampes et lancées au propulseur, à la main, voire à l'arc, constituent une catégorie essentielle (Cattelain et Bellier, 1990). Aux seconds se rattache la transformation des matériaux organiques ou minéraux : refend du bois végétal ou animal avec les coins ou ciseaux en bois de renne ; couture des fourrures ou des écorces à l'aide de poinçons ou d'aiguilles à chas en os ; fragmentation de la pierre avec des percuteurs en bois de cervidé, des retouchoirs ou des compresseurs en os ou sur dent. Mieux encore, c'est à une archéologie de l'« invisible » (celle des matériaux non conservés) que l'observation microscopique permet d'accéder (Legrand, 2004, par exemple).

Enfin, dans le domaine symbolique, en plus d'objets décorés, l'ivoire, les coquilles et les dents (canines, incisives) d'espèces sélectionnées (Cerf, Renard, Renne, Cheval pour les plus courantes ; Ours, Lion pour les plus rares) ont été mises à contribution afin de constituer une parure que l'on retrouve dans les habitats et dans les sépultures (Taborin, 1995a et b).

FAIRE « PARLER » LES OBJETS : LA DIVERSITÉ DES ATTITUDES SCIENTIFIQUES

Les connaissances accumulées sur le travail des matières dures d'origine animale au Paléolithique supérieur sont étroitement liées aux attitudes scientifiques qui soumettent ces matériaux à leur étude. Les approches qui livrent actuellement un discours archéologique sur l'utilisation et la transformation des matières osseuses sont ici mises en perspective (tabl. 1). Une première remarque s'impose, relative au vestige archéologique. Celui-ci présente un potentiel informatif exploité de façon graduelle, induit des conceptions qui sous-tendent l'analyse. Trois attitudes scientifiques peuvent dès lors être distinguées. Si l'attitude 1 (*l'objet, vestige formel*) fait une large part à la seule morphologie finale de l'objet, elle fait l'impasse sur toute son histoire technique, information essentielle pour saisir les raisons de l'abandon et que cherche à mettre en évidence l'attitude 2 (*l'objet,*

Tableau 1. Les vestiges archéologiques soumis aux filtres des différentes attitudes scientifiques

	1. L'objet, vestige formel	2. L'objet, vestige technique	3. L'objet, vestige du système technique
Optique d'étude	• typologique	• technique • contextuelle	• technique • contextuelle • systémique
Restitution attendue	• classification • nomenclature	• nomenclature • fonctionnement	• fonctionnement • fonction • comportements
Questionnements	• peu explicites	• explicites	• très explicites

vestige technique). L'attitude 3 (*l'objet, vestige du système technique*) intègre l'attitude 2 mais se propose d'aller au-delà, en cherchant à restituer le système (ou sous-système) technique qui a présidé à la réalisation de l'objet. Par conséquent, les méthodologies et les résultats (*restitution attendue*) qui découlent de ces prises de position diffèrent tout autant que les objectifs de recherche qui les sous tendent. Au final, ces trois attitudes se démarquent les unes des autres par le degré d'explicitation de leurs questionnements et, *in fine*, par l'amplitude de leurs potentialités heuristiques (Chauvière, 2005).

Si toutes ces attitudes coexistent aujourd'hui, celles qui considèrent d'abord le fait technique dans l'objet archéologique prennent une importance de plus en plus marquée. Elles témoignent de la variété des approches possibles mais aussi de l'absence de consensus dans la formulation des problématiques ainsi que d'un manque d'homogénéité dans les appareils conceptuels et analytiques. D'autres champs d'investigation, comme la technologie lithique, ont depuis longtemps formalisé leurs protocoles d'étude et leur terminologie (Inizan *et al.*, 1995). Il en va autrement dans le domaine des matières dures d'origine animale (Dujardin, 2005). On peut y discerner les avatars d'une discipline encore jeune, qui commence à poser ses jalons structurels.

« DE LA MATIÈRE BRUTE À L'OBJET FINI » : UNE FORMULE SANS ÉCUEIL ?

L'adoption d'une perspective technique dans l'étude des objets archéologiques est souvent synthétisée par la formule « de la matière brute à l'objet fini ». Ce raccourci littéraire reste fortement lié au concept de chaîne opératoire tel que l'a défini André Leroi-Gourhan dès 1943. L'adoption de ce concept permet-elle d'appréhender sans écueil les fragments d'une réalité préhistorique sans y mêler nos projections de chercheurs du XXIe siècle ? En d'autres termes, peut-on inférer du vestige archéologique des interprétations affranchies de nos conceptions modernes de l'objet préhistorique ?

Il est légitime de se demander si, par les césures qu'il introduit dans l'approche des phénomènes archéologiques, le concept de chaîne opératoire n'induit pas une vision trop séquentielle des faits reconstitués. Ne risque-t-on pas, dès lors, de manquer le *continuum* qui semble caractériser la technique paléolithique et de procéder à des classifications tout aussi éloignées de la réalité préhistorique que le sont celles proposées par la typologie descriptive ? Penser que l'analyse technique met à l'abri de toute interprétation erronée relève du leurre comme l'a montré le récent réexamen contextuel de certaines pointes en bois de renne dénommées « à base raccourcie » attribuées au Magdalénien « à navettes » du gisement de la Garenne (Saint-Marcel, Indre, France) et que l'on retrouve dans d'autres assemblages du Paléolithique supérieur (Chauvière et Rigaud, 2005 et à paraître). Longtemps interprétées comme les extrémités vulnérantes de projectiles, ces pointes sont en fait des déchets de fabrication ou de résection et ont comme caractéristique commune un sectionnement volontaire réalisé selon différentes techniques. Toutefois, ce sectionnement peut intervenir après que la baguette de bois de renne ait été appointée afin d'en calibrer la longueur et la rectitude. C'est d'ailleurs la présence d'une extrémité pointue à l'aspect « fini » qui a conduit à interpréter ces pièces comme des éléments fonctionnels. Il n'en est rien, mais l'idée de produire une chute à partir d'un objet à la mise en forme avancée va tellement à l'encontre de la logique de la formule citée plus haut, linéaire et « progressiste », que voir dans ces pièces de simples rebuts ne va pas de soi.

L'OPTIQUE TECHNIQUE : UN RETOUR AUX SOURCES ?

Nous venons de voir que l'approche du fait technique constitue une orientation privilégiée de la recherche actuelle sur le travail des matières dures d'origine animale au Paléolithique supérieur. Mais une telle option, si elle semble inédite dans la systématique de son application, n'est pas neuve. En effet, un bref retour en arrière montre que ces industries paléolithiques ont, dès le dernier quart du XIXe siècle, retenu l'attention d'une discipline naissante qui a su discerner, dans leur étude, une source informative de premier plan pour accéder aux comportements – principalement techniques – des populations préhistoriques. Et à relire les *Reliquiae Aquitanicae* d'Édouard Lartet et Henry Christy (1868-1875) ou les considérations de Gustave Chauvet (1910) sur les *Os, ivoires et bois de rennes ouvrés de la Charente*, force est de constater que les perspectives de recherche énoncées par ces auteurs en leur temps sont plus que jamais remises au goût du jour.

Un tel constat ne manque pas d'étonner et suscite plusieurs inter-rogations dont l'une consiste à se demander si, à reprendre des fils discursifs rompus depuis plus de 50 ans – car c'est bien de cela qu'il s'agit – la recherche fait actuellement preuve de l'imagination scienti-fique dont elle se réclame. Si oui, cette imagination ne réside alors pas tant dans les concepts (dont la plupart sont simplement réactivés ou empruntés à d'autres champs disciplinaires qui les ont redéfinis, comme dans le cas de la technologie lithique) que dans la mise en œuvre d'une instrumentation toujours plus performante.

D'un autre côté, on peut se demander si, à ignorer des probléma-tiques essentielles – que l'on redécouvre en partie aujourd'hui –, un certain retard n'a pas été accumulé dans la constitution des connaissan-ces. En résumé, a-t-on « perdu du temps » ? Une telle incrimination suppose toutefois d'ignorer que le domaine des matières dures d'ori-gine animale se ressent nécessairement des effets d'une tradition de recherche menée sous l'emprise de paradigmes forts, comme le concept typologique par exemple (Geneste, 1991). Mais il devient de plus en plus délicat de légitimer le temps qui s'est écoulé entre la mise à disposition des écrits fondateurs mentionnés plus haut et les concepts y afférant, et l'intérêt soutenu que manifeste actuellement la commu-nauté scientifique pour la technologie des matières osseuses.

CONCLUSION

Ce rapide survol des études sur le travail des matières dures d'ori-gine animale au Paléolithique supérieur a tenté de rendre compte de la pluralité des prises de position scientifiques qui régissent actuellement la recherche en ce domaine. Cette diversité des attitudes s'impose comme la caractéristique d'un champ disciplinaire en plein essor et qui réactive, à son plus grand bénéfice, des concepts et des problématiques élaborés anciennement. Ce retour aux sources s'accompagne d'une production scientifique sans égal et d'une instrumentation toujours plus perfectionnée, permettant ainsi la tenue d'un discours archéologi-que sur les multiples facettes de la relation Homme/Animal, que celle-ci soit d'ordre économique, technique ou symbolique.

Bibliographie

AVERBOUH A. (2000), *Technologie de la matière osseuse travaillée et implications palethnologiques. L'exemple des chaînes opératoires du bois de Cervidé chez les Magdaléniens des Pyrénées*, thèse de l'université de Paris I Panthéon-Sorbonne.

BACKWELL L.R., D'ERRICO F. (2001), First Evidence of Termite Foraging by Swartkrans early minids, *Proceedings of the National Academy of Sciences*, 98, n° 4, p. 1358-1363.

BEAUNE S. A. DE (1995), *Les Hommes au temps de Lascaux 40 000-10 000 avant J.-C.*, Paris, Hachette, coll. « La vie quotidienne ».

CATTELAIN P., BELLIER C. (1990), *La Chasse dans la préhistoire*, Treignes, éd. du CEDARC.

CHAUVET G. (1910), *Os, ivoires et bois de renne ouvrés de la Charente. Hypothèses palethnographiques*, Angoulême, E. Constantini, Librairie de la Société archéologique et historique de la Charente.

CHAUVIÈRE F.-X. (2003), Compte rendu de M. Patou-Mathis (dir), 2002, *Compresseurs, percuteurs, retouchoirs... Os à impressions et éraillures. Industrie de l'os préhistorique*, Cahier X, Paris, Éd. de la Société préhistorique française, *Annuaire de la Société Suisse de Préhistoire et d'archéologie, Avis et recensions*, 86, p. 286-287.

(2005), « Quand le technique jalonne le temps : la notion de temps technique en archéologie paléolithique », *Bulletin de la Société préhistorique française*, T. 102, n° 4, p. 1-5.

CHAUVIÈRE F.-X., RIGAUD A. (2005), « Les "sagaies" à base raccourcie ou les avatars de la typologie : du technique au "non-fonctionnel" dans le Magdalénien à navettes de la Garenne », *in* V. DUJARDIN (dir), *Industrie osseuse et parures du Solutréen au Magdalénien en Europe*, Actes de la Table ronde sur le Paléolithique supérieur récent, Angoulême, 28-30 mars 2003, Paris, Mémoire XXXIX de la Société préhistorique française, p. 233-242.

(à paraître), « Le travail du bois de renne à La Garenne : entre conceptions préhistoriennes et techniques magdaléniennes ou comment séparer ébauches et déchets des pointes vraies ? », *in* Actes de la Table ronde *Données récentes sur le Magdalénien de La Garenne (Saint-Marcel, Indre). La place du Magdalénien « à navettes » en Europe (Pléniglaciaire/Tardiglaciaire)*, Argenton-sur-Creuse, 7-9 octobre 2004.

CHOYKE A.M., BARTOSIEWICZ L. (eds) (2001), *Crafting Bone : Skeletal Technologies through Time and Space*, Proceedings of the 2nd meeting of the (ICAZ) Worked Bone Research Group, Budapest, 31 August-5 September 1999, Oxford, BAR IS 937.

CHRISTENSEN M. (1999), *Technologie de l'ivoire au Paléolithique supérieur : caractérisation physico-chimique du matériau et analyse fonctionnelle des outils de transformation*, Oxford, BAR, International series n° 751.

D'ERRICO F., ZILHAO J., JULIEN M., BAFFIER D., PELEGRIN J. (1998), « Neanderthal Acculturation in Western Europe ? A Critical Review of the Evidence and its Interpretation », *Current Anthropology*, n° 39, supplément, p. 1-44.

DUJARDIN V. (dir) (2005), *Industrie osseuse et parures du Solutréen au Magdalénien en Europe*, Actes de la Table ronde sur le Paléolithique supérieur récent, Angoulême, 28-30 mars 2003, Paris, Mémoire XXXIX de la Société préhistorique française.

GENESTE J.-M. (1991), « Systèmes techniques de production lithique : variations techno-économiques dans les processus de réalisation des outillages paléolithiques », *Techniques et Culture*, n°s 17-18, p. 1-35.

GOUTAS N. (2004), *Caractérisation et évolution du Gravettien en France par l'approche techno-économique des industries en matières dures animales (étude de six gisements du Sud-Ouest)*, thèse de doctorat de l'université de Paris I Panthéon-Sorbonne.

HENSHILWOOD C., D'ERRICO F., VANHAEREN M., VAN NIEREK K., JACOBS Z. (2004), « Middle Stone Age Shells Beads from South Africa », *Science*, n° 304, p. 404.

INIZAN M.-L., REDURON M., ROCHE H., TIXIER J. (1995), *Préhistoire de la pierre taillée, 4, Technologie de la pierre taillée suivie par un vocabulaire multilingue*, Meudon, Cercle de Recherches et d'Études Préhistoriques.

LARTET E., CHRISTY H. (1865-1874), *Reliquiae Aquitanicae : the Archaeology and Paleontology of Perigord and the Adjoining Provinces of Southern France*, Londres, Baillière.

LEGRAND A. (2004), « Les outils biseautés en matières osseuses du site magdalénien de "La Garenne" Saint-Marcel (Indre) : premiers résultats tracéologiques », *in* J. DESPRIÉE, S. TYMULA (dir), *Le coteau de La Garenne. Projet collectif de Recherches. Études 1999-2001, Archéologie du val de Creuse en Berry, Bulletin de l'Association pour la Sauvegarde du Site Archéologique d'Argentomagus et Amis du Musée*, numéro spécial, Saint-Marcel, p. 101-117.

LEROI-GOURHAN A. (1943), *Évolution et Techniques. L'Homme et la matière*, Paris, Albin Michel, coll. « Sciences d'aujourd'hui ».

LIOLIOS D. (1999), *Variabilité et caractéristiques du travail des matières osseuses au début de l'Aurignacien : approche technologique et économique*, thèse de doctorat en Ethnologie et Préhistoire de l'université de Paris X Nanterre.

PÉTILLON J.-M. (2004), *Des Magdaléniens en armes. Technologie des armatures de projectiles en bois de Cervidé du Magdalénien supérieur de la grotte d'Isturitz (Pyrénées-Atlantiques)*, thèse de doctorat de l'université de Paris I Panthéon-Sorbonne.

RAMSEYER D. (1996), Compte rendu de H. Camps-Fabrer (ed), *Fiches typologiques de l'industrie osseuse préhistorique*, Cahiers I-VII, Aix-en-provence (1988-1991) et Treignes (1993-1995), *Annuaire de la Société Suisse de Préhistoire et d'archéologie, Avis et recensions,* 79, p. 287-288.

TABORIN Y. (1995a), « La parure préhistorique », fiche supplément VII, *Archéologia*, 312.

TABORIN Y. (1995b), « La parure préhistorique », fiche supplément XIX, Archéologia, 315.

L'équipement en os

Une fenêtre sur le quotidien des Paléolithiques*

Élise **Tartar**

Bien que souvent discrètes ou absentes des gisements du fait de conditions de conservation peu propices, les industries en matières dures animales constituent une composante essentielle de la culture matérielle des sociétés du Paléolithique supérieur. Au sein de cette production, l'outillage en os représente une part conséquente.

L'ÉQUIPEMENT EN OS : UNE INDUSTRIE NÉGLIGÉE PAR LES ÉTUDES RÉCENTES

Parce qu'il livre un témoignage précieux sur les activités quotidiennes des groupes paléolithiques, l'équipement en os (poinçons, lissoirs, retouchoirs, pièces intermédiaires...) suscite un grand intérêt chez les premiers préhistoriens (Lartet et Christy, 1864 ; Henri-Martin, 1907-1910 ; Chauvet, 1910 ; etc.). De même, une part importante lui est concédée lors des premières grandes études consacrées aux industries en matières dures animales (Camps-Fabrer, 1975 ; Camps-Fabrer *et al.*, 1990...). Toutefois, s'il est relativement bien caractérisé d'un point de vue typologique, il n'a pas bénéficié autant du développement de l'approche technologique que le reste de l'équipement en matières

* Je voudrais remercier les personnes qui m'ont aidée lors de la réalisation de cet article et en particulier Stéphanie Brehard, Claire Letourneux, Jean-Marc Pétillon pour leurs conseils et relectures ainsi que Marie Balasse pour la traduction du résumé.

dures animales. En effet, encore peu d'études technologiques où la dimension socio-économique est abordée leur ont été consacrées (Averbouh, 2000 ; Liolios, 1999 ; Goutas, 2004).

Cette « mise à l'écart » des études technologiques tient principalement à ce que l'équipement en os n'est pas un marqueur sensible des savoir-faire et de l'évolution des concepts techniques opérée dans le domaine de la transformation des matières dures animales au cours du Paléolithique supérieur. En effet, il relève d'opérations techniques le plus souvent simples et peu nombreuses, généralement documentées par les seuls objets finis, les déchets de fabrication se fondant parmi les restes de faune. Par ailleurs, depuis leur émergence à l'Aurignacien, nombre d'outils en os en semblent se maintenir en l'état pendant tout le Paléolithique supérieur. Ils offrent ainsi peu de marqueurs culturels ou de « formes fortes » (Liolios, 1999) et ne participent donc pas ou peu à la diagnose chrono-culturelle.

Par ailleurs, l'outillage en os fait partie intégrante de l'équipement dit « domestique », il est profondément ancré dans le quotidien. À ce titre, il a incontestablement suscité moins d'intérêt que les instruments de chasse ou la parure qui renvoient à des domaines symboliquement forts, plus riches d'un point de vue comportemental, social et culturel.

S'il ne relève pas d'un savoir-faire de haute technicité – et cela resterait à prouver –, l'outillage en os n'en possède pas moins un grand intérêt. Comme l'ont rapidement perçu les premiers préhistoriens, il livre un témoignage précieux sur les activités de la vie quotidienne des groupes paléolithiques, d'autant que ces activités sont souvent impliquées dans la transformation de matières périssables comme le montrent les exemples ethnographiques (bois végétal, fibres, peaux…) et n'ont donc pas laissé de traces archéologiques directes. Cet équipement possède un fort potentiel informatif qui justifie sa participation à l'interprétation des ensembles archéologiques et plus largement à la réflexion globale sur le mode de vie des Paléolithiques.

L'ÉTUDE DE L'ÉQUIPEMENT EN OS :
UNE APPROCHE GLOBALE INDISPENSABLE

Cet important potentiel informatif est à l'origine de notre recherche sur l'exploitation technique de l'os au Paléolithique supérieur. Parce qu'un cadre chronologique plus strict se révélait indispensable, notre choix s'est porté sur l'Aurignacien, période d'apparition des principaux composants de l'équipement en os du Paléolithique supérieur. Nous nous sommes concentrée plus particulièrement sur l'Aurignacien ancien en raison de l'essor des études menées dans différentes disciplines, notamment en technologie lithique (Bon, 2000 ; Bordes, 2002 ; Teyssandier, 2004), en technologie du bois de cervidé (Knecht, 1991 ; Liolios, 1999) ou en archéozoologie (Letourneux, 2003). En effet, la connaissance et le croisement des données de ces différentes disciplines s'imposent pour permettre, à terme, de participer à une réflexion globale sur le contexte technique, économique et social des occupations de cette période.

La démarche

L'étude des séries commence par l'analyse technologique des productions. Cette première étape est importante dans la mesure où aucune étude générale sur de grands ensembles en os n'a encore été entreprise pour l'Aurignacien. Elle est cependant insuffisante. Les opérations techniques engagées dans la production de l'équipement en os étant simples et peu nombreuses, leur identification apporte en effet un nombre limité d'informations susceptibles d'être interprétées en terme de comportements.

Si la phase de fabrication d'un outil est la seule à nous livrer des témoignages directs (déchets, outils abandonnés à différents stades de fabrication), celle-ci est conditionnée par l'objectif fonctionnel et par les caractéristiques intrinsèques de la matière première. En d'autres termes, les modalités de fabrication d'un outil constituent une solution technique pour répondre à un besoin tout en satisfaisant certaines contraintes. Pour être compris, les résultats de l'étude technologique des productions doivent donc être replacés dans cette logique de conception. Il est alors possible de traduire les opérations techniques et l'organisation de la production en termes de comportements et d'en inférer une réalité économique, culturelle et éventuellement sociale.

Concrètement, l'étude des productions en os demande donc une vision globale de l'exploitation technique de l'os : étudier les modalités de transformation de la matière mais aussi explorer en amont son processus d'acquisition et restituer en aval les modalités d'utilisation des outils, cela par l'entremise d'une approche complémentaire à la fois technologique et fonctionnelle.

Premiers résultats et objectifs

À titre d'exemple, nous avons choisi de présenter les premiers résultats de l'analyse de l'équipement en os provenant des couches de l'Aurignacien ancien de la grotte des Hyènes (Brassempouy, Landes) (pour plus d'informations sur le site, voir Henry-Gambier et Bon, à paraître). Cet équipement se compose principalement de retouchoirs (désormais appelés os à impressions et à éraillures), de poinçons, de lissoirs, d'éléments bipointes et de pièces intermédiaires (Tartar, 2003a, b et à paraître ; fig. 1).

a, pièce intermédiaire ; b, lissoir ; c, retouchoir ; d, poinçon ; e, élément bipointe.

Figure 1. Principaux types d'outils en os de l'Aurignacien ancien
de la grotte des Hyènes.

L'étude technologique de cette production a montré la grande « simplicité » des modalités de fabrication de l'outillage (*ibid.*, fig. 2). La fracturation de l'os en percussion lancée diffuse (technique de débitage élémentaire et faiblement prédéterminante) constitue en effet la première et, pour l'essentiel de l'outillage, l'unique modalité de débitage. En outre, les fragments sont, par la suite, peu ou pas transformés. Les retouchoirs et les pièces intermédiaires n'ont fait l'objet d'aucune transformation. Éléments bipointes et poinçons sont mis en forme par raclage. Pour les premiers le façonnage est total, pour les seconds il est plus souvent limité à leur partie active. Enfin, les lissoirs constituent la catégorie typologique la plus « investie » : les côtes ont été divisées en deux depuis leurs bords par percussion directe et les hémi-côtes ainsi obtenues ont été tronçonnées puis mises en forme par raclage. La moitié des exemplaires a ensuite été « décorée » d'incisions.

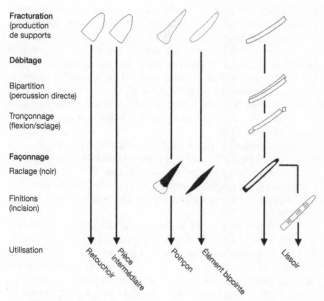

Figure 2. Chaîne opératoire simplifiée de la production des principaux types d'outils en os de l'Aurignacien ancien de la grotte des Hyènes.

Si l'on replace cette simplicité dans son contexte de production, on peut proposer des éléments d'explication.

L'emploi de la fracturation par percussion lancée directe peut s'expliquer par un *choix économique*. Avant d'accéder au rang de matière première, l'os appartient au domaine alimentaire. Or il a été démontré que les différentes parties squelettiques et principalement les os contenant de la moelle (dont est issue la majorité de l'outillage) ont systématiquement été fracturés (Letourneux, 2003). Selon toute vraisemblance, les fragments utilisés pour la confection de l'outillage ont été récupérés parmi les déchets de consommation.

La faible transformation des supports issus de la fracturation semble relever quant à elle d'un *principe technique* qui vise à les exploiter au plus près de leurs potentialités technique et fonctionnelle (Liolios, 1999). Ce principe d'exploitation est rendu possible par une sélection avisée des déchets de consommation. Certains fragments remplissaient d'emblée les conditions recherchées et n'ont nécessité aucune transformation : c'est le cas pour les pièces intermédiaires et les retouchoirs. En revanche, d'autres n'étaient pas immédiatement utilisables et ont été transformés. Cette transformation s'est limitée le plus souvent au façonnage de l'attribut fonctionnel manquant, par exemple une pointe régulière pour le poinçon. Mais l'investissement technique a été plus important quand les fragments d'os s'adaptaient mal à l'outil recherché : c'est le cas des lissoirs, pour lesquels le débitage par bipartition des côtes a permis d'obtenir des supports allongés et fins, indisponibles en l'état.

Ainsi, explorer le processus d'acquisition de la matière première permet d'apporter des éléments de réponses quant à la relative simplicité des modalités de transformation de l'os. Cette dernière peut s'expliquer par des raisons économiques et des choix techniques conditionnés pour une grande part par les particularités de la matière première.

Cependant, le choix d'une matière première particulière ne suffit pas à expliquer le degré de simplicité des modalités de transformation. En effet, au Paléolithique supérieur, l'os a également été utilisé pour la réalisation d'éléments de parure ou de pointes de projectile ayant impliqué des opérations techniques souvent plus nombreuses et complexes. Comme nous l'avons déjà évoqué, la fabrication d'un outil est aussi conditionnée par la fonction à laquelle il est destiné. De fait, l'approche fonctionnelle de l'outillage s'impose comme une démarche essentielle à la compréhension des opérations techniques. Nous nous sommes demandés si la simplicité de l'équipement en os ne pourrait pas s'expliquer par son caractère « domestique ».

Grâce à l'étude typo-technologique et à la comparaison ethnographique, il est possible d'associer l'essentiel de l'équipement domestique en os du Paléolithique à des domaines d'activités spécifiques (lissage de la peau pour les lissoirs, retouche de tranchants lithiques pour les retouchoirs…) et de disposer ainsi d'une idée plus ou moins précise de leurs modalités d'utilisation. Utiles en première analyse, ces présomptions doivent être rapidement abandonnées : comprendre les modalités de fabrication d'un outil demande une connaissance précise de sa destination fonctionnelle. À cet égard, le poinçon offre un bon exemple. Sa caractérisation typologique est claire : on le définit comme un objet en os possédant une extrémité active pointue et une partie proximale de préhension (Camps-Fabrer *et al.*, 1990 ; Averbouh, 2000). Il aurait été vraisemblablement utilisé pour perforer des solides souples, notamment de la peau. Or cette catégorie typologique rassemble des outils très variés regroupés en types ou sous-types selon le support exploité, l'intensité du façonnage, les dimensions, la forme générale des pièces et la morphologie de leur partie active (*Ibid.* ; fig. 3). Cette multiplicité des sous-types tend à suggérer des utilisations ou du moins des modes de fonctionnement différents, ce que conforte la diversité des altérations d'usage observées sur les parties actives (fig. 4). Mais seul le croisement des données typo-technologiques et fonctionnelles peut permettre d'appréhender cette diversité de types et de faire parler les outils.

1 cm

Figure 3. Diversité morphométrique des poinçons.

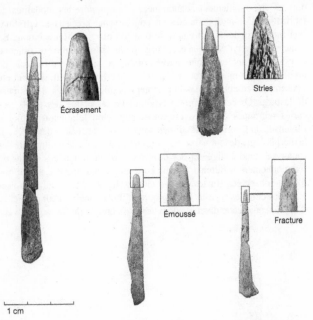

Écrasement

Stries

Émoussé

Fracture

1 cm

Figure 4. Altérations d'usage observées sur les parties actives des poinçons.

L'approche fonctionnelle nous paraît donc indispensable d'une part parce que l'équipement en os offre un accès privilégié aux activités courantes, d'autre part parce qu'elle constitue une source d'information essentielle à la compréhension du contexte techno-économique de production.

Ainsi, l'équipement en os représente un domaine de recherche riche d'informations pour la connaissance et la compréhension du mode de vie des sociétés paléolithiques. Sa faible élaboration justifie une approche adaptée, en l'occurrence une approche globale de l'exploitation technique de l'os axée sur les modalités de fabrication des outils mais aussi plus largement sur les étapes en amont et en aval qui structurent et conditionnent son élaboration : l'acquisition de la matière première (et tout ce que cela comporte) et l'utilisation des outils. À terme, cette démarche d'étude devrait permettre d'apporter des éléments nouveaux capables de participer de façon dynamique à l'interprétation des ensembles paléolithiques et plus largement à la réflexion globale sur le mode de vie des sociétés paléolithiques.

Bibliographie

AVERBOUH A. (2000), *Technologie de la matière osseuse travaillée et implications palethnologiques : l'exemple des chaînes d'exploitation du bois de cervidé chez les Magdaléniens des Pyrénées*, thèse de l'université de Paris I Panthéon-Sorbonne, vol. 2, 247 p.

BON F. (2000), *La question de l'unité technique et économique de l'Aurignacien. Réflexions sur la variabilité des industries lithiques à partir de l'étude comparée de trois sites des Pyrénées françaises. La Tuto de Camalhot, Régismont-le-Haut et Brassempouy*, thèse de l'université Paris I Panthéon-Sorbonne, 425 p.

BORDES J.-G. (2002), *Les interstratifications Châtelperronien/Aurignacien du Roc-de-Combe et du Piage (Lot, France). Analyse taphonomique des industries lithiques ; implications archéologiques*, thèse de l'université de Bordeaux I, 364 p.

CAMPS-FABRER H. (dir) (1975), *Tendances actuelles des recherches sur l'industrie de l'os. Actes du premier colloque international sur l'industrie de l'os dans la Préhistoire*, Abbaye de Sénanque, avril 1974, Aix-en-Provence, Éd. de l'université de Provence.

CAMPS-FABRER H., RAMSEYER D., STORDEUR D. (1990), *Poinçons, pointes, poignards et aiguilles*, Fiches typologiques de l'industrie osseuse préhistorique, Cahier III, Aix-en-Provence, Publications de l'université de Provence.

CHAUVET G. (1910), *Os, ivoire et bois de renne ouvrés de la Charente. Hypothèses palethnographiques*, Angoulême, E. Constantini, Librairie de la Société archéologique et historique de la Charente, T. 1, p. 1-184.

GOUTAS N. (2004), *Caractérisation et évolution du Gravettien en France par l'approche techno-économique des industries en matières dures animales (étude de six gisements du Sud-Ouest)*, thèse de doctorat de l'université de Paris I Panthéon-Sorbonne.

HENRI-MARTIN G., MARTIN H. (1907-1910), *Recherches sur l'évolution du Moustérien dans le gisement de la Quina (Charente), 1, Industrie osseuse*, Paris, Schleicher Frères éd.

HENRY-GAMBIER D., BON F. (dir) (à paraître), *L'Aurignacien ancien de la grotte des Hyènes (Brassempouy, Landes)*, Paris, Éditions du CNRS, supplément à *Gallia Préhistoire*.

KNECHT H. (1991), « The Role of Innovation in Changing Early Upper Palaeolithic Organic Projectile Technologies », *Techniques et Culture*, vol. 17-18, p. 115-144.

LARTET E., CHRISTY H. (1864), « Sur des figures d'animaux gravées ou sculptées et autres produits d'art et industrie rapportables aux temps primordiaux de la période humaine », *Revue archéologique*, n° 1, p. 233-267.

LETOURNEUX C. (2003), *Devine qui est venu dîner à Brassempouy. Approche taphonomique pour une interprétation archéozoologique des vestiges osseux de l'Aurignacien ancien de la grotte des Hyènes (Brassempouy, Landes)*, thèse de l'université de Paris I Panthéon-Sorbonne, 418 p.

LIOLIOS D. (1999), *Variabilité et caractéristiques du travail des matières osseuses au début de l'Aurignacien. Approche technologique et économique*, thèse de l'université de Paris X Nanterre, 352 p.

TARTAR E. (2003a), *L'Exploitation de l'os à l'Aurignacien. L'exemple de l'outillage en os aurignacien ancien de la grotte des Hyènes à Brassempouy. Approche technologique, économique et fonctionnelle*, DEA de l'université de Paris I Panthéon-Sorbonne, 51 p.

(2003b), « L'analyse techno-fonctionnelle de l'industrie en matières osseuses dite "peu élaborée", l'exemple des pièces intermédiaires en os de l'Aurignacien ancien de la grotte des Hyènes (Brassempouy, Landes) », *Préhistoire Anthropologie Méditerranéennes*, t. 12, Publications de l'université de Provence, p. 139-146.

(à paraître), « L'industrie en os de la grotte des Hyènes à Brassempouy », *in* D. HENRY-GAMBIER et F. BON (dir), *L'Aurignacien ancien de la grotte des Hyènes (Brassempouy, Landes)*, Paris, Éditions du CNRS, supplément à *Gallia Préhistoire*.

TEYSSANDIER N. (2004), *Les débuts de L'Aurignacien en Europe. Discussion à partir des sites de Geissenklösterle, Willendorf II, Krems-Hundssteig et Bacho-Kiro*, thèse de l'université de Paris X Nanterre, 334 p.

Voir les baguettes demi-rondes avec le regard d'un menuisier

André RIGAUD

La typologie classique ne donne des objets préhistoriques en matières dures d'origine animale que des instantanés figés de pièces en cours d'évolution. Bien rares sont les fiches typologiques qui présentent des ébauches, des ratés, des rebuts ou des pièces brisées par l'usage. En revanche, elles se risquent souvent sur le terrain dangereux de l'utilisation mais en proposant, la plupart du temps, de multiples hypothèses. Cette attitude montre bien la difficulté que nous éprouvons à interpréter bon nombre de pièces jalonnant l'évolution d'un objet particulier et qui, prises séparément, deviennent incompréhensibles.

Les baguettes demi-rondes n'échappent pas à cette tendance.

LES BAGUETTES DEMI-RONDES DANS LA LITTÉRATURE

La découverte de baguettes accolées (Labrie, 1902 ; Passemard, 1916 ; Peyrony, 1934 ; Péquart et Péquart, 1960) ou accolables (Bosinski, 1978 ; Sacchi, 1986 ; Feruglio et Buisson, 1999), amène à penser que ces objets étaient collés deux à deux, face plane contre face plane.

Valérie Feruglio et Dominique Buisson (1999) résument les hypothèses d'utilisation de ces objets : enserrage d'un autre objet (Labrie, 1902), maintien de coiffure (Passemard, 1944), moitié de sagaie de parade (Péquart et Péquart, 1960), recherche de résistance et d'élasticité (Leroi-Gourhan, 1965).

Leur conclusion est prudente :

> *De fait, la présence d'aménagements analogues à ceux des pointes de sagaie (pointe, partie proximale aménagée pour l'emmanchement) laisse supposer que toute une catégorie d'objets répond à cette fonction (pointe de trait). Il demeure cependant un lot d'objets qui n'a pas pu ou ne peut plus être utilisé comme pointe de trait. Les baguettes demi-rondes sont donc à considérer comme un type technique, assujetti à différents usages plutôt qu'un objet à part entière.*

Feruglio et Buisson, 1999, p. 148.

MODALITÉS DE RECHERCHE

L'industrie en matières dures animales de Labastide de la collection Simonnet contient un petit nombre de pièces que l'on peut rattacher aux baguettes demi-rondes. Observées comme nous l'avons fait avec François-Xavier Chauvière pour le matériel de « La Garenne », certaines fournissent des renseignements précis sur une suite logique prévision – réalisation – utilisation – réutilisation – abandon. Suite logique certes, mais pas forcément linéaire et continue. Cette vision évolutive des choses nous a contraints d'une part à considérer que de nombreuses pièces sont des déchets de fabrication, d'autre part à inclure dans les objets étudiés des fragments, typologiquement inclassables comme baguettes demi-rondes, mais qui permettent de mieux appréhender l'évolution de l'objet.

DÉCHETS DE FABRICATION

Par deux fois déjà (Chauvière et Rigaud, 2005 et à paraître), nous avons attiré l'attention sur le fait que les pointes dites « à base raccourcie » sont les témoins d'une technique de sectionnement par flexion, facilitée par un raclage au flanc de burin. Gaëlle Le Dosseur (2004) observe les mêmes stigmates sur les os natoufiens. Il s'agit en fait d'une technique de sectionnement universelle et intemporelle utilisée chaque fois qu'on ne dispose pas d'une scie véritable.

Quand l'outil attaque la matière de fil, dans le sens des fibres, la surface est lisse mais dès qu'on l'attaque à contre-fil, l'outil broute et produit des traces mâchonnées caractéristiques (fig. 1, 1).

Une logique élémentaire voudrait donc, qu'après séparation des deux parties, nous retrouvions en nombre égal les morceaux « propres », taillés dans le fil du bois et les parties mâchonnées, ce qui est loin d'être le cas. En effet, si ces mâchonnages sont facilement iden-tifiés, les parties propres, elles, se confondent avec les extrémités de toutes sortes.

Ces parties propres existent pourtant, mais elles paraissent d'autant plus rarissimes qu'elles sont en général façonnées secondaire-ment (fig. 1, 2).

1, tronçonnage après affaiblissement au flanc de burin ; 2, 3, pièces archéologiques homologues ; 4, 5, baguettes demi-rondes à « base raccourcie ». (1 : pièce expérimentale ; 2 à 5 : Labastide).

Figure 1. Déchets de fabrication.

CARACTÉRISTIQUES DES POINTES VRAIES

Une pointe doit être pointue. Cette lapalissade aurait dû, depuis longtemps, faire disparaître des publications bon nombre de pointes dites « mousses » dont l'efficacité semble contestable, mais les habitu-des sont tenaces.

Les extrémités opérationnelles ramenées cassées dans le gibier abattu se retrouvent dans les zones de boucherie. Non seulement elles sont pointues, mais calibrées, parfaitement rectilignes et polies.

Les bases fonctionnelles, striées ou façonnées de façon plus som-maire que la pointe, sont elles aussi brisées, souvent près de la ligature.

LES BAGUETTES DEMI-RONDES DE LABASTIDE

Une analyse morphométrique classique débouche sur les observations suivantes :

– seules 16 pièces sur 36 n'ont pas été amputées par une fracture au cours de la fouille, la plus grande mesurant 28,5 cm de long. On ne peut donc tirer aucune conclusion de l'observation des longueurs de ces pièces ;

– leurs mesures moyennes (11,4 mm de largeur et 5,6 mm d'épaisseur) correspondent tout à fait aux observations de Valérie Feruglio (1992) ;

– 17 pièces présentent au moins une fracture par flexion ;

– 7 pièces présentent une base raccourcie ;

– 17 faces supérieures sont rainurées ;

– 13 faces inférieures sont striées ;

– 8 bases sont concaves ;

– 6 pièces ont totalement été débarrassées de leur spongiosa et toutes sont des pièces exemptes de fracture post-dépositionnelle.

Si l'on passe le matériel au crible des restrictions préliminaires, les résultats sont tout autres.

1. En supprimant les 16 pièces peu ou pas amputées au cours de la fouille ainsi que les déchets de fabrication que sont les « bases raccourcies », il ne reste plus que 8 objets.

2. Parmi ces derniers, 5 sont, de toute évidence, d'autres déchets de fabrication : face inférieure non plane, non striée ou insuffisamment, extrémité de baguette, raclage incomplet de la partie corticale, matrice et non pas baguette.

3. Une seule pièce de 28,5 cm de long est une des rares baguettes demi-rondes entières connues. Exceptionnelle, elle mérite d'être étudiée à part.

4. Deux pièces présentant une base concave, aménagée par un raclage longitudinal volontairement irrégulier, peuvent être interprétées comme les seuls éléments de pointes de projectiles.

Ces deux derniers fragments présentent chacun une base concave, raclée longitudinalement, amincie puis crèusée postérieurement aux stries de collage comme en témoignent certains recoupements. Tous deux sont cassés par flexion. Leurs morphologies, leurs cassures, leurs dimensions mesurables identiques nous ont poussé à tenter un recollage rendu difficile par l'absence de stries communes aux deux.

À la suite de nombreux clichés pris en lumière rasante, nous avons acquis la certitude que ces pièces avaient été façonnées ensemble (fig. 2). Les fractures, vraisemblablement au ras de l'indispensable ligature, se seraient alors produites simultanément au cours de l'utilisation. Un moulage de la cavité basale nous a permis de retrouver la forme de l'emmanchement, ses dimensions et, partant, le diamètre de la hampe : 10 mm environ. Il était alors possible de tenter une reconstitution de l'ensemble hampe/pointe/ligature.

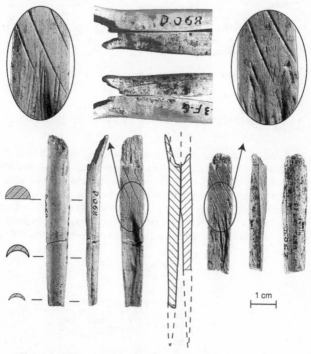

Figure 2. Remontage des pièces DO 67 et DO 68 de Labastide. En haut, au centre, les mêmes vibrations de l'outil affectent simultanément l'un et l'autre des bords.

La baguette demi-ronde entière est, elle, exceptionnelle tant par sa longueur que par sa technique de fabrication (fig. 3). Autant les 4/5 distaux sont soignés tant en ce qui concerne la rainure que les stries de collage, autant le 1/5 proximal semble négligé, comme si l'on prévoyait, dès le début, l'élimination de cette partie.

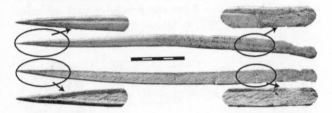

Figure 3. Grande baguette demi-ronde entière.

COMPARAISON AVEC LE TRAVAIL DU BOIS

C'est à ce stade de l'observation que nous est venue l'idée d'une similitude avec le travail du menuisier. Comment réalise-t-on aujourd'hui encore un panneau de 40 cm de large avec une planche de 30 cm seulement ? Dans un premier temps, on élimine les extrémités fissurées et l'aubier inutilisables. Puis on dresse deux chants afin de procéder à un collage sous presse. Après séchage, on élimine enfin les parties superflues (fig. 4). Dans le meilleur des cas, la fabrication d'un seul panneau donne

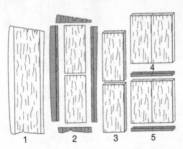

Figure 4. Fabrication d'un panneau de bois. En gris, les chutes.

donc naissance, au minimum, à 6 chutes que l'on retrouvera dans la poubelle du menuisier quand le panneau, lui, aura disparu.

SCÉNARIO DE PRODUCTION DES POINTES BIVALVES

On peut dès lors imaginer, à partir de nos remarques et de celles d'autres chercheurs nous ayant précédé, un scénario de fabrication d'une pointe de projectile, sans rainure, à base fourchue, en deux parties contre-collées. Après extraction des baguettes brutes puis raclage de la partie bombée, on procède au dressage puis à la striation de la face plane.

La partie proximale de la baguette est éliminée puis on prépare la base par affilage et creusement. Les deux demi-baguettes sont alors collées, éventuellement sur la hampe pour faciliter la préhension. La pointe du projectile est ensuite mise à longueur puis profilée. Enfin, une ligature consolide l'ensemble (fig. 5).

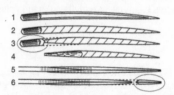

Figure 5. Scénario de fabrication d'une pointe bivalve.
Les chutes sont entourées.

Pour réaliser une seule pointe de projectile bivalve, on produit donc, théoriquement, au minimum, 4 déchets, mâchonnés ou non, qui viennent s'accumuler au fond des poubelles préhistoriques alors que les pointes efficientes disparaissent dans les carquois des chasseurs.

Mais pourquoi ne pas réaliser des pointes à base fourchue monobloc ? L'étude des épaisseurs des cortex des bois employés se montre à ce sujet fort révélatrice et confirme les hypothèses de Aandré Leroi-Gourhan (1965). Épaisses en moyenne de 4 mm, les parties compactes ne pouvaient convenir à la fabrication de pointes monobloc solides de 10 mm de diamètre, d'où la nécessité de pointes en deux parties contre-collées pour éliminer la spongiosa.

Conclusion

Parmi les grands chantiers typo-technologiques des années à venir, il serait urgent de revoir, de façon collégiale, les fiches concernant les pointes de projectiles pour :

1. ajouter les baguettes demi-rondes en tant que procédé de fabrication de volumes initiaux ;

2. éliminer les pointes à base raccourcie en tant que type ;

3. décrire avec précision ce qu'est un déchet de fabrication, de réutilisation, une ébauche, une pointe fonctionnelle, ce qu'on peut considérer comme strie de collage, de décor, de repérage, la morphologie des fractures ou des stigmates de percussion.

Nous verrons alors rétrécir comme une peau de chagrin le nombre de pointes de projectiles vraies et croître en conséquence le nombre de déchets et d'ébauches.

L'économie du bois de renne, vue sous cet angle, ne consisterait alors plus à éviter le gaspillage d'un matériau banal, mais à gérer de façon à la fois technologique, rationnelle et traditionnelle une production indispensable à l'activité essentielle qu'était la chasse.

Bibliographie

Bosinski G. (1978), « Eine Zuzammengesetzte Magdalenina Geschosspitze ausdie Höhle im freudenthal (Schaffhasen) », *Archäologische Korrespondenzblatt*, 8, n° 2, p. 87-89.

Chauvière F.-X., Rigaud A. (2005), « Les "sagaies" à base raccourcie ou les avatars de la typologie : du technique au "non-fonctionnel" dans le Magdalénien à navettes de La Garenne », *in* V. Dujardin (dir), *Industrie osseuse et parures du Solutréen au Magdalénien en Europe*, Actes de la Table ronde sur le Paléolithique supérieur récent, Angoulême, 28-30 mars 2003, Mémoire XXXIX de la Société préhistorique française, p. 233-242.

(à paraître), « Le travail du bois de renne à La Garenne : entre conceptions préhistoriennes et techniques magdaléniennes ou comment séparer ébauches et déchets des pointes *vraies* ? », *in* Actes de la Table ronde *Données récentes sur la Magdalénien de La Garenne (Saint-Marcel, Indre). La place du Magdalénien « à navettes » en Europe (Pléniglaciaire/Tardiglaciaire)*, Argenton-sur-Creuse, 7-9 octobre 2004.

Delporte H., Hahn J., Mons L., Pinçon G., Sonneville-Bordes D. de (1988), *Sagaies*, Fiches typologiques de l'industrie osseuse préhistorique, Cahier I, Aix-en-Provence, Publications de l'université de Provence.

FERUGLIO V. (1992), « Baguettes demi-rondes », *in* H. CAMPS-FABRER (dir), *Bâtons percés, baguettes*, Fiches typologiques de l'industrie osseuse préhistorique, Cahier V, Treignes, Éd. du CEDARC, p. 71-83.

FERUGLIO V., BUISSON D. (1999), « Accolements de pièces à section demironde », *in Préhistoire d'os, recueil d'études sur l'industrie osseuse préhistorique*, Publications de l'université de Provence, p. 143-149.

LABRIE (Abbé) (1902), « Sur quelques objets inédits de l'industrie magdalénienne, fourchettes, fendeurs, etc. », *Congrès de l'Association pour l'Avancement des Sciences*, Montauban, p. 255.

LE DOSSEUR G. (2004), « Travail de l'os au Proche-Orient durant l'Épipaléolithique récent (Natoufien) », *in* D. RAMSEYER (dir), *Matières et techniques*, Cahier XI, Paris, Société préhistorique Française, p. 79-87.

LEROI-GOURHAN A. (1965), *Préhistorique de l'Art occidental*, Paris, Mazenod.

PASSEMARD E. (1916), « Sur les baguettes demi-rondes », *Bulletin de la Société préhistorique française*, T. 13, n° 5, p. 302-305.

(1944), « La Caverne d'Isturitz en pays basque », *Préhistoire*, vol. 9, 95 p., 63 fig., 64 pl.

PÉQUART M. et PÉQUART St.-J. (1960), « Grotte du Mas d'Azil (Ariège) : une nouvelle galerie magdalénienne », *Annales de Paléontologie*, n°s 46-49, 351 p.

PEYRONY D. (1934), « Station préhistorique de Longueroche, Magdalénien et Azilien », *Revue anthropologique,* n°s 7-9, p. 226-274.

SACCHI D. (1986), *Le Paléolithique supérieur du Languedoc occidental et du Roussillon*, Paris, Éditions du CNRS, XXIe supplément à *Gallia Préhistoire*.

Une ethnologie du feu
au Paléolithique est-elle possible ?

Jacques COLLINA-GIRARD

Depuis André Leroi-Gourhan (1943), la tentation ressurgit constamment de proposer, au-delà de la description, une véritable ethnologie qui ressusciterait les sociétés du passé. L'épistémologue nous met alors en garde :

> On croit encore souvent que les reconstitutions archéologiques
> s'appuient principalement sur les vestiges matériels. Pourtant, lorsque
> ceux-ci sont extrêmement fragmentaires, ce qui est presque toujours le
> cas, la liberté nous est laissée de choisir entre plusieurs lectures possi
> bles d'un même corpus de données. C'est alors qu'entre en jeu
> l'imaginaire naïf qui contraint les archéologues à retenir une unique
> version parmi plusieurs plausibles : celle justement qui est bonne à
> penser, car elle satisfait au mieux les exigences intellectuelles imposées
> par les circonstances culturelles.

Tomaszewski, 1991.

L'ARCHÉOLOGUE ET LE PROBLÈME DU FEU

La maîtrise du feu et de sa production sont des sujets qui interpellent l'éthologie (Russon *et al.*, 1993), la psychanalyse (Freud, 1932), l'ethnologie (Hough, 1892 ; Frazer, 1984 ; Dallier, 2001 et 2002) et l'archéologie (Perlès, 1977 ; Collina-Girard, 1998). Cette question a été abordée, de façon spéculative ou factuelle, et nous proposerons préalablement un bilan de nos connaissances. Il n'est pas facile de distinguer feux volontaires et feux spontanés. Les seuls sites recevables ne seraient pas antérieurs à 300 000 à 250 000 ans et les sites africains, antérieurs à un million d'années, sont tous douteux (James, 1989). Des traces de feu à Gesher Benot Ya'aqov en Israël dateraient de 790 000 ans (Goren Inbar *et al.*, 2004) mais l'hypothèse de feux naturels n'est pas totalement éliminée. Les techniques de production du feu se ramènent à deux principes physiques, percussion (acier contre silex ou silex contre marcassite) ou friction (Deniker, 1926 ; Montandon, 1934). L'expérimentation critique (Collina-Girard, 1998) a clarifié les imprécisions des ethnologues, souvent reprises par les préhistoriens. Avant le métal, on frappait le silex sur un morceau de marcassite. Ce minéral, fréquent dans les terrains crayeux du nord de la France, ressemble à la pyrite. Pyrite et marcassite sont deux variétés de sulfure de fer souvent confondues par les archéologues alors que certains expérimentateurs doutent même que la pyrite puisse être utilisée (Weiner, 1997). L'étincelle produite par le choc doit tomber sur un produit très inflammable. L'un des meilleurs est l'amadou tiré du champignon amadouvier (Collina-Girard, 1998 ; Roussel *et al.*, 2002). En Sibérie, l'amadou ferait partie d'une triade mythique qui le lierait au bouleau et à l'amanite tue-mouche dans un contexte chamanique (Lévi-Strauss, 1973). L'ethnologie nous montre que ce produit est aussi « bon à penser » que « bon à servir ». Ce « bon à penser » est du domaine de l'ethnologie alors que l'archéologue s'interroge plutôt sur l'aspect du « bon à servir »…

En peu de temps, la marcassite s'oxyde et disparaît. Quelques restes archéologiques célèbres font exception. Au « Trou de Chaleux », en Belgique, un nodule de marcassite serait l'un des plus anciens vestiges (13 000 ans) de briquet paléolithique avec celui de Laussel en Dordogne (Perlès, 1977). Des fragments de marcassite, mais sans trace d'utilisation, ont également été signalés à Arcy-sur-Cure (Paléolithique moyen), au Trou de la Mère Clochette et à Pincevent (sites du Paléolithique supérieur) (Collin *et al.*, 1991). Au total, les vestiges retrouvés remontent presque tous à la fin du Paléolithique et au Mésolithique (Staptert et Johansen, 1999) même si on peut raisonnablement supposer que la production du feu est maîtrisée, en Europe, depuis le début du Paléolithique supérieur. Les niveaux de l'Aurignacien moyen de la grotte du Vogelherd auraient, en effet, fourni à Gustav Riek (Riek, 1934, p. 161) un nodule de marcassite qui porterait des traces d'utilisation (Jürgen Weiner, communication orale). Les briquets à friction bois contre bois utilisent un autre principe physique (Collina-Girard, 1998) : la chaleur du frottement gagne la sciure produite par l'usure de deux bois riches en fibres inflammables. La nécessité supposée d'utiliser deux bois de dureté différente n'est qu'une légende sans fondement, probablement ancrée dans le dualisme mâle/femelle qui vient spontanément à l'esprit (Collina-Girard, 1998). La conservation de ce type de briquet est rarissime et les objets anciens (Perlès, 1977) tous douteux. Les planchettes et forets les plus anciens (environ 10 000 B.P.) proviennent de la grotte de Guitarerro dans les Andes péruviennes (Lynch, 1980) et l'on peut (sans preuve directe) supposer que ce système était connu au Paléolithique supérieur. Nous n'avons aucune idée du contexte social dans lequel ces techniques étaient couramment pratiquées, la palethnologie du feu restant totalement spéculative.

TECHNIQUES, FANTASMES ET SOCIÉTÉS

Est-il possible, à partir des vestiges matériels, d'atteindre le champ de l'imaginaire et des représentations sociales ? Pour l'ethnologue, cela suppose une difficile connaissance de sa propre subjectivité. Cette démarche exigeante, proche de celle de l'observation psychanalytique, est à la base de toute interprétation, comme l'a bien montré Georges Devereux, le fondateur de l'ethnopsychiatrie (Devereux, 1980 ; Lioger, 2002). Il est évident pour l'ethnologue que les techniques ne se limitent pas à leur fonction utilitaire et qu'elles font système avec tous les autres aspects de la vie psychologique et sociale (Lemonnier, 1983 et 1989). L'archéologue qui n'a accès qu'à des objets incomplets et isolés risque alors de verser dans cette interprétation utilitariste et simpliste dénoncée dans les manuels scolaires par Wiktor Stoczkowski :

> *Tout ce que l'homme fait est l'expression de ses besoins élémentaires et a un but utilitaire. Les outils ne sont rien d'autre que des succédanés des griffes et des crocs, la société n'est que le résultat d'une coopération économique, la religion un moyen, tout imparfait qu'il soit, de combattre la peur et l'incertitude face à une nature mystérieuse et menaçante.*

> Stoczkowski, 1990.

Comment l'archéologue pourrait-il atteindre les motivations subjectives qui sous-tendent les sociétés et leurs techniques ? En Europe orientale, au XIXᵉ siècle, on utilisait, pour produire le « feu nouveau », deux bâtons de tilleul actionnés par un garçon et une fille (Zaborowski, 1907). L'expérimentation explique la raison technologique du choix de ce bois. Le choix de personnes de sexe opposé renvoie à une symbolique assimilant la production du feu à un acte sexuel ritualisé. L'exemple des paysans arakanais du Pakistan oriental est particulièrement illustratif de cette sexualisation puisque hommes et femmes utilisent des procédés différents : lanière et bambou pour les hommes et friction de deux bambous pour les femmes (Bernot, 1967, p. 212). Les mythes d'origine du feu fourmillent d'exemples où le feu est associé aux organes sexuels masculins ou féminins : il est tiré de l'intérieur du pénis d'un kangourou dans un mythe australien (Testart, 1991, p. 226) ; il jaillit de l'organe sexuel féminin dans de nombreux mythes de par le monde (*ibid.*, p. 346). Jean-Pierre Otte résume très bien ce constat répété :

> *Un très grand nombre de mythes, recueillis dans les différentes parties de la planète, lient précisément le feu au physique, à la cérémonie des corps, à la sexualité solitaire, duelle ou collective. On produit l'étincelle par le frottement des forêts, par le glissement insistant de la scie-à-feu ou par la percussion de pyrites de fer, et c'est par le frottement et la percussion coïtale que l'on produit le plaisir et l'émission séminale. De manière quasi universelle, les inspirations et les visions advenant partout à la fois, presque dans le même temps, le bâton vertical est considéré comme mâle, le bâton horizontal avec son encoche médiane comme femelle. Dans le cas de la scie à feu, la fibre masculine court dans la fine entaille féminine. Si bien que les étincelles intimes jaillissent du lieu génital de la femme. L'opération par laquelle on produit le feu ne fait que répéter la posture et le mouvement de l'accouplement, et tout se passe comme si la technique en était trouvée par le report ou la projection de l'acte charnel. Dans la houle des corps, par le frottement insistant, presque incantatoire du plaisir, l'homme et la femme des origines allument ensemble le feu sacré.*

Otte, 2002, p. 90.

La production du feu et sa fantasmatique s'intègre, de ce fait, dans le dualisme fondamental, sexué, de la pensée humaine relevé par Françoise Héritier et qu'André Leroi-Gourhan avait pensé retrouver comme implicite derrière les représentations de l'art préhistorique du Paléolithique supérieur (Leroi-Gourhan, 1965 ; Marinov, 1986) :

> *Le corps humain, lieu d'observation de constantes – place des organes, fonctions élémentaires, humeurs –, présente un trait remar-*

*quable, et certainement scandaleux, qui est la différence sexuée et le
rôle différent des sexes dans la reproduction. Il m'est apparu qu'il s'agit
là du butoir ultime de la pensée, sur lequel est fondée une opposition
conceptuelle essentielle : celle qui oppose l'identique au différent, un de
ces themata archaïques que l'on retrouve dans toute la pensée scientifique, ancienne comme moderne, et dans tous les systèmes de
représentation. Support majeur des systèmes idéologiques, le rapport
identique/différent est à la base des systèmes qui opposent deux à deux
des valeurs abstraites ou concrètes (chaud/froid, sec/humide, haut/bas,
inférieur/supérieur, clair/sombre, etc.), valeurs contrastées que l'on
retrouve dans les grilles de classement du masculin et du féminin.*

Héritier, 1996, p. 20.

« Au VIIIe siècle, L'*Indiculus superstitionum et paganarum*, qui
suit le concile de Leptine, avait interdit d'allumer des feux sauvages
par bois frottés. Ce ne sont pas tant les feux qui sont païens que la
manière, trop suggestive, par laquelle ils sont allumés : le frottement »
(Dallier, 2001, p. 5). Ces pratiques perdurèrent jusqu'aux années 1960
en Roumanie. Récemment Cédric Dallier a démontré qu'elles se pratiquent encore de nos jours, en Serbie (Dallier, 2002). Les descriptions
d'allumage de « feux vivants » ou « feux de misères » sont nombreux
pour le XIXe siècle (Frazer, 1984 ; Cuisenier, 2000). Ces feux étaient
souvent allumés de façon très spéciale, fréquemment avec une roue
(symbole solaire ?) comme le rapporte James Frazer :

*En l'année 1598, une épouvantable épizootie fait rage à Neustadt,
près de Marbourg. Un sage du nom de John Köhler, fit adopter le
remède suivant par les autorités de la ville. On prit une roue neuve de
chariot et on la fit tourner autour d'un essieu qui n'avait jamais servi,
jusqu'à ce que le frottement fît jaillir des étincelles. Avec ces étincelles, on alluma un feu de joie entre les portes de la ville, et l'on fit passer
tout le bétail à travers la fumée et les flammes. De plus, tous les habitants durent rallumer leur foyer avec un tison pris à ce feu de joie. Chose
curieuse, cette mesure salutaire n'eut aucun effet sur l'épizootie et, sept
ans plus tard, le sage John Köhler lui-même fut brûlé comme sorcier.
Peut-être les paysans dont les porcs et les vaches n'avaient tiré aucun
bénéfice du feu assistaient-ils au supplice en spectateurs et, secouant la
tête, convenaient-ils entre eux que c'était bien fait pour John Köhler.*

Frazer, 1984, p. 157.

L'allumage du feu sauvage consiste, en général, à rendre pyrogè-
nes des outils improbables qui ne sont ordinairement pas dévolus à cet

usage. Le détournement est un motif fréquent en folklore et spécialement dans ses techniques : « L'homme seul se sert de techniques
débauchées. Ainsi c'est l'utilisation de techniques non pragmatiques,
la parodie qui semble être partagée » (Dallier, 2001, p. 3).

Pour l'ethnologue, ces techniques sont essentiellement le support
d'un sens social : « Les phénomènes techniques sont des phénomènes
sociaux à part entière et sont affaire d'ethnologues : celui-ci n'étudiera
les techniques que pour en faire apparaître les relations avec les autres
phénomènes sociaux » (Lemonnier, 1983, p. 11) ; « Libre à d'autres
disciplines de considérer les techniques comme un champ d'études en
soi. Ce ne peut être le cas en technologie culturelle » (*ibid.*, p. 21).

PALÉO-ETHNOLOGIE OU TEST DE RORSHACH ?

L'explication ethnologique est à la mode en archéologie. Une
interview récente est particulièrement révélatrice puisque les nuances
de l'argumentation scientifique sont gommées par la nécessité de
répondre simplement aux questions du journaliste (Musso, 2005, p. 18-
19). On suit, pas à pas comment l'observation des faits bascule dans
l'interprétation. À Étiolles, deux unités d'habitation, séparées de 500 à
1 000 ans sont opposées par leur matériel lithique. Dans l'unité
ancienne, on a utilisé un silex local de qualité « exceptionnelle », les
techniques de taille sont « difficiles » et « exigeantes », les étapes de
l'apprentissage sont « rigoureuses ». Au contraire, dans l'unité récente,
les « comportements liés au silex » sont « moins soigneux » et « moins
ambitieux ». Le deuxième temps de cette interview bascule dans une
lecture « ethnologique » où l'archéologue livre le fond de sa pensée
(celle du préhistorique ?) : ces deux lots de lames exprimeraient les
qualités dominantes d'une culture où le « soin », « l'ambition », la
« rigueur » s'opposeraient au « relâchement des règles » et au
« laxisme » de ses lointains descendants. Cette alternance de phases de
rigueur et de relâchement se retrouverait dans toutes les sociétés du
Paléolithique supérieur. À un niveau d'interprétation supérieur, le
manque de soin apporté à la confection des lames de l'habitat le plus
récent pourrait même être le révélateur de détériorations climatiques
planétaires ! On ne jugera pas de la validité de ce scénario, caricaturé
par sa transformation en fait acquis auprès du grand public. Cet

exemple est très symptomatique d'une tendance actuelle, où l'interprétation ethnologique, discutable, succède à une étude archéologique, par ailleurs très sérieuse. On appréciera, dans ce cas particulier, la minceur des faits, où quelques silex prétendent démontrer au journaliste que « les valeurs sociales ont varié au cours du Magdalénien ».

Faute de pouvoir accéder à une réelle interprétation ethnologique, il est tentant de projeter sur les vestiges archéologiques, mués en tests projectifs, ses propres constructions inconscientes. Comme le constate un épistémologue de la Préhistoire « le point important dans l'étude archéologique est de bien distinguer quand nous explorons encore le passé, et quand nous commençons à n'explorer que les possibilités combinatoires offertes par la matière première de notre imaginaire » (Stoczkowski, 1991).

Peut-on passer des vestiges archéologiques à la reconstitution ethnologique du Paléolithique supérieur réclamée par le grand public ? Il semble bien que non, à moins d'inventer, sous couvert de science, de nouveaux mythes immédiatement relayés par la vulgarisation et les médias. « Préhistosites », « Préhistoparc » et documentaires à sensations témoignent de la fascination pour le vide de cette Préhistoire manquante vite rempli par l'imaginaire de l'archéologue mué en fascinant raconteur d'histoires. Et si les hypothèses ethnologiques évoquées par l'archéologue n'étaient qu'une forme déguisée de roman préhistorique ?

Bibliographie

BERNOT L. (1967), *Les paysans arakanais du Pakistan oriental ; l'histoire, le monde végétal et l'organisation sociale des réfugiés Marma (Mog)*, Paris, La Haye, Mouton et Co.

COLLIN F., MATTART D., PIRNAY L., SPECKENS J. (1991), « L'obtention du feu par percussion : approche expérimentale et tracéologique », *Bulletin des Chercheurs de la Wallonie*, t. XXXI, p. 19-49.

COLLINA-GIRARD J. (1998), *Le Feu avant les allumettes, expérimentation et mythes techniques*, Paris, Maison des Sciences de l'Homme, coll. « Ethnologie des techniques ».

CUISENIER J. (2000), *Mémoire des Carpathes. La Roumanie millénaire : un regard intérieur*, Paris, Plon, coll. « Terre humaine ».

DALLIER C. (2001), *Le feu sauvage, Prométhée et la technique d'allumage du feu*, DEA de l'université de Nice, Sophia-Antipolis.

(2002), *Living Fire* [Le feu vivant], film vidéo, production Cédric Dallier & LAMIC (Laboratoire d'Anthropologie, mémoire, identité, cognition sociale), université de Nice, Sophia-Antipolis, Nice, 20 min.

DENIKER J. (1926), *Les Races et les Peuples de la Terre*, Paris, Masson (2ᵉ éd.).

DEVEREUX G. (1980), *De l'angoisse à la méthode*, Paris, Flammarion.

FRAZER J.G. (1984), *Le Rameau d'or, étude sur la magie et la religion*, Paris, Robert Laffont, coll. « Bouquins », (ed. originale : *The Golden Bough. A Study in Magic and Religion*, 1890, New York, Macmillan).

FREUD S. (1932), *The Acquisition and the Control of Fire*, traduit de l'allemand par J. Rivière, 1964, Standard Edition, 22, Londres, Hogahrt Press, p. 185-193.

GOREN-INBAR N., ALPERSON N., KISLEV M.E., SIMCHONI O., MELAMED Y., BEN-NUN A., WERKER E. (2004), « Evidence of Hominin Control of Fire at Gesher Benot, Aa'aqov, Israel », *Science*, vol. 304, 30 avril 2004, p. 725-727.

HÉRITIER F. (1996), *Masculin/Féminin. La pensée de la différence*, Paris, Odile Jacob.

HOUGH W. (1892), « The methods of Fire Making », *Report of the National Museum*, Washington, p. 395-409.

JAMES S.R. (1989), « Hominid Use of Fire in the Lower and Middle Pleistocene. A Review of the Evidence », *Current Anthropology*, vol. 30, n° 1, p. 1-26.

LEMONNIER P. (1983), « L'étude des systèmes techniques, une urgence en technologie culturelle », *Techniques et Culture*, vol. 1, p. 11-26.

(1989), « Bark Capes, Arrowheads and Concorde : on Social Representations of Technology », *in* I. HODDER (ed), *The Meanings of Things, Material Culture and Symbolic Expression*, Londres, Unwin Hyman, p. 156-171.

LEROI-GOURHAN A. (1943), *Évolution et Techniques. L'homme et la matière*, Paris, Albin Michel.

(1965), *Préhistoire de l'Art occidental*, Paris, Mazenod.

LÉVI-STRAUSS C. (1973), « Les champignons dans la culture », in *Anthropologie structurale deux*, Paris, Plon, p. 263-279.

LIOGER R. (2002), *La Folie du Chaman. Histoire de l'ethnopsychanalyse*, Paris, PUF, coll. « Ethnologies ».

LYNCH T.F. (1980), *Guitarrero Cave. Early Man in the Andes*, New York, Academic Press.

MARINOV V. (1986), « L'art des cavernes et l'art du rêve », *Psychanalyse à l'université*, t. 11, n° 43, p. 417-464.

MONTANDON G. (1934), *Traité d'Ethnologie culturelle*, Paris, Payot.

MUSSO A. (2005), interview de Nicole Pigeot, « Les valeurs sociales ont varié au cours du Magdalénien », *La Recherche*, mars 2005, n° 384, p. 18-19.

OTTE J.-P. (2002), *Le Feu sacré. Récits de l'origine du feu*, Paris, Julliard.

PERLÈS C., (1977), *Préhistoire du feu*, Paris, Masson.

RIEK G. (1934), *Die Eiszeijägerstation am Vogelherd im Lonetal*, Akademishe verlagssbuhhandlung Tübingen, Franz F. Heine.

ROUSSEL B., RAPIOR S., MASSON C.L., BOUTIÉ P. (2002), « *Fomes fomentarius* (L. : Fr.) Fr. : un champignon aux multiples usages », *Cryptogamie, Mycologie*, vol. 23, n° 4, p. 349-366.

RUSSON A.E., BIRUTE M., GALDIKAS M.F. (1993), « Imitation in Free-Ranging Rehbilitant Orangutans (*Pongo pygmaeus*) », *Journal of Comparative Psychology*, vol. 107, n° 2, p. 147-161.

STAPERT D., JOHANSEN L. (1999), « Flint and Pyrite : Making Fire in the Stone Age », *Antiquity*, vol. 73, p. 765-77.

STOCZKOWSKI W. (1990), « La Préhistoire dans les manuels scolaires ou notre mythe des origines », *L'Homme*, vol. 116, XXX (4), p. 111-135.

(1991), « Introduction. L'archéologie : démarches savantes et conceptions naïves », *Les Nouvelles de l'Archéologie*, n° 44, p. 5-6.

TESTART A. (1991), *Des mythes et des croyances, Esquisse d'une théorie générale*, Paris, Maison des Sciences de l'Homme.

TOMASZEWSKI A.J. (1991), « L'Archéologie est-elle bonne à penser ? », *Les Nouvelles de l'Archéologie*, n° 44, p. 11-13.

WEINER J. (1997), « Pyrite *vs* Marcasite, or : is Everything that glitters Pyrite ? (With a structured Bibliography on Firemaking through the Ages) », *Bulletin des Chercheurs de la Wallonie*, t. XXXVII, p. 1-29.

ZABOROVSKI S. (1907), « Mythologie ancienne des slaves », *Revue mensuelle de l'école d'Anthropologie de Paris*, p. 269-282.

Les bouillons gras au Paléolithique

Un exemple de comparatisme ethnographique critiquable*

Thierry TILLET

Suite à une intervention récente au congrès du centenaire de la Société Préhistorique Française en Avignon, en septembre 2004 (Daujard, 2004 et 2007) concernant, entre autres, la confection de bouillons gras dans le Moustérien de la grotte de Saint-Marcel (Ardèche), je voudrais développer ici mes réflexions sur cette interprétation des paléolithiciens, question que je n'avais qu'effleurée dans un précédent article (Tillet, 2005).

La question de l'absorption de nourriture très grasse chez les chasseurs paléolithiques fut très fréquemment abordée par les préhistoriens, et le fractionnement des os pour l'extraction de la moelle des diaphyses d'os longs et de la mandibule, ainsi que la graisse des épiphyses spongieuses, fut largement évoqué par analogie ethnographique (en particulier Binford, 1978). S'il est effectivement souvent nécessaire d'étudier les savoir-faire des derniers chasseurs-collecteurs des régions arctiques et subarctiques pour proposer des hypothèses explicatives à des problèmes archéologiques, il n'en demeure pas moins que les soupçons ne doivent pas devenir des certitudes, ce qui est trop souvent le cas lorsque l'analogie ethnographique est utilisée sans prudence. Ce manque de discernement fut combattu à maintes reprises par la plupart des préhistoriens, en particulier les paléolithiciens (entre autres Rozoy, 1978, p. 85-95).

---

* Je remercie mes collègues et amis Jean-Philip Brugal, Jean-Christophe Castel, Camille Daujeard, Ruth Gotthardt, Christophe Griggo, Brian Hayden, Raymond Le Blanc, Dominique Legros et Suzanne Villeneuve pour leur aide précieuse. Je tiens aussi à remercier Dawn et Wilfred Charlie, ainsi que leur fils Lenny, qui m'ont donné la possibilité de me joindre à eux lors de leurs expéditions de chasse et de « trapping » dans les montagnes et autour d'un lac de la région de Carmacks au Yukon.

LE MODÈLE AMÉRINDIEN ET PALÉO-INDIEN

La première mention d'extraction de graisse osseuse par fragmentation et ébullition remonte à 1871 et est due à Titian Peale. Cet auteur avait participé à la célèbre expédition du major Stephen Long, en 1820, aux chaînes frontales des Rocheuses (sources de la « Platte River ») et avait pu faire directement l'observation de cette pratique chez les Indiens. Depuis lors, de nombreuses mentions de cette pratique (en particulier en vue de la confection du pemmican) apparaissent avec force détails dans les études ethnographiques concernant le monde nord amérindien (Leechman, 1951 ; Vehik, 1977 ; Binford, 1978) et Raymond Le Blanc en résume parfaitement l'historique (Le Blanc, 1984, p. 49). Cette source énergétique très prisée, se conserve parfaitement dans des poches de peaux ou des viscères d'ongulés, aida, par exemple, le premier Européen, Alexandre Mackenzie, à s'aventurer en 1793 jusqu'à l'extrême nord du continent nord-américain.

Il convient de signaler que toutes les suppositions de confection de bouillons gras dans les sites paléo-indiens, entre autres pour la confection du « pemmican », ne reposent que sur des sites pas plus anciens que 3 500 ans avant nos jours (fin de la période III) dans les plaines de l'Amérique du Nord (Société du Musée canadien des civilisations, 2001, épilogue du volume I). Dans les régions plus septentrionales, au moins pour les zones sub-arctiques et arctiques du Yukon, cette pratique culinaire ne semble documentée que dans les sites postérieurs à 1 500 ans avant nos jours (Ruth Gotthardt, information personnelle).

Bien que d'autres procédés soient connus, on a l'habitude de considérer que la préparation de bouillons nécessite, pour des communautés ne possédant pas encore de récipients pouvant aller au feu, l'utilisation de pierres chauffées pour amener à ébullition le liquide dans un récipient de type outre : écorce de certains végétaux et poche stomacale posées directement sur les braises ou suspendues au-dessus d'un foyer (McClellan, 1975, chap. VII ; Legros, 1981, p. 701). Il n'en demeure pas moins que les accumulations de pierres brûlées et craquelées ne se rencontrent, au Yukon par exemple, que dans les niveaux postérieurs à 1 000 ans avant nos jours (Ruth Gotthardt, information personnelle) ; on peut donc se demander si la chauffe des pierres ne servait réellement qu'à porter à ébullition des liquides. Deux exemples d'archéologie récente nord-amérindienne renforcent mon interrogation sur le sujet :

– dans un gisement historique de Désdélé Méné (Annie Lake, Sud Yukon), de nombreux fragments d'os de mouflons, de caribous et de castors, associés à des pierres brûlées et craquelées, ont été interprétés comme étant le résultat d'une récupération de graisse par ébullition (Carcross/Taguish First Nation, 1994). Cette interprétation pourrait, à la rigueur, être considérée comme une hypothèse de travail, si, par ailleurs, ces mêmes fragments osseux n'avaient pas été brûlés ; puisqu'ils l'ont été, et même en considérant qu'ils ont été rejetés dans le foyer après ébullition, cette interprétation demeure difficile à prouver (surtout lorsqu'on connaît le pouvoir de combustible des épiphyses spongieuses, qui suggère leur usage comme tel) ;

– dans un autre gisement du Yukon, (Rat Indian Creek, Nord Yukon), Raymond Le Blanc (1984, p. 43-46) décrit deux petites fosses de 30 à 40 cm de diamètre sur 30 cm de profondeur, comportant de nombreux fragments d'os sans aucune trace de cuisson. Cet auteur suggère que ces structures ont pu servir à l'ébullition pour l'extraction de graisse osseuse, en les comparant aux cas ethnographiques (de dimensions trois fois plus importantes) décrits chez les Kutchin (Osgood, 1936, p. 30 ; Balikci, 1963, p. 19). Dans le modèle de Rat Indian Creek, les fosses auraient alors été comblées par le rebut de ce prétendu procédé, mais quelles en sont les preuves ? Cornelius Osgood ne parle pas, lui, d'extraction de graisse osseuse, mais de viande et de poisson bouilli. De même, Raymond Le Blanc me précisait récemment (information personnelle) que les personnes âgées de la communauté Old Crow préféraient de loin la viande et le poisson bouillis (même observation faite par Dominique Legros chez les Tutchone du Nord, information personnelle), ce qui, d'après Raymond Le Blanc, devait être aussi le cas dans le passé plus lointain…

LA TRANSPOSITION DU MODÈLE
AUX CHASSEURS-COLLECTEURS PRÉHISTORIQUES

S'il semble démontré et bien acquis que la fracturation intentionnelle des os à cavité médullaire en vue d'en extraire la moelle existe dès les temps les plus anciens du Paléolithique, il n'en est pas de même lorsqu'il s'agit de documenter l'idée de préparation de bouillons gras. Cette idée fut, en effet, proposée à la suite d'analyses de la fragmenta-

tion des os spongieux trouvés dans certains gisements (par exemple
Delpech et Rigaud, 1974, pour le Gravettien du Flageolet I en Dordogne ; Daujeard, 2004, pour le Moustérien de la grotte de Saint-Marcel
en Ardèche). Dans un article sur les activités de chasse et de boucherie
dans la grotte des Églises (Ariège), Françoise Delpech et Paola Villa
(1993) ne peuvent écarter cette supposition, mais la reconnaissent
néanmoins peu probable, vu « la variation des dimensions des
fragments » (pelvis et os longs), « l'absence de galets rougis par le
feu » et « l'absence de concentrations de fragments de dimensions
semblables dans le site ». Dans les sites paléolithiques, l'évidence nette
de pierres ayant été chauffées est assez limitée, et si celles-ci sont présentes au Flageolet I (Delpech et Rigaud, 1974, p. 54), loin s'en faut
que ce soit toujours le cas. Par ailleurs, lorsque celles-ci sont présentes,
on ne peut que supposer, grâce aux modèles fournis par les Inuit et
autres Amérindiens d'Amérique du Nord, qu'elles l'ont été pour cette
activité. Néanmoins, dans les études préhistoriques, cette supposition
repose moins sur la présence de pierres chauffées que sur une fracturation importante des épiphyses (*ibid.*). La présence en grand nombre de
fragments d'épiphyses de petites dimensions, non brûlés, comportant
des stigmates de percussion (Binford, 1981 ; travaux expérimentaux
récents d'Alan Outram, 2002), est en effet l'argument principalement
utilisé pour prouver que la graisse contenue dans ces os spongieux a
bien été exploitée. Cette abondance de fragments d'os spongieux
semble assez étonnante lorsque l'on sait que ceux-ci présentent de réels
problèmes de conservation différentielle (Costamagno, 2000, p. 91),
en particulier lorsqu'ils ont été bouillis…

DISCUSSIONS ET PERSPECTIVES

L'interprétation de ces concentrations de fragments d'épiphyses
comme étant dues à la préparation de bouillons gras au Paléolithique
reste très subjective, si l'on en juge par les contraintes techniques que
cela suppose. Grâce à des expérimentations très poussées sur différents
os longs de cerf de Virginie (*Odocoileus virginianus*), Robert Church
et Lee Lyman ont récemment démontré (2003) que l'extraction de
graisse par ébullition à partir d'os fragmentés nécessitait un investissement relativement important en temps (deux à trois heures), sans

compter celui nécessaire au rassemblement du bois destiné à l'entretien du feu. Lewis Binford (1978, p. 159) et plus récemment Karen Lupo et Dave Schmitt (1997) avaient eux-mêmes noté le coût élevé d'un tel investissement par rapport à la masse obtenue, sans néanmoins en rejeter la pratique. Les expérimentations de Robert Church et Lee Lyman ayant été effectuées dans un récipient posé directement sur le feu, cela nous laisse dubitatif quant à l'intérêt de cette pratique avec les moyens dont disposaient les Paléolithiques. Cette interrogation fut aussi émise très récemment par John Speth (2004). Le dépôt sur les braises des os les plus riches en moelle (os à cavité médullaire importante tels que les os longs et la mandibule) permet d'extraire un bâton de graisse cuite, sans qu'il soit nécessaire de recourir à une ébullition et donc à l'utilisation d'un récipient, sans oublier que la graisse contenue dans les épiphyses spongieuses peut être directement consommée en suçant les fragments cuits (Binford, 1978, et observations personnelles chez des Tutchone du Yukon, décembre 2003). Néanmoins, dans ce dernier procédé, il ne s'agit pas d'extraction de graisse en vue d'une consommation ultérieure. Par ailleurs, la moelle est souvent extraite et consommée crue, son pouvoir nutritif étant ainsi plus élevé, et son extraction des diaphyses ne posant pas de problème (Griggo, information personnelle). De même, si sur la totalité d'une carcasse d'un ongulé la masse de graisse extraite des os représente un peu moins du double de la masse de moelle disponible (McCullough et Ullrey, 1983), la moelle de deux os longs (deux humérus, deux fémurs, ou deux tibias) fournit une masse nutritive supérieure à celle de la graisse extraite des mêmes os : approximativement 614 kcal pour la moelle contre 330-335 kcal pour la graisse en ce qui concerne le cerf commun (Madrigal et Capaldo, 1999). Il fut démontré par ailleurs que seulement 6 à 7 % de la graisse animale se trouvaient dans les os, contre 93 à 94 % dans les parties molles (McCullough et Ullrey, 1983, p. 436). Robert Church et Lee Lyman, reprenant cette constatation, se demandent pourquoi la graisse d'os aurait alors été recherchée (2003, p. 1082). Si cette interrogation est particulièrement justifiée pour les temps paléolithiques, elle ne l'est pas moins pour la Préhistoire récente eurasiatique (Chalcolithique de Çatal Hüyük, en Turquie, par exemple Russell et Martin, 1998).

   Des méthodes d'analyses récentes ont apporté des moyens semblant plus précis pour distinguer les os bouillis des os non bouillis : Robert Church utilise les rayons X, l'image SEM (*Scanning Electron Microscopy*) et la microscopie à lumière tamisée. Plus récemment,

Sam J. Roberts et ses collaborateurs ont constaté (2002) que l'ébullition du tissu osseux non seulement permet d'en extraire la graisse (donc du collagène) mais diminue la teneur en azote du tissu. Leurs recherches préliminaires indiquent que l'azote, le calcium, le phosphore et le magnésium des os sont supprimés lors de l'ébullition. Jane Richter a fait des observations très proches après expérimentation sur des os de poissons (Richter, 1986). Gageons que ces dernières recherches étayeront nos hypothèses et qu'elles constitueront alors le préalable à toute affirmation concernant cette importante question de taphonomie. En attendant, en l'absence de signatures irréfutables concernant la confection de bouillons gras au Paléolithique – et à plus forte raison au Paléolithique ancien et moyen –, nous ne pouvons que suggérer cette hypothèse, sans jamais vraiment la démontrer.

Bibliographie

BALIKCI A. (1963), *Vunta Kutchin Social Change*, Ottawa, Northern Coordination and Research Centre, 63-3.

BINFORD L.R. (1978), *Nunamiut Ethnoarchaeology*, New York, San Francisco, Londres, Academic Press.

(1981), *Bones. Ancient Men and Modern Myths*, New York, San Francisco, Londres, Academic Press.

CARCROSS/TAGUISH FIRST NATION (1994), Désdélé Méné – *The Archaeology of Annie Lake. Government of Yukon*, Yukon Heritage Branch, written by Greg Hare & Sheila Greer, 29 p.

CHURCH R.R., LYMAN R.L. (2003), « Small Fragments make Small Differences in Efficiency when Rendering Grease from Fractured Artiodactyl Bones by Boiling », *Journal of Archaeological Science*, n° 30, p. 1077-1084.

COSTAMAGNO S. (2000), « Stratégies d'approvisionnement et traitement des carcasses au Magdalénien : l'exemple de Moulin-Neuf (Gironde) », *Paléo*, n° 12, p. 77-95.

DAUJEARD C. (2004a), « Exploitation intensive des carcasses de cerf dans le gisement moustérien de la grotte de Saint-Marcel, Ardèche (couches g, h, i et j, fouilles R. Gilles) », pré-actes du *Congrès préhistorique de France*, XXVIᵉ session, Avignon, p. 47.

(2004b), « Stratégies de chasse et modalités de traitement des carcasses par les Néanderthaliens de la grotte Saint-Marcel, Ardèche (fouilles R. Gilles, ensemble 7) », *Paléo*, n° 16, p. 49-70.

DELPECH F., RIGAUD J.-P. (1974), « Étude de la fragmentation et de la répartition des restes osseux dans un niveau d'habitat paléolithique », *in*

H. CAMPS-FABRER (ed), *Premier colloque international sur l'industrie de l'os dans la Préhistoire*, Abbaye de Sénanque, avril 1974, Aix-en-Provence, Éditions de l'université de Provence, p. 47-55.

DELPECH F., VILLA P. (1993), « Activités de chasse et de boucherie dans la grotte des Églises », in *Exploitation des animaux sauvages à travers le temps*, IVe colloque international de l'Homme et de l'Animal, Société de Recherche interdisciplinaire, Juan-les-Pins, Éditions APDCA, p. 79-102.

LE BLANC R.J. (1984), « The Rat Indian Creek Site and the Late Prehistoric Period in the Interior Northern Yukon », *Archaeological Survey of Canada*, n° 120, A. Diamond Jenness Memorial Volume, Ottawa, National Museums of Canada.

LEECHMAN D. (1951), « Bone Grease », *American Antiquity*, vol. 16, p. 355-356.

LEGROS D. (1981), *Structure socio-culturelle et rapports de domination chez les Tutchone septentrionaux du Yukon au XIXe siècle*, PhD, University of British Columbia, Vancouver (Canada).

LUPO K.D., SCHMITT D.N. (1997), « Experiments in Bone Boiling : Nutritional Returns and Archaeological Reflections », *Anthropozoologica*, vol. 25-26, p. 137-144.

MADRIGAL T.C., CAPALDO S.D. (1999), « White-Tailed Deer Marrow Yields and Late Archaic Hunter-Gatherers », *Journal of Archaeological Science*, vol. 26, p. 241-249.

MCCLELLAN C. (1975), *My Old People Say : An Ethnographic Survey of Southern Yukon Territory*, Ottawa, Canada National Museum of Man, Publications in Ethnology, 6, 2 vol..

MCCULLOUGH D.R., ULLREY D.E. (1983), « Proximate Mineral and Gross Energy Composition of White-Tailed Deer », *Journal of Wildlife Management*, vol. 47, p. 430-441.

OSGOOD C. (1936), *Contributions to the Ethnography of the Kutchin*, New Haven, Yale University, Publications in Anthropology, 14.

OUTRAM A.K. (2002), « Bone Fracture and Within-Bone Nutrients : An Experimentally Based Method for Investigating Levels of Marrow Extraction », *in* P. MIRACLE et N. MILNER (eds), *Consuming Passions and Patterns of Consumption*, Cambridge, McDonald Institute for Archaeological Research, p. 51-64.

PEALE T.R. (1871), *On the Uses of the Brain and Marrow of Animals among the Indians of North America*, Washington, Annual Report of the Smithsonian Institution for 1870, p. 390-391.

RICHTER J. (1986), « Experimental Study of Heat Induced Morphological Changes in Fish Bone Collagen », *Journal of Archaeological Science*, Londres, Academic Press Inc., p. 477-481.

ROBERTS S.J., SMITH C.I., MILLARD A., COLLINS M.J. (2002), « The Taphonomy of Cooked Bone : Characterizing Boiling and its Physico-Chemical Effects », *Archaeometry*, vol. 44, p. 485-494.

ROZOY J.-G. (1978), « Les derniers chasseurs : l'Épipaléolithique en France et en Belgique : essai de synthèse », *Bulletin de la Société Archéologique champenoise*, n° spécial, 3 t., 1252 p.

RUSSELL N., MARTIN L. (1998), « Çatalhöyük Animal Bone Report. Catalhöyük Archive Report », <http ://catal.arch.cam.ac.uk/catal/Archive_rep98/martin98.html>.

SOCIÉTÉ DU MUSÉE CANADIEN DES CIVILISATIONS (2001), *Histoire des Autochtones du Canada*, t. 1, <www.civilisations.ca/archeo/hnpc/>.

SPETH J.D. (2004) « Bouilli ou rôti : reconnaître les méthodes de cuisson et en démontrer l'importance », *Les Nouvelles de l'archéologie*, vol. 95, p. 23-25.

TILLET T. (2005), « La montagne du chasseur-collecteur : I. saisonnalité, dangerosité, nutrition, vénération, mobilité », in *Mélanges Louis Chaix, Revue de la Paléobiologie*, Genève, Muséum d'Histoire Naturelle, numéro spécial 10, p. 37-47.

VEHIK S.C. (1977), « Bone Fragments and Bone Grease Manufacturing : a Review of their Archaeological Use and Potential », *Plains Anthropologist*, vol. 22, p. 169-182.

Territoire parcouru, territoire connu ?

Saisonnalité, mobilité et spécialisation des sites

Une approche polythématique*

Pierre-Yves DEMARS, Olivier LE GALL, Hélène MARTIN

L'archéologie préhistorique est née de la pratique de savants qui, par nécessité, sont passés, avec plus ou moins de bonheur, de leur domaine appartenant aux sciences naturelles à d'autres disciplines, notamment celle des sciences humaines par le biais du comparatisme ethnologique. Les successeurs de ces « touche à tout » fondateurs, afin de faire accéder leur discipline au rang de science, ressentirent le besoin de borner leurs activités à des secteurs limités issus soit de disciplines voisines, soit du développement même des méthodes archéologiques (Coye, 1997).

Cette évolution a eu pour conséquence principale la reconnaissance par la communauté scientifique de l'archéologie préhistorique comme discipline. Elle a également entraîné un éclatement des contributions en diverses « spécialités » (typologie, paléontologie, géologie…), qui elles-mêmes se sont subdivisées en de multiples « sous-spécialités ». Ce phénomène se poursuit toujours aujourd'hui. Cette distribution des rôles permet certes une approche de plus en plus fine de phénomènes complexes ; cependant, elle induit en corollaire un cloisonnement et une sclérose progressive de spécialités de plus en plus nombreuses et étroites. Ceci se traduit par des modes comme celle d'une utilisation excessive des chiffres, due à la volonté de créer des modèles considérés comme inaccessibles aux critiques puisque fondés sur l'indiscutable mathématique, mais qui souvent ne font que confirmer des évidences connues depuis longtemps à l'aide de méthodes plus simples.

* Nous voulons remercier Françoise Lagarde qui s'est chargée de mettre sous forme électronique les différentes figures.

Heureusement, cette situation peu réjouissante n'est pas désespé-rée. Des travaux menés en épistémologie ont montré que le progrès scientifique s'accomplit dans les marges, loin du « noyau dur » de la discipline. C'est ce que souligne l'étude menée par Mattei Dogan et Robert Pahre dans les sciences sociales en Europe et aux États-Unis. Ces auteurs montrent « comment le progrès de la science entraîne la fragmentation d'une discipline en plusieurs sous-disciplines ; comment ce progrès peut conduire à la stagnation intellectuelle au centre de chaque discipline ("paradoxe de la densité") ; comment la recherche innovante conduit les spécialistes à franchir les bornes de leur propre discipline » (Dogan et Pahre, 1991).

C'est cette démarche que nous empruntons. Elle est fondée sur la mise en commun de données acquises dans nos spécialités confrontées à celles venant aussi bien de l'ethnologie que de l'éthologie animale. Ainsi les études de squelettochronologie et de cémentochronologie, la compréhension des modes de chasse et de pêche, des implantations d'habitats, les circulations de matières premières…, permettent de per-cevoir comment les sociétés paléolithiques ont pratiqué l'occupation de l'espace et l'exploitation du milieu.

Pour illustrer cette approche polythématique à l'interface de plu-sieurs disciplines, nous aborderons les comportements du chasseur paléolithique et de ses gibiers dans une de leurs composantes, leur nomadisme suivant un cycle annuel inscrit dans un territoire, et à travers quatre regards : ethnologique, éthologique, biologique et géographique.

L'APPROCHE ETHNOLOGIQUE : L'EXEMPLE
D'UN CYCLE ANNUEL DANS UNE SOCIÉTÉ INUIT,
LES ESKIMOS D'AMMASSALIK

Toutes les sociétés humaines, quel que soit leur niveau technique, structurent leur territoire. Celui-ci est autant d'ordre matériel et social que spirituel. Le territoire, sa gestion, sa représentation symbolique, s'inscrivent dans un système complexe naturel et culturel dans lequel de multiples facteurs interagissent : la géographie (topographie, climat, environnement biologique…), les modes de subsistance, les modes de vie et les techniques qui les sous-tendent, les mythes, etc. (Mauss,

1906 ; Damas, 1984 ; Helm, 1981). Pour illustrer ce fait, nous prendrons un exemple, celui des Eskimos d'Ammassalik (fig. 1) (Gessain, 1953 et 1969), qui, comme d'autres populations occupent aussi bien des environnements subarctiques que forestiers ou désertiques.

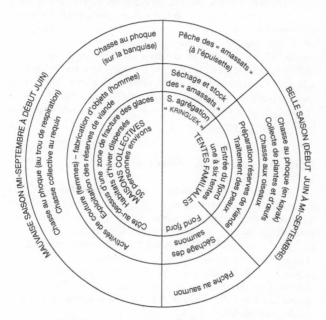

Figure 1. Cycle annuel des Eskimos d'Ammassalik.

Les Eskimos d'Ammassalik vivent sur la côte Est du Groenland à hauteur du cercle polaire. Ils ont été découverts très tardivement, en 1884, et leur culture a donc pu être étudiée avant qu'ils n'aient emprunté des traits culturels au colonisateur. Ils vivent deux saisons contrastées : une longue mauvaise saison, une courte belle saison. Les Eskimos d'Ammassalik sont nomades et possèdent quatre lieux d'habitats : un pour la mauvaise saison, trois pour la belle saison. L'habitat de mauvaise saison est une maison collective de terre, pierre et neige. Les trois habitats de belle saison sont des tentes familiales.

L'habitat de mauvaise saison : mi-septembre – début juin

La maison collective (pouvant abriter environ 30 personnes) domine une zone de cassures dans les glaces entretenue par la marée entre la terre et la mer. Cette zone est appréciée des phoques qui viennent y respirer. Les transports se font en traîneaux. Une chasse au trou de respiration est pratiquée par les hommes. On observe également une chasse collective au requin qui induit la nécessité de faire sécher une viande toxique. Les activités domestiques consistent en travaux de couture pour les femmes et fabrication d'objets pour les hommes. La subsistance est surtout basée sur les réserves de viande. Enfin la vie religieuse est plus marquée. À la fin de cette période, pendant « l'hiver lumineux », se pratique la chasse aux phoques se chauffant sur la banquise.

Début de la belle saison : début juin

Après l'abandon de la maison collective en partie démolie pour l'aérer, et celle des chiens sur un îlot, le groupe se dirige vers le fond du fjord, à « Kringuek » pour un rassemblement annuel avec les autres groupes ayant hiverné en d'autres endroits. L'habitat est sous tente. On pratique alors une pêche à l'épuisette des « ammassats » (capelans) qui viennent frayer en ce lieu en très grand nombre. Les poissons sont séchés, enfilés et stockés sous forme de rouleaux d'environ 50 cm de diamètre pour être consommés à la mauvaise saison. Pendant cette période de retrouvailles après la longue mauvaise saison, les relations sociales sont intenses.

On observe ensuite une dispersion en petites unités de une à six tentes qui s'installent à l'entrée des fjords dans des endroits à remous appréciés des phoques. Pendant cette période une forte activité cynégétique s'installe. Les hommes se livrent à la chasse du phoque en kayak et à une chasse aux oiseaux. Les femmes pratiquent la collecte de plantes et d'œufs sur les sites de ponte. Les hommes se consacrent à la fabrication d'objets, et les femmes à la préparation des réserves de viande pour la mauvaise saison et au traitement des peaux : écharnage, lavage, séchage en plein air sur le sol des peaux, tendues par des piquets.

Fin de la belle saison : fin septembre

Les groupes s'installent au fond du fjord sur les cours d'eau pour la pêche à la foëne des saumons remontant vers les frayères. Les poissons sont séchés en vue d'une conservation pour l'hiver.

Cet exemple nous conduit tout naturellement à considérer que la spécialisation d'un site est une notion non pertinente. Un « site » n'est jamais que le « point central » d'activités, cynégétiques, domestiques, sociales, etc., à un moment précis du cycle annuel. La spécialisation concerne ces seules activités qui, elles, sont « spécialisées » dans la mesure où elles réclament un mode opératoire *précis* pour atteindre un but *précis*.

L'APPROCHE ÉTHOLOGIQUE : LES CYCLES BIOLOGIQUES ET COMPORTEMENTAUX DU SAUMON ET DU RENNE

Nous chercherons à montrer à travers deux exemples que la vie d'un animal s'inscrit dans un cycle relativement précis (mais seulement relativement) qui va de sa naissance à sa mort. Des modifications plus ou moins rapides ou lentes vont affecter sa croissance. Les changements saisonniers, les stress subis, etc., vont également retentir sur le métabolisme de l'animal, s'inscrire dans son organisme en des points particuliers et notamment sur son squelette ; indices qu'il s'agira de percevoir et d'interpréter. Les évolutions de l'environnement vont aussi induire des comportements spécifiques que le chasseur ou pêcheur paléolithique, éthologue par nécessité, connaissait et utilisait s'il voulait être efficace. Nous allons voir le cas du Saumon (Bruslé et Quignard, 2001 et 2004) et celui du Renne (Trudel et Huot, 1979).

Le saumon

Naissance et séjour en eau douce

Sa naissance sur les frayères (zone à Truite de Huet) a lieu entre la mi-mars et la mi-avril. Les œufs éclosent dans un intervalle qui peut aller jusqu'à une semaine. Pendant un an généralement (mais cette période peut durer jusqu'à six ans), le saumon séjourne dans la « zone à Truite », espèce avec laquelle il partage le même mode de vie (fig. 2).

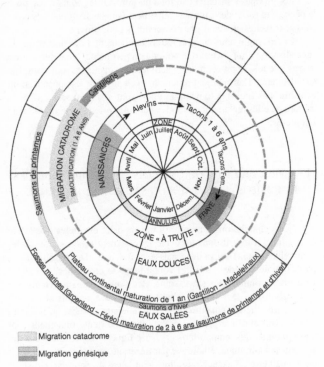

Figure 2. Cycle de vie du saumon.

La fin du séjour en eau douce est annoncée par la *smoltification* (adaptation de l'organisme et de la physiologie à la vie marine). Celle-ci commence lorsque les eaux atteignent 5 °C ; elle se continue au cours des mois de mars-avril-mai, pendant la *migration catadrome* qui conduit les jeunes saumons (ou smolts) de leur rivière natale à l'océan. C'est également à ce moment qu'ils mémorisent le « bouquet d'odeurs » caractéristique de leur rivière. Certains individus mâles plus matures que les autres ne participeront pas à cette migration, ils resteront en rivière où ils participeront à la fraye de l'année (Smolts 0+). Ils effectueront leur migration catadrome l'année suivante.

Vie en mer

Dès l'arrivée en eau de mer, certains jeunes saumons (majoritairement des femelles) vont rester sur le plateau continental où ils feront un bref séjour marin (un an) ; mais la grande majorité va entamer un long voyage qui les conduira sur des « fosses d'engraissement » situées au Groenland, en Islande, au Labrador, aux îles Féroé… Ces fosses assurent aux futurs saumons des quantités de nourriture suffisantes pour satisfaire leur insatiable appétit (d'abord plancton, puis crustacés et poissons). Cette consommation de nourriture assure aux saumons une croissance très rapide et des prises de poids considérables (8 kg en 2 ans, 15-20 kg en 4 ans). Pourtant en mer également une réduction de l'activité trophique existe en période d'hivernage ! Ces saumons restent de deux à six ans en mer.

Le début de la maturation sexuelle marque la fin de cette phase marine. Cependant, certains saumons seront matures au bout de deux à trois ans de vie marine (saumons de printemps lors de la « montée »), d'autres la prolongeront quatre, voire six ans (saumons d'hiver lors de la « montée »). Le développement des gonades se fait au cours de la *migration génésique*. Cette dernière étant *anadrome* (passage de l'eau de mer à l'eau douce), elle occasionne des transformations physiologiques aussi importantes, mais inverses, que celles de la phase de *smoltification*, qui se traduisent notamment par une réduction de l'alimentation.

Ce voyage de retour montre que le saumon possède de grandes capacités dans les domaines de l'orientation et de la navigation.

La « montée », le retour aux frayères

L'engagement en estuaire n'est pas synchrone pour tous les saumons. Il s'étale dans le temps en fonction des caractéristiques propres aux individus (âge, taille, qualité des futurs reproducteurs). On distingue :

– les « saumons d'hiver », entrant en estuaire dès le mois de novembre ;

– les « saumons de printemps » qui s'y présentent aux environs de mars ;

– les « saumons d'été » qui arrivent en estuaire vers la fin mai (Spillmann, 1961).

Quelle que soit la population, cet engagement en rivière s'effectue de la manière la plus rapide possible.

Les transformations physiologiques qui se sont produites durant la phase marine de la migration génésique se maintiennent. À celles-ci s'ajoutent un arrêt de la nutrition, une réorganisation du squelette lors du développement du crochet à la mâchoire inférieure (*bécarisme*) et un changement de livrée.

La « montée » se déroule en trois parties :

– une phase initiale (novembre à juillet) qui mène les saumons jusqu'à proximité des frayères ;

– une phase de résidence estivale pendant laquelle les saumons stationnent dans des *pools* (parties du cours d'eau dont la profondeur est supérieure à 90 cm et où la température de l'eau est toujours inférieure à 28 °C) ;

– l'accession aux frayères.

La reproduction se déroule, dans nos eaux, aux mois de novembre/décembre (septembre/octobre en Suède) dans la partie amont des cours d'eau et plus précisément dans les eaux courantes de la « zone à truite » de Huet. Elle a lieu sur les frayères (à proximité des berges sur un fond de galets, dans une profondeur d'eau de 20 à 30 cm), suivant des processus complexes et assez stricts (Thioulouse, 1972). La femelle produit de 1 500 à 2 500 ovocytes par kg, immédiatement fécondés par le mâle (mobilité maximale des spermatozoïdes à 3-4 °C). Le nid est alors recouvert par la femelle. Le processus recommence plusieurs fois.

Le renne

Les rennes portent des bois qu'ils perdent chaque année.

> *L'évolution de la ramure s'accomplit de la même façon chez toutes les espèces ou sous-espèces de renne, mais les dates des principaux événements de la croissance ou de la chute varient considérablement. L'état de santé, l'espèce considérée, l'abondance de nourriture et le climat en sont les principaux facteurs.*
>
> Bouchud, 1966, p. 85.

La chute des bois intervient après le rut pour les mâles et après la mise-bas pour les femelles. Ceux des mâles repoussent à la fin de l'hiver ou au début du printemps (aux environs du mois de mars), ceux des femelles en été. Les rennes ont un instinct grégaire très développé et effectuent des migrations saisonnières sur de grandes distances en latitude, mais aussi parfois en altitude. Les troupeaux peuvent alors compter plusieurs milliers de têtes. Pour la migration vers les terrains d'estive, de grands rassemblements ont lieu aux environs du mois de mars. Puis, entre avril et mai, selon les conditions climatiques, débute la migration de printemps vers les terrains herbeux. Les femelles accompagnées des veaux mènent le troupeau et les mâles suivent. Les chemins empruntés et les lieux de reproduction sont immuablement les mêmes d'une année sur l'autre (fig. 3).

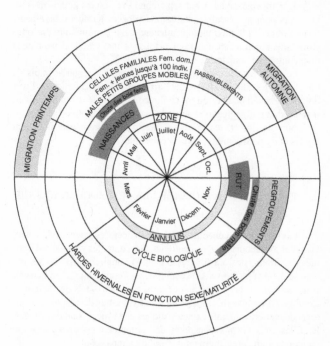

Figure 3. Cycle de vie du renne.

Les femelles sont les premières à atteindre les emplacements de mise-bas. Elles s'y regroupent, semble-t-il, en famille, soit de trois ou quatre femelles avec leur petit, soit d'une mère avec ses filles des deux, trois ou quatre dernières années et leurs veaux. Les veaux mâles (immatures) sont probablement mis à l'écart avant l'arrivée à l'aire de mise bas et forment des groupes homogènes qui demeurent à la périphérie.

Après la mise-bas, les mâles viennent rejoindre les femelles. Un mois plus tard, ils se dispersent en petits groupes. Ainsi, ils vont passer tout l'été à la recherche de végétation, les femelles ayant besoin d'une nourriture riche durant le temps de la lactation. L'été est également l'époque pendant laquelle les rennes sont harcelés par de nombreux insectes.

À la fin août ou au début septembre, ont lieu les grands rassemblements pour la migration d'automne vers les terrains d'hivernage. Contrairement à la migration printanière, celle-ci n'aboutira pas obligatoirement dans les mêmes régions tous les ans, car elle dépend de la disponibilité de nourriture.

Le rut a lieu aux environs de fin septembre jusqu'au mois de novembre. La plupart des rennes arrivent à leurs quartiers d'hiver durant le mois d'octobre ou tôt en novembre. Dès le début de l'hiver, il se produit une ségrégation selon le sexe et la maturité des animaux. Au cours de l'hiver, les mâles matures ayant perdu leurs bois sont rejetés et les hardes prennent de la cohésion.

L'APPROCHE DE LA BIOLOGIE : LA SCLÉROCHRONOLOGIE

Par un heureux concours de circonstances, les sciences du vivant viennent au secours de l'archéologue. Au cours des dernières décennies, les biologistes ont progressé dans la compréhension du vivant. Non seulement les êtres vivants subissent les contraintes du milieu et y réagissent, mais ils enregistrent certains paramètres tels que le temps. Celui-ci est retranscrit, pour chaque individu, par des dépôts saisonniers de matière minérale caractéristiques de la succession des années. Bref, les êtres vivants sont dotés de véritables « boîtes noires » qui mémorisent un enregistrement minéral du temps écoulé.

Le principe

La sclérochronologie est une discipline des sciences biologiques qui a pour but l'estimation du temps (l'âge) à partir de marques enregistrées et conservées dans les tissus durs des animaux. Ces marques, annuelles et visibles sur les « ossements », sont de trois grands types :

– les « zones » (ou zones de croissance active) qui correspondent à une ostéogenèse rapide en liaison avec une activité métabolique importante au cours de la « belle saison ». Les zones sont larges, opaques à la lumière ; elles apparaîtront sombres en lumière transmise et claires en lumière réfléchie. D'après les observations faites sur les collections de comparaison, elles se déposent de mars-avril à novembre-décembre chez les poissons et les mammifères vivants sous nos latitudes ;

– les *annuli* se forment à l'occasion d'une activité métabolique ralentie au cours de la « mauvaise saison » et correspondent à une ostéogenèse également ralentie. Les *annuli* sont étroits et transparents à la lumière. Ils apparaissent clairs en lumière transmise et sombres en lumière réfléchie. L'*annulus* se forme de novembre à mars sous nos latitudes ;

– les « LAC » ou lignes d'arrêt de croissance correspondent à un véritable arrêt de l'ostéogenèse. Elles répondent en cela à des stress divers.

En fonction de la nature des tissus, des approches spécifiques ont été développées (otolithométrie, scalimétrie, squelettochronologie, cémentochronologie).

Les deux premières, spécifiques aux poissons, permettent une interprétation fine des rythmes enregistrés (Le Gall, 1999). Elles sont, depuis de nombreuses années, utilisées par les ichtyologues notamment pour établir les courbes d'âges des populations. L'utilisation du microscope électronique à balayage pour l'examen d'otolithes de poissons juvéniles, dont le jour de naissance est connu, mettent en évidence l'influence des rythmes circadiens : les alternances jour-nuit y sont en effet bien visibles et traduisent là aussi des successions de périodes de plus ou moins grande activité physiologique (importante le jour, faible la nuit). Ainsi, et très certainement par l'intermédiaire de l'épiphyse (glande pinéale), les longueurs respectives du jour et de la nuit (nyctémère) influent de manière fondamentale sur les facteurs internes réglant la vie des poissons, des mammifères et vraisemblablement de bon nombre d'organismes vivants.

Des études fournissent d'autres explications à ce phénomène : les conditions climatiques entrent en jeu à travers des paramètres tels que la température et les échanges physiologiques à l'intérieur de l'individu ; les conditions propres au milieu également ne sont pas à négliger, par exemple la quantité de nourriture disponible ou non à une saison donnée.

Ainsi, nous retiendrons, à l'instar de Jacques Castanet et ses collaborateurs (Castanet *et al.*, 1992, p. 259-260), que la squelettochronologie est « une méthode directe et individuelle c'est-à-dire ne nécessitant pas, dans son principe, de recourir à des valeurs étalons établies sur une ou plusieurs populations de référence », comme c'est le cas pour les techniques morphométriques *sensu lato*. « La mise en place de marques de croissance étant étroitement liée aux variations saisonnières de l'environnement [...] leur nombre pourra alors constituer l'expression directe de l'âge individuel réel. » Les mêmes auteurs soulignent aussi qu'os et dents sont des tissus doués de pérennité et peuvent garder leurs structures *post-mortem* « y compris bien souvent à l'échelle des temps géologiques », rendant l'utilisation de la squelettochronologie (et des autres méthodes de la sclérochronologie) possible en paléontologie.

Application

La détermination de la saison de mort des animaux fournissant l'alimentation carnée dans les sites préhistoriques est importante pour le préhistorien : dans le cas où l'étude taphonomique préalable montre que la présence des vestiges osseux est le reflet d'une activité humaine, les saisonnalités seront à même de contribuer à notre connaissance de la périodicité *d'occupation des sites* et des *stratégies de prédation* mises en application par les Préhistoriques. Pourtant, l'utilisation de la sclérochronologie, relativement simple à mettre en œuvre, est curieusement assez récente et cette méthode a été perçue avec beaucoup (trop) de circonspection à ses débuts.

Pour les poissons, un des premiers à utiliser la sclérochronologie pour une application à l'archéologie et à en définir les bases est Richard W. Casteel (Casteel, 1976). Cet auteur, qui est par ailleurs le premier à jeter les bases de l'archéoichtyologie, traite dans son ouvrage des différentes manières de déterminer les saisons de capture : l'otolithométrie (p. 31-35), la scalimétrie (p. 65-71) et la squelettochronologie

(p. 78-83). Depuis, malgré quelques constats d'échecs, vraisemblablement liés à des conditions particulières de gisements, cette dernière approche a largement été précisée et son application à l'archéologie développée.

Les mammifères répondent aux mêmes principes de croissance et sont également soumis à l'influence de facteurs endogènes et environnementaux. Il est à signaler que tous les auteurs (dont nous-mêmes) ayant utilisé la sclérochronologie dans une optique archéologique ont eu le tort de vouloir être trop précis en définissant les saisons se référant à nos mois actuels. Depuis 1994, pour éviter une vision trop actualiste, nous jugeons préférable de parler de « bonne saison » et de « mauvaise saison » sans préjuger de leurs durées respectives (Martin, 2004, p. 45 et 46).

L'APPROCHE PALÉO-GÉOGRAPHIQUE :
CIRCULATION DE LA MATIÈRE PREMIÈRE
ET IMPLANTATION DES HABITATS

La paléo-géographie est un domaine négligé de la recherche préhistorique en France. Si elle a intéressé un certain nombre de préhistoriens et même suscité un ouvrage (Nougier, 1959), élle n'a jamais entraîné un véritable mouvement comme l'on fait d'autres sousdisciplines, par exemple la taphonomie ou la techno-typologie. Elle permet pourtant de jeter un autre regard sur les comportements des Préhistoriques en prenant en compte l'environnement immédiat et lointain du site, élément incontournable de l'archéologie préhistorique. En d'autres termes, elle donne la possibilité au préhistorien de sortir du site. C'est ce que nous allons voir à l'aide de deux exemples.

Circulation de la matière première

Depuis surtout les années 1970, les préhistoriens se sont donné les moyens d'étudier les origines des matières premières lithiques utilisées par les Préhistoriques. Ces travaux se sont principalement développés d'abord en Aquitaine sur les sites du Paléolithique, puis se sont très largement étendus à d'autres contextes. Cette méthode est basée sur deux composantes :

– Une prospection systématique des formations géologiques permet de recenser les sources potentielles de matières premières lithiques de la région. La présence d'artefacts, associés au gîte, prouve que ces affleurements ont été effectivement exploités par les Préhistoriques.

– Une caractérisation des matériaux dans les formations d'origine donne la possibilité d'établir une fiche d'identité et d'établir des types qui seront comparés à ceux que l'on trouve dans les sites archéologiques. Cette caractérisation se base sur des méthodes plus ou moins complexes, onéreuses et destructrices : reconnaissance macroscopique, micropaléontologie, géochimie, pétrographie, etc.

À l'aide de cette méthode en définitive simple à mettre en œuvre, les travaux sur les matières premières se sont développés suivant deux axes :

– La mise en évidence de stratégies dans les modes d'approvisionnement dépendent de l'accessibilité du matériau (éloignement des sources d'approvisionnement, abondance ou pénurie, travaux de mine nécessaire pour y accéder) et à ses qualités mécaniques. En fonction de tous ces critères et de leurs techniques de taille plus ou moins élaborées, les Préhistoriques vont faire des choix d'approvisionnement : matériau plus ou moins proche ou de qualité plus ou moins bonne par exemple. Ceci se traduit par des transports de matière première brute ou au contraire d'éléments élaborés, ou bien par la réserve de certains matériaux pour la fabrication de certains types de produits.

– Mais il est également possible de percevoir une structuration de l'espace des populations paléolithiques. Les relations que l'on peut établir entre plusieurs régions, les distances entre la source du matériau et le site où il a été trouvé, les directions privilégiées de déplacement, la quantité transportée, etc., sont la marque des nomadismes de ces chasseurs à l'intérieur de leur territoire et aussi de relations intergroupes (Demars, 1994).

Les implantations d'habitats

Le choix d'un habitat dépend d'un grand nombre de facteurs topographiques, géologiques, biologiques, climatiques, etc., qui agissent à différentes échelles et de manière plus ou moins impérative. Évidemment aucun site ne possède la totalité des caractéristiques favorables à une installation ; le choix d'une implantation ne sera qu'un compromis entre plusieurs besoins. Ainsi va-t-on favoriser la proximité d'un point d'eau, de combustible, la vue sur les environs, un certain confort, etc.

Ces occupations vont laisser un certain nombre de vestiges porteurs d'informations très diverses. Ainsi, des structures d'habitation lourdes seront plutôt la marque d'une occupation longue en saison froide. De même, la position de ces sites dans des lieux privilégiés (confluence, étroiture de vallée, etc.) est manifestement liée à des stratégies cynégétiques. L'un des cas les plus nets par exemple est l'abondance des grands sites, très riches en restes de rennes, dans la basse vallée de la Vézère ; ils étaient à l'évidence liés aux abattages massifs de cet animal lors de ses migrations à l'entrée de la mauvaise saison en Périgord.

Les chasseurs du Paléolithique étant nomades, la paléo-géographie révèle dans l'espace des images, une série de liens entre des points, « les sites », qui sont la trace, certes difficile à déchiffrer, des cycles annuels de ces populations. De plus, comme nous l'avons vu chez les Eskimos d'Ammassalik, chaque site n'est pas comme on le croit « spécialisé » ou non, mais un endroit où étaient pratiquées des activités spécifiques à certaines époques de l'année et certains lieux, répondant notamment à des choix de prédation et du gibier recherché.

CONCLUSION

Les méthodes présentées ici ne sont certainement pas limitatives. Il aurait fallu y ajouter également les modes de chasse et de pêche, leurs signatures archéologiques ou les types d'habitation en fonction de divers facteurs notamment climatiques. En fait, cette méthodologie s'est mise en place principalement autour du « modèle aquitain ». Ainsi sont apparus certains caractères tels les occupations de belle saison sur le causse quercynois, le positionnement en vallée dans des lieux stratégiques favorisant certain type de prédation, l'existence de relations constantes entre le bassin aquitain et la bordure ouest du Massif Central, etc.

Les réflexions portant sur les modes de prédation des chasseurs-cueilleurs paléolithiques ne dépendent pas d'une seule discipline, mais relèvent bien de l'examen de l'interface de nombreuses approches :

ethnologie, archéozoologie, sclérochronologie, biologie, éthologie animale, circulation des matières premières, implantation des habitats, étude environnementale, paléo-paysage… et cette liste n'est pas limitative. Ce n'est qu'à cette condition, par la multiplicité des regards, leur confrontation, leur synthèse, que nous avons quelque chance de pouvoir approcher les problèmes auxquels les Paléolithiques étaient confrontés ainsi que les réponses qu'ils y ont apportées.

Bibliographie

BOUCHUD J. (1966), *Essai sur le Renne et la climatologie du Paléolithique moyen et supérieur*, Périgueux, imprimerie R. et M. Magne.

BRUSLÉ J., QUIGNARD J.-P. (2001), *Biologie des poissons d'eau douce européens*, Paris, Londres, New York, Éd. Tec et Doc, coll. « Aquaculture-Pisciculture ».

(2004), *Les Poissons et leur environnement. Écophysiologie et comportements adaptatifs*, Paris, Londres, New York, Éd. Tec et Doc.

CASTANET J., MEUNIER F.-J., FRANCILLON-VIEILLOT H. (1992), « Squelettochronologie à partir des os et des dents chez les vertébrés », *in* J.-L. BAGLINIÈRE, J. CASTANET, F. CONAND et F.-J. MEUNIER (eds), *Tissus durs et âge individuel des vertébrés*, Paris, Éd. ORSTOM-INRA, coll. « Colloques et Séminaires », p. 257-280.

CASTEEL R.W. (1976), *Fish remains in Archaeology and Paleo-environmental Studies*, New York, Londres, Academic Press.

COYE N. (1997), *La Préhistoire en parole et en acte. Méthodes et enjeux de la pratique archéologique (1830-1950)*, Paris, Montréal, L'Harmattan, coll. « Histoire des sciences humaines ».

DAMAS D. (ed) (1984), *Handbook of North American Indians*, vol. 7, *Arctic*, Washington, Smithsonian Institution.

DEMARS P.-Y. (1994), *L'Économie du silex au Paléolithique supérieur dans le Nord de l'Aquitaine*, thèse de doctorat d'État ès Sciences de l'université de Bordeaux I.

DOGAN M., PAHRE R. (1991), *L'Innovation dans les sciences sociales. La marginalité créatrice*, Paris, PUF.

GESSAIN R. (1953), *Les Esquimaux du Groenland à l'Alaska*, Paris, Bourrelier, coll. « La joie de connaître ».

(1969), *Ammassalik ou la Civilisation obligatoire*, Paris, Flammarion.

LE GALL O. (1999), *Ichtyophagie et pêches préhistoriques. Quelques données de l'Europe occidentale*, thèse de doctorat d'État ès Sciences de l'université de Bordeaux I.

HELM J. (ed) (1981), *Handbook of North American Indians*, vol. 6, *Subarctic*, Washington, Smithsonian Institution.

MARTIN H. (2004), « Analyse cémentochronologique des restes dentaires recueillis sur deux sites quercinois », *Acts of the XIVth UISPP Congress*, université de Liège, Belgique, 2-8 sept. 2001, sect. 6, The Upper Palaeolithic, general sessions and posters, Oxford, BAR, International Series n° 1240, p. 131-134.

MAUSS M. (1906), « Essai sur les variations saisonnières des sociétés Eskimos. Étude de morphologie sociale », *L'Année Sociologique*, t. IX, p. 39-132.

NOUGIER L.-R. (1959), *Géographie humaine préhistorique*, Paris, NRF, Gallimard, coll. « Géographie humaine ».

SPILLMANN C.-J. (1961), *Poissons d'eau douce*, Paris, Paul Lechevallier, coll. « Faune de France », n° 65.

THIOULOUSE G. (1972), *Le comportement du Saumon. Essai d'éthologie du Saumon de l'Allier*, Clermont-Ferrand, Éditions scientifiques, Plein Air Service.

TRUDEL F., HUOT J. (1979), *Dossier caribou. Écologie et exploitation du caribou au Québec-Labrador*, Recherches amérindiennes au Québec, vol. IX, n°s 1-2.

Modes d'acquisition et d'exploitation des ressources*

Laure FONTANA et François-Xavier CHAUVIÈRE,
avec la collaboration de Laurent LANG

L'objectif de notre recherche est de caractériser, à l'échelle du cycle saisonnier [1], une partie du système économique de prédation des sociétés du Paléolithique supérieur, celle qui concerne l'acquisition et l'exploitation des ressources animales et minérales. Une telle démarche n'est pas nouvelle. Explicitée comme telle dès le début des années 1970 par Claudio Vita-Finzi et Éric Higgs (1970), elle constitue un thème fondamental des publications anglo-saxonnes des anthropologues des années 1970 et 1980. Dans ces articles qui présentent aussi bien des modèles généraux, issus des travaux ethnologiques, que des considérations théoriques, l'analyse de l'exploitation des ressources, le plus souvent intégrée à l'étude du « territoire », est censée documenter le fonctionnement des sociétés de chasseurs-cueilleurs dites « complexes ». Cette démarche méthodologique qui aboutit à des publications de synthèses régionales et thématiques (par exemple Higgs, 1972 et 1975 ; Bailey, 1983 ; Bahn, 1983 ; Mellars, 1985) n'est qu'exceptionnellement fondée sur l'analyse des données archéologiques. Parallèlement à cette démarche, les études françaises ne font pas de l'exploitation des ressources une priorité. Elles livrent néanmoins, depuis la fin des années 1950, des données relatives aux ressources animales (par exemple, pour le

---

* Toute notre gratitude va à Sophie A. de Beaune pour la confiance qu'elle nous a témoignée et à Jean-Pierre Chadelle pour ses remarques constructives lors de la relecture de notre manuscrit.

1. Le « cycle saisonnier » (*annual cycle*) constitue l'échelle de temps à laquelle nous formulons nos problématiques. Même si elle est archéologiquement inaccessible dans les contextes que nous étudions, c'est bien en terme de saisons que nous appréhendons les activités liées à la sphère « économique » (cf. *infra*).

Paléolithique : Mouton et Joffroy, 1958 ; Leroi-Gourhan et Brézillon, 1966 et 1972 ; Lumley, 1969). Mais leur prise en compte, en termes de modalités d'acquisition et d'exploitation du gibier, sera très progressive alors que se développeront les études relatives à la technologie lithique et à l'origine des matières premières minérales. La caractérisation d'un (ou des) système(s) d'acquisition et d'exploitation des ressources ne sera, pour le Paléolithique supérieur, que rarement formulée comme telle, la plupart des monographies, qu'elles soient anciennes ou récentes, présentant une étude compartimentée des vestiges. Seules quelques études, concernant des périodes plus récentes, font exception à la règle (par exemple Pétrequin, 1988). Ce type d'étude intégrée nous semble pourtant incontournable et nous exposerons en détail, dans cet article, notre perception de l'analyse transversale, à partir de l'étude des modes d'acquisition et d'exploitation des ressources animales et minérales des sociétés du Paléolithique supérieur. Nous avons eu l'occasion d'exposer les résultats effectifs de notre démarche dans plusieurs publications traitant du Magdalénien du Massif Central et notamment du site des Petits Guinards (Fontana *et al.*, 2003a et b).

UNE ÉTUDE INTÉGRÉE : ITINÉRAIRE
D'UNE DÉMARCHE ARCHÉOLOGIQUE

Une telle investigation se fonde généralement sur l'étude d'au moins trois types de vestiges : les « restes fauniques », l'« industrie osseuse » et l'« industrie lithique » (fig. 1). Les données issues de ces études sont indispensables car elles permettent de répondre à certaines interrogations : par exemple, la quantité et la nature des vestiges, les modes de fabrication de l'outillage, la saison de chasse de certains gibiers. Mais l'intérêt de cette base documentaire réside, selon nous, dans la nature de son questionnement qui doit être global, transversal et se situer, en partie, en amont de l'acquisition des données.

Remarquons tout d'abord que le « compartimentage » évoqué s'applique également aux vestiges eux-mêmes, d'emblée isolés dans des catégories distinctes et hermétiques. C'est le cas, par exemple, des vestiges « osseux » qui sont le plus souvent étudiés selon leur apparte-nance à deux groupes bien distincts : les déchets alimentaires d'un côté, les objets d'industrie osseuse et d'art mobilier de l'autre (voir

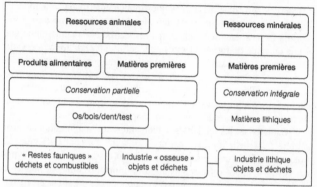

Figure 1. Des ressources animales et minérales aux vestiges archéologiques.

fig. 1). L'étude cloisonnée de ces deux types de vestiges, qui proviennent pourtant d'une ressource (animale) commune [2], a ainsi empêché d'identifier la nature de l'exploitation des différentes espèces acquises (produits alimentaires, matériaux) et ses modalités. Ainsi le statut des animaux présents dans la sphère culturelle des sociétés du Paléolithique supérieur reste très mal connu.

Ce compartimentage s'applique également, comme on l'a déjà suggéré, à l'étude de l'ensemble des vestiges d'un même site. Ainsi fragmentée, elle ne met pas d'emblée en relation des vestiges qui ont pourtant été utilisés ensemble pour une même activité, d'où l'impossibilité de l'appréhender dans sa globalité. Si l'on cherche, par exemple, à caractériser l'acquisition du gibier effectuée par un groupe, à partir des vestiges abandonnés sur un site, les données de plusieurs études sont indispensables : les stratégies de chasse (choix des individus, des lieux, des saisons, des techniques), l'armement (choix des types d'armatures lithiques et des pointes osseuses, des armes de jet) et la matière première lithique et osseuse, voire végétale. Cette question de la chasse devrait donc être d'emblée rattachée à celle plus générale des stratégies d'approvisionnement et d'exploitation de l'ensemble des

---

2. La ressource animale n'a cependant pas toujours émané de l'exploitation globale d'un animal mais également de l'exploitation d'un matériau collecté, comme les bois de cervidés. Nous rapportons néanmoins ce type d'acquisition et d'exploitation au monde animal en raison de sa nature, en étant bien conscients qu'il s'agit d'un choix de classification qui peut être discuté.

ressources, qui constitue un des questionnements fondamentaux dans l'étude d'un site. Or il n'en est rien : les données concernées sont présentées isolées dans leurs chapitres respectifs. Ne s'agit-il donc que d'une question de forme ? Certes non, car *n'étant pas sollicitées pour documenter une question commune* (les stratégies d'approvisionnement), *ces données ne peuvent en aucun cas susciter de questions transverses.* Pour cette raison, les « synthèses » ou « interprétations du site » restent le plus souvent limitées, en définitive, à une compilation de conclusions issues des différents chapitres.

Caractériser les modalités d'acquisition et d'exploitation des ressources à l'échelle d'un site est une démarche qui peut s'effectuer en trois temps. Dans un premier temps, il s'agit d'adresser aux trois types de vestiges étudiés (restes fauniques, industrie lithique, industrie osseuse) des *questions communes*. Le choix de ces questions est fondamental car elles conditionnent l'étude des vestiges et l'analyse des données. Nous les regroupons en cinq thèmes (fig. 2) : 1) les ressources acquises (animales et minérales), 2) leurs provenances, 3) les matériaux et produits obtenus, 4) les stratégies et les savoir-faire liés à ces activités d'acquisition et de transformation, 5) leur localisation dans le temps, à l'échelle d'un cycle saisonnier. Dans un second temps, on présente, à l'intérieur de chaque thème proposé, les données de chaque discipline (et leur analyse) *qui correspondent aux interrogations*. Enfin, l'exposé des données et des analyses permet, à l'intérieur de chaque thématique, de formuler les questions transverses qui constituent tout l'enjeu de cette démarche. Examinons à présent ces questionnements thématiques et certaines des questions transverses qui peuvent émerger.

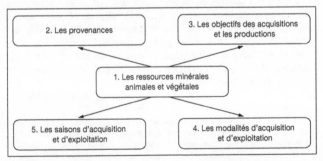

Figure 2. Acquisition et exploitation des ressources à l'échelle du site.

LES RESSOURCES ACQUISES ET LEURS PROVENANCES

Cette expression de « ressources acquises » ne signifie pas nécessairement « acquises au moment de l'occupation du site ». On parle en réalité des ressources identifiées, celles dont les vestiges accumulés sur le site trahissent l'acquisition (fig. 3).

Figure 3. Les ressources acquises.

Les ressources animales, qui, au Paléolithique supérieur, sont des gibiers plus ou moins mobiles (Vertébrés et Mollusques) et, dans une moindre mesure, des ressources fixes (appendices frontaux caducs de renne et de cerf), doivent être identifiées en tant que telles, donc distinguées des restes d'origine naturelle. Le statut anthropique des ressources minérales pose quant à lui moins de problème, au moins pour le Paléolithique supérieur. Une fois les ressources identifiées (animaux, bois de chute, silex et autres matières lithiques), leur choix est appréhendé au moyen des données quantitatives dont l'analyse met en évidence des préférences (discutées ultérieurement) : les acquisitions animales sont-elles centrées sur une seule espèce ? La collecte de bois de chute est-elle une activité importante ? L'approvisionnement en matières premières lithiques est-il diversifié ? Si ces questions, tout à fait communes, comportent en elles-mêmes un intérêt, elles permettent de formuler d'autres interrogations tout aussi fondamentales (fig. 4).

Il s'agit, par exemple, de comprendre la nature des liens qui existent entre les différentes ressources présentes sur le site étudié. C'est pourquoi l'importance relative du gibier, des appendices frontaux et de

Figure 4. La proximité des provenances.

la matière lithique doit être impérativement quantifiée et discutée. De même, il est fondamental de comparer le choix des ressources en termes de diversité : un seul gibier et un seul type de silex constituent-ils à eux seuls 90 % des approvisionnements respectifs, sont-ils tous les deux plus diversifiés ou bien leur diversité est-elle différente ? La signification de ces choix se trouve, en partie, dans les stratégies d'approvisionnement qui renvoient aux thématiques suivantes.

La provenance est, avec le choix des ressources, la première expression de la gestion des approvisionnements. Localiser leur origine dépend en partie du type de ressources, les lieux de provenance des gibiers et des bois de cervidés restant du domaine de la supposition. Il s'agit plutôt de les situer en termes de proximité du site, sans présumer du lieu des acquisitions qui peut être différent du lieu d'origine dans le cas d'un échange. Si cet objectif n'a rien de nouveau (*site catchment analysis*, voir *supra*), là encore les données sont rarement mises en rapport les unes avec les autres. Par exemple, les sources d'approvisionnement se situent-elles loin les unes des autres et sont-elles systématiquement différentes (local/allochtone) en fonction du type de ressource ? S'il est probable que les ressources animales (hors bois de chute dans certains cas et matières molles non conservées) étaient le plus souvent locales, les lieux de provenance éventuelle des matières premières lithiques étaient plus divers. La part des différentes ressources et l'éloignement des lieux supposés d'acquisition permet de discuter la diversité des provenances.

LES MATÉRIAUX ET LES PRODUITS OBTENUS

Avec l'identification des matériaux et des produits obtenus (fig. 5), on aborde l'aspect transdisciplinaire de la démarche puisqu'il sera indispensable de confronter les données afin de voir si elles traduisent une même réalité. Avant d'aborder ce point en détail, précisons qu'il s'agit, dans un premier temps, de données qualitatives : les matières (lithiques et animales) choisies et les produits préparés ou fabriqués, qu'ils soient conservés ou non. L'aspect quantitatif, qui permettra d'aborder la question de leur diversité, et donc celle des priorités, est abordé ci-dessous.

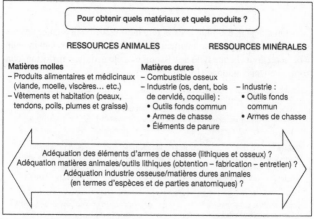

Figure 5. Les ressources, les matériaux et les produits.

Les questions qui se situent à l'interface des trois disciplines (archéozoologie, étude des industries osseuse et lithique) concernent l'adéquation des matières et des produits obtenus avec les armes et outils qui permettent d'acquérir, de produire et d'utiliser/consommer. Ainsi, il est indispensable de savoir si les outils et armes en matières dures d'origine animale proviennent ou non (et dans quelle proportion) de la matière première osseuse issue des animaux chassés à proximité du site (en termes d'espèce et de partie anatomique). De même, quelles

armes de chasse peuvent être identifiées à partir des éléments de projectile en os et en silex ? Enfin, l'étude techno-fonctionnelle des outils
osseux domestiques et l'analyse archéozoologique (étude des traces et
de la fragmentation osseuse) identifient-elles des activités identiques
(traitement des peaux, travail des bois de cervidés, débitage/façonnage
des matières minérales) ? Les réponses à ces questions en inspirent
immédiatement d'autres qui sont en rapport avec les modalités
d'acquisition et/ou de production.

MODALITÉS D'ACQUISITION, DE TRANSFORMATION ET DE CONSOMMATION/ABANDON

On a déjà questionné le caractère homogène ou diversifié des ressources et de l'approvisionnement global. Intéressons-nous maintenant
à la façon dont chaque type de ressources a été acquis, transformé, consommé puis abandonné (fig. 6).

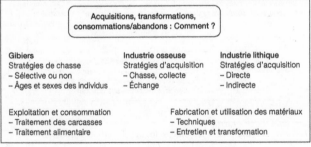

Figure 6. Les modes d'acquisition et d'exploitation.

En ce qui concerne l'acquisition, on doit se poser deux types de
questions, relatives au choix de chaque ressource et à leurs modes
d'introduction sur le site. La chasse (voire le piégeage) d'une ou deux
espèces majoritaires est-elle ou non orientée vers un type d'individus
précis en termes d'âge et de sexe ? De même, les modules des appendices frontaux et du silex sont-ils diversifiés ou bien sont-ils plutôt de
même taille ? Concernant la forme sous laquelle les matières minérales

allochtones et les ressources animales sont parvenues jusqu'au site, on doit pouvoir identifier les modes d'introduction dans le gisement. Ce sont les modalités de transformation des produits qui le permettent et qui témoignent également du traitement réservé à chaque matériau et de sa destination.

Les modes de consommation-utilisation sont également déduits des analyses de la transformation des matières dans la mesure où elles identifient la consommation probable de certains produits (immédiate ou différée), le degré d'entretien-recyclage des objets en pierre ou en matière dure d'origine animale.

L'ensemble de ces études vise ainsi à identifier, sur le site étudié, les objectifs d'acquisition et d'exploitation, voire les priorités établies. Comme on l'a dit, l'ensemble de ces données permet de discuter des modes d'acquisition : directs (*versus* indirects, par échange) ou intégrés (*versus* spécialisés) ? C'est la question des lieux d'acquisition (et non plus seulement des provenances) qui constitue tout l'enjeu de ces interrogations. Elle nous amène directement à celle des moments de leur déroulement dans l'année car la disponibilité (présence ou accessibilité) et les caractéristiques de certaines ressources varient selon les lieux *et* les saisons : la fréquentation de certains lieux dans une optique d'acquisition dépendait donc nécessairement, en partie, du moment de l'année.

PLACE DANS LE CYCLE ANNUEL

Le caractère saisonnier des chasses (fig. 7) a longtemps semblé évident, en raison du caractère migrateur assigné au gibier principal du Paléolithique supérieur, le renne, et en dépit des conclusions des travaux de Jean Bouchud, restées lettre morte (Bouchud, 1966). En réalité, il semble que l'acquisition des ressources animales n'était probablement pas saisonnière, à l'exception de celles du saumon et du bois de chute, ressources disponibles à un moment et un endroit précis de l'année [3]. Le renne, dont la mobilité variait selon les régions, fut

---

3. Le bouquetin et le lagopède semblent également avoir fait l'objet de chasses saisonnières au Magdalénien supérieur comme en témoignent les données des sites pyrénéens de La Vache (Pailhaugue, 1996 ; Clottes et Delporte, 2003) et des Églises (Delpech et Le Gall, 1983).

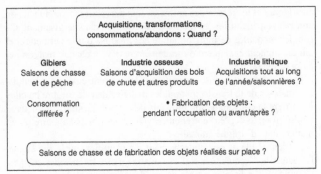

Figure 7. Les saisons d'acquisition et d'exploitation.

chassé à toutes les saisons, au moins dans le grand Sud-Ouest de la France, durant tout le Paléolithique supérieur (Bouchud, 1966 ; Fontana, 2000). Mais si ce gibier ne fut pas une ressource saisonnière, les caractéristiques de son acquisition variaient selon les saisons, en termes d'individus capturés (mâles/femelles) et de types de chasse (Fontana, 2000). Nous expliquons ceci par la variation saisonnière de caractères physiologiques (poids, appendices frontaux par exemple) et de la structure sociale (regroupements/dispersion et composition démographique des groupes) des rennes. Ainsi, par exemple en hiver, les rennes mâles (isolés, amaigris et « sans tête ») ne présentent pas les mêmes caractéristiques que les femelles et leur rareté dans les butins des chasseurs à cette saison n'est probablement pas due au hasard. Or, si les caractéristiques des « produits » animaux obtenus (graisse, viande, bois) sont différentes selon les saisons, la faisabilité et l'intensité de certaines activités le sont aussi, au moins pour celles dont les matières ne peuvent être stockées. *C'est pourquoi la donnée de saisonnalité est fondamentale et doit être utilisée en confrontation avec les données liées aux activités et à leurs caractéristiques*. Enfin, si la saison d'acquisition des bois de chute pourrait théoriquement être sujette à discussion, on sait en réalité qu'un tel bois se dégrade rapidement au sol, quand il n'est pas dissimulé par le couvert neigeux. Leur collecte devait donc se dérouler juste après la chute, et ce d'autant qu'il s'agissait, pour les bois de mâles adultes, d'un matériau précieux en termes de module exploitable.

La question de l'acquisition des matières minérales ne se pose pas dans les mêmes termes. En effet, il s'agit d'une ressource fixe, présente en de nombreux endroits dans différentes régions et dont les caractéristiques ne varient pas selon les saisons (exceptée peut-être une accessibilité réduite de certains gîtes en hiver). Tout ceci suggère des collectes au caractère continu, peut-être plus souples dans leur organisation, sauf dans le cas d'acquisitions de matériaux particuliers, plus éloignés ou bien acquis par échange [4]. En règle générale, et selon un raisonnement abusif, les matières premières lithiques locales sont supposées avoir été acquises au moment de l'occupation du site, et sont donc considérées comme identiques à celles du gibier. Quant aux matières lithiques allochtones, seul le passage à l'échelle régionale (confrontation des données de plusieurs sites) permet de proposer des hypothèses relatives aux saisons d'acquisition, si l'on envisage un type d'acquisition directe, effectuée par l'ensemble du groupe et intégrée à son cycle annuel.

Enfin, la question de la place d'une activité dans le cycle annuel ne se pose pas seulement en termes de saison. Il s'agit également de la situer dans le temps par rapport aux occupations du site, donc de distinguer ce qui, parmi les produits abandonnés, a été acquis, fabriqué/exploité sur place de ce qui l'a été avant. Ainsi l'identification du ou des stades de la chaîne opératoire représentés permet de savoir si les objets lithiques abandonnés sur le site ont été fabriqués ailleurs ou non et si ceux fabriqués sur le site ont été emportés (par exemple, Chadelle et al., 1991). En revanche, la réponse pour les objets en matière dure d'origine animale implique une analyse croisée de la technologie osseuse et de l'archéozoologie. Ce positionnement, à l'échelle d'un cycle annuel, des différentes acquisitions et des phases d'exploitation, d'utilisation-consommation boucle le cercle des interrogations croisées. Il est incontournable dans l'étude menée à un niveau régional si l'on veut comprendre l'organisation des acquisitions et la gestion des approvisionnements à l'échelle d'une année.

---

4. Le Massif Central constitue une exception à ce schéma général dans la mesure où le silex de bonne qualité, systématiquement et massivement présent dans les sites, est un silex allochtone qui provient d'un vaste secteur septentrional éloigné de 100 à 300 km (Masson, 1981).

CONCLUSION

L'ensemble de ces questions constitue une première grille d'analyse qui permet d'appréhender, à l'échelle du site, la part respective des activités d'acquisition, d'exploitation (production-récupération), d'utilisation et de consommation des ressources. Les questions relatives à l'analyse « classique » des différentes catégories de vestiges ne possèdent aucun caractère de nouveauté (modes et techniques de fabrication, stratégies de chasse). En revanche, celles qui intéressent d'emblée tous les vestiges ou presque, doivent impérativement être posées, en amont de l'étude (voire dans certains cas, de la fouille).

Or, beaucoup de ces questions restent aujourd'hui à formuler. Celles qui sont situées à l'interface archéozoologie-technologie osseuse émergent progressivement (par exemple Castel et *al.*, 1998 et 2005 ; Chauvière et Fontana, 2005 et à paraître) et permettent, notamment, de mettre en évidence le caractère *in situ* ou hors site d'une production. En revanche, les « articulations » vestiges fauniques (au sens large)/vestiges lithiques restent aujourd'hui très limitées à quelques tentatives à l'échelle régionale (par exemple Blades, 2003). Il semble donc que l'intérêt d'une telle démarche ne soit pas mesuré, à moins qu'elle ne soit d'emblée perçue comme inaccessible. Les questions transversales « faune-lithique » sont pourtant nombreuses et concernent tous les thèmes évoqués, mais la formulation des interrogations au niveau de l'étude du matériel reste un exercice peu tenté.

Enfin, une telle approche globale et intégrée nécessite une démarche beaucoup plus collective de l'équipe de recherche : est-ce là que réside la vraie difficulté de l'entreprise ?

Bibliographie

BAHN P.G. (1983), *Pyrenean Prehistory : a Palaeoeconomic Survey of French Sites*, Warminster, Aris & Phillips Ed.

BAILEY G. (1983), *Hunter-Gatherer Economy in Prehistory : a European Perpective*, Cambridge, Cambridge University Press.

BLADES B.S. (2003), « End Scraper Reduction and Hunter-Gatherer Mobility », *American Antiquity*, 68 (1), p. 141-156.

BOUCHUD J. (1966), *Essai sur le Renne et la climatologie du Paléolithique moyen et supérieur*, Périgueux, imprimerie R. et M. Magne.

CASTEL J.-C., LIOLIOS D., CHADELLE J.-P., GENESTE J-M. (1998), « De l'alimentaire et du technique : une chaîne opératoire de consommation du renne dans le Solutréen de Combe-Saunière », *in* J.-P. BRUGAL, L. MEIGNEN, M. PATOU-MATHIS (dir), *Économie préhistorique : les comportements de subsistance au Paléolithique, XVe Rencontres internationales d'archéologie et d'histoire d'Antibes*, Sophia Antipolis, Antibes, Éditions APDCA, p. 434-450.

CASTEL J.-C., LIOLÍOS D., LAROULANDIE V., CHAUVIÈRE F.-X., CHADELLE J.-P., PIKE-TAY A., GENESTE J.-M. (2005), « Solutrean Animal resource exploitation at Combe Saunière (Dordogne, France) », *in* M. MALTBY (ed), *Integrating Zooarchaeology*, Actes du Colloque ICAZ, Durham, 2002, University of Durham, Oxbow Books, p. 140-156.

CHADELLE J.-P., GENESTE J.-M., PLISSON H. (1991), « Processus fonctionnels de formation des assemblages technologiques dans les sites du Paléolithique Supérieur. Les pointes de projectiles lithiques du Solutréen de la grotte de Combe-Saunière (Dordogne, France) », in *25 ans d'études technologiques en Préhistoire. Bilan et perspectives, XXIVe Rencontres internationales d'archéologie et d'histoire d'Antibes*, Sophia Antipolis, Antibes, Éditions APDCA, p. 275-287.

CHAUVIÈRE F.-X., FONTANA L. (2005), « L'exploitation des rennes du Blot (Haute-Loire) : entre subsistance, technique et symbolique », *in* V. DUJARDIN (dir), *Industrie osseuse et parures du Solutréen au Magdalénien en Europe*, Actes de la Table ronde sur le Paléolithique supérieur récent, Angoulême, 2003, Mémoires de la Société préhistorique française XXXVIII, p. 137-147.

(à paraître), « Exploitation du monde animal du Châtelperronien au Mésolithique dans le Massif Central : études anciennes, approches récentes », *in* J.-P. RAYNAL (ed), *Un siècle de Préhistoire et de Protohistoire dans le Massif Central*, Actes du Colloque de la Société préhistorique française, Le Puy-en-Velay, 23-24 octobre 2004.

CLOTTES J., DELPORTE H. (2003), *La Grotte de La Vache (Ariège) I. Les occupations du Magdalénien*, Catalogue du musée des Antiquités nationales, Château de Saint-Germain-en-Laye, Paris, Éditions de la RMN et du CTHS.

DELPECH F., LE GALL O. (1983), « La faune magdalénienne de la grotte des Églises (Ussat, Ariège) », *Bulletin de la Société préhistorique de l'Ariège*, T. 38, p. 91-118.

FONTANA L. (2000), « La chasse au Renne au Paléolithique supérieur dans le Sud-Ouest de la France : nouvelles hypothèses de travail », *Paléo*, n° 12, p. 141-164.

FONTANA L., LANG L., CHAUVIÈRE F.-X., JEANNET M., MOURER-CHAUVIRÉ C., MAGOGA L. (2003a), « Paléolithique supérieur récent du nord du Massif Central : des données inattendues sur le site paléolithique des Petits Guinards à Creuzier-le-Vieux (Allier, France) », *Préhistoire du Sud-Ouest*, n° 10-1, p. 77-93.

(2003b), « Nouveau sondage sur le site paléolithique des Petits Guinards à Creuzier-le-Vieux (Allier, France) : des données inattendues », *Bulletin de la Société préhistorique française*, T. 100, n° 3, p. 591-596.

HIGGS E.S. (1972), *Papers in Economic Prehistory*, Cambridge, Cambridge University Press.

(1975), *Palaeoeconomy (Papers in Economic Prehistory*, vol. II), Cambridge, Cambridge University Press.

LEROI-GOURHAN A., BRÉZILLON M. (1966), « L'habitation magdalénienne n° 1 de Pincevent près Montereau (Seine-et-Marne) », *Gallia Préhistoire*, n° 9 (2), p. 263-385.

(1972), *Fouilles de Pincevent : essai d'analyse ethnographique d'un habitat magdalénien (la section 36)*, Paris, Éditions du CNRS, VIIe supplément à *Gallia Préhistoire*.

LUMLEY H. DE (1969), *Une cabane acheuléenne dans la grotte du Lazaret (Nice)*, Mémoires de la Société préhistorique française, n° 7.

MASSON A. (1981), *Pétroarchéologie des roches siliceuses, intérêt en Préhistoire*, thèse de troisième cycle de l'université de Lyon I.

MELLARS P.A. (1985), « The Ecological Basis of Social Complexity in the Upper Paleolithic of Southwestern France », *in* T.D. PRICE et J.A. BROWN (eds), *Prehistoric Hunter-Gatherer : The Emergence of Cultural Complexity*, San Diego (CA), Academic Press, Studies in Archaeology, p. 271-297.

MOUTON P., JOFFROY R. (1958), *Le Gisement aurignacien des Rois à Mouthiers (Charente)*, Paris, Éditions du CNRS, IXe supplément à *Gallia Préhistoire*.

PAILHAUGUE N. (1996), « Faune et saisons de chasse de la salle Monique, grotte de la Vache (Alliat, Ariège) », *in* H. DELPORTE et J. CLOTTES (eds), *Pyrénées préhistoriques. Arts et sociétés*, Actes du 118e Congrès national des sociétés historiques et scientifiques, Pau, 1993, Paris, Éditions du CTHS, p. 173-191.

PÉTREQUIN A, PÉTREQUIN P. (1988), *Le Néolithique des lacs : Préhistoire des lacs de Chalain et de Clairvaux (4 000-2 000 av. J.-C.)*, Paris, Errance, coll. « Hespérides ».

VITA-FINZI C., HIGGS E. (1970), « Prehistoric Economy in the Mount Carmel Area of Palestine : site catchment Analysis », *Proceedings of the Prehistoric Society*, 31, 1, 37 p.

Matières premières et territoires au Magdalénien

Exemples du Plateau et du Jura suisse

Marie-Isabelle Cattin

Historique

En Préhistoire, la notion de territoire est, en général, liée aux matières premières telles que le silex, les coquillages ou le jais. La possibilité que les groupes aient utilisé diverses matières de qualités différentes en fonction des déplacements saisonniers est évoquée très tôt par François Bordes (1950). Ce dernier, à la suite de la découverte du jaspe de Fontmaure dans un des niveaux aurignaciens de Laugerie-Haute (Bordes et Sonneville-Bordes, 1954), envisagea l'étude des origines des matières premières conjointement à celle des industries. Cette idée fit son chemin et retint l'attention de beaucoup, à tel point que les études multi-disciplinaires sur le silex, et notamment le rapprochement entre géologie et archéologie, occasionnent en 1969 la fondation, à Maastricht (Pays-Bas), du « Symposium International sur le Silex ». Ce symposium, qui se tient tous les quatre ans dans différentes villes européennes, donne lieu à la publication de monographies très complètes (Sieveking et Newcomer, 1987 ; Séronie-Vivien et Lenoir, 1990 ; Ramos-Millán et Bustillo, 1997 ; Schild et Sulgostowska, 1997). Le VIIIᵉ Flint Symposium qui s'est tenu à Aix-la-Chapelle (Allemagne) en 1999 a été l'occasion de publier cette même année une réédition du catalogue d'une exposition de 1980 sur les mines de silex (Weisgerber, 1999).

Si dès la fin des années 1970, il devint habituel de citer l'impact des études relatives à la provenance des matières premières sur les comportements des Préhistoriques (Tixier *et al.*, 1980 ; Julien, 1992), on assista également à un développement de la recherche dans ce domaine comme en témoignent plusieurs travaux concernant des régions de France (pour l'Aquitaine, voir Demars 1982 et 1992 ; pour l'Île-de-France voir Mauger, 1983 et 1985) ou d'Allemagne (voir par exemple Floss 1987 et 1994) ainsi qu'une synthèse pour l'Europe et l'Afrique (Féblot-Augustins, 1997). On peut mentionner le travail précurseur de Wilhelm Deecke en Allemagne qui analyse les provenances des matières premières et leur emploi en contexte archéologique (Deecke, 1933). Allier étude technologique et provenance des matières se généralise également et contribue notamment à l'introduction de la notion d'économie des matières premières et de chaînes opératoires spécifiques (Perlès, 1980 ; Geneste, 1985 et 1988).

Pour la Suisse, la recherche systématique des gîtes de silex destinée à compléter l'analyse typo-techno-économique des assemblages lithiques a débuté à la suite des grands travaux autoroutiers dans le canton de Neuchâtel (dès 1986) ; elle concernait le matériel du campement magdalénien d'Hauterive-Champréveyres, au bord du lac de Neuchâtel. Elle est due à Jehanne Affolter, géologue, qui a pu, par une analyse à la loupe binoculaire, attribuer les silex à un étage géologique précis en fonction des micro-organismes contenus dans celui-ci ; ensuite, la confrontation des échantillons géologiques avec les pièces archéologiques a permis de relier gîtes de silex et sites archéologiques (Affolter, 2002).

Identifier un territoire signifie approcher un savoir géographique, c'est-à-dire « un ensemble de connaissances qui, mobilisées conjointement, fournissent à ceux qui le produisent une interprétation cohérente de l'œcoumène ou d'une partie de celui-ci. » (Collignon, 1996, p. 9). Pour une population actuelle, il est possible d'en interroger les acteurs, mais quelles informations pouvons-nous retirer des vestiges laissés par les populations préhistoriques ? Il est probable qu'à l'instar des connaissances des populations actuelles, nous devons considérer que le savoir géographique des populations de chasseurs paléolithiques relève de deux grands champs du savoir, celui lié aux activités cynégétiques et aux déplacements qu'elles requièrent et celui lié à la tradition orale. Forts de ce constat, nous devons garder à l'esprit que le territoire préhistorique, s'il n'est appréhendé qu'à travers la circulation des matières premières, ne nous restitue qu'une infime part d'une réalité sans doute bien plus complexe (pour appréhender le territoire à travers diverses études, voir par exemple Fisher et Eriksen, 2002 ; Jaubert et Barbaza, 2005).

Qui dit territoire dit aussi mobilité : à la suite des travaux de Lewis W. Binford (1980), il est courant de relier système de subsistance et type de mobilité afin d'appliquer aux sociétés préhistoriques des modèles de déplacement basés sur les données ethnographiques relatives aux groupes de chasseurs-collecteurs actuels. Ainsi sont apparues les notions de mobilité résidentielle liée à un approvisionnement au jour le jour et de mobilité logistique liée à une acquisition des ressources sous la forme d'expéditions spécifiques à partir de camps résidentiels. Lewis W. Binford (1982) pense que cette seconde hypothèse correspond à la situation des groupes du Paléolithique supérieur. À propos de la mobilité, il faut aussi mentionner l'article de Gerd-Christian Weniger (1991) qui présente un historique et diverses hypothèses concernant les études de matières premières et de territoires.

INDICES DE CIRCULATION

En confrontant la distribution des gîtes de silex et celle des sites archéologiques de Suisse, on constate que la majorité des gisements magdaléniens se trouvent dans des régions riches en silex de bonne qualité au grain fin. Au moins trois sites échappent à ce constat : Moosbühl près de Berne, ainsi que Champréveyres et Monruz, tous deux au bord du lac de Neuchâtel. Dans la région de Berne, il n'était possible de s'approvisionner localement que dans les moraines, et y trouver des nodules de silex relève donc beaucoup du hasard (Barr, 1973, p. 35-43). En revanche, la région de Neuchâtel livre un silex au grain grossier de qualité variable, mais qui, en dépit de son aspect, se taille relativement bien (Cattin, 2002, p. 136-139). De ces observations, on peut déduire que la présence d'un gîte de silex de bonne qualité n'est pas indispensable pour s'installer dans une région. En revanche, la présence d'eau et de combustible ainsi que la proximité des ressources cynégétiques sont certainement primordiales. La conséquence de ce choix est l'introduction de matières premières de bonne qualité d'origine plus ou moins lointaine. Donc circuler et s'établir dans une région pauvre en silex signifie avoir la possibilité d'en acquérir.

L'étude de cette acquisition permet de mettre en évidence la circulation des matériaux ; en effet, en cartographiant les gîtes utilisés par les chasseurs des campements neuchâtelois, on voit se dessiner des distances, des trajets, des axes de circulation et cela donne une idée de l'extension du territoire. En l'occurrence, l'axe principal de circulation

suit la chaîne du Jura, de la région du lac de Constance au nord à celle
de Bellegarde-Seyssel au sud. On devine également des parcours le
long des cours d'eau que sont l'Aar, le Rhône, le Rhin et leurs affluents
(fig. 1). Or la chaîne du Jura n'est pas toujours aisée à franchir ; toutefois certaines gorges permettent le contournement des reliefs les plus
abrupts comme la cluse de Balstahl. Cette configuration du paysage
n'avait pas échappé aux Magdaléniens qui se sont installés dans une
grotte, la Rislisberghöhle, à l'entrée de cette cluse.

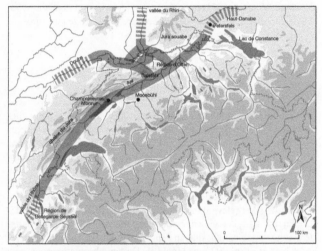

Figure 1. Axes de circulation indiqués par les provenances
de matières premières de Champréveyres et Monruz.

Dans les campements de Champréveyres et Monruz, les matériaux allochtones les plus abondants proviennent de distances
comprises entre 80 et 120 km vers le nord et le sud. D'autres, moins
abondants, proviennent de gîtes situés à un peu plus de 200 km des
campements. La façon dont ont été acquises ces matières reste incon-
nue, cependant on sait qu'elles ont pu être introduites au cours de
plusieurs occupations sans qu'il soit possible d'attribuer des matières à
l'une ou l'autre des occupations. Différentes hypothèses peuvent être
envisagées.

En supposant un approvisionnement direct :

– quelques membres d'un groupe évoluant sur un territoire relativement restreint pouvaient organiser des expéditions d'approvisionnement ; cela suppose cependant de traverser le territoire d'un ou plusieurs autres groupes, notamment celui des chasseurs établis près des sources de silex ;

– l'ensemble d'un groupe se déplace sur un territoire très vaste et s'approvisionne sur les diverses sources qu'il connaît ; sachant qu'à certaines étapes de son circuit les matières sont rares ou absentes, il constitue des provisions en conséquence ;

– l'occupation successive, à différents moments de l'année, par des groupes venant du nord et du sud, apportant des réserves de matières premières ;

– le regroupement de groupes venant les uns du sud les autres du nord et apportant avec eux des provisions de matières premières.

En supposant un approvisionnement indirect :

– un groupe dont le territoire parcouru est restreint entretient des contacts avec d'autres groupes avec qui il pratique des échanges pour obtenir des matières de régions plus ou moins éloignées.

Il est aussi possible de combiner ces hypothèses entre elles, ce qui suppose des systèmes d'approvisionnement très souples en fonction des situations. Cette souplesse d'exploitation du territoire a été évoquée pour les sites du Bassin parisien (Olive, 2004), et on pourrait très bien reprendre cette idée pour les campements du Plateau suisse. Lorsque l'on se réfère aux données ethnographiques, on se rend compte que des circonstances extérieures (comme l'environnement, les ressources alimentaires) peuvent influer sur les comportements. Une telle souplesse signifie que l'approvisionnement se faisait au gré des rencontres, des déplacements et des contraintes environnementales.

La forme d'introduction des matières (lames brutes ou transformées en outils, nucléus préparés ou partiellement débités, nodules testés…) de même que leurs quantités constituent sans doute aussi des indicateurs de la fréquentation des gîtes, des contacts et des manières de faire. À Champréveyres et Monruz, la tendance semble avoir été d'introduire systématiquement de petits nucléus destinés à la production de lamelles, alors qu'une partie des lames arrivaient déjà débitées. Cela signifie peut-être que l'on transportait plus rarement des nucléus de grande taille. On constate aussi qu'une vingtaine à une trentaine de ces petits nucléus ont été apportés des régions d'Olten et Bellegarde-Seyssel, alors que les autres régions n'ont fourni qu'un ou deux

nucléus. Cette variabilité révèle peut-être des comportements différents dans l'acquisition ou la fréquence des contacts. Mais n'oublions
pas que ces nucléus ne pèsent guère plus de 200-300 g, et une vingtaine
d'entre eux est donc facilement transportable par une seule personne.

TERRITOIRE PARCOURU, TERRITOIRE CONNU

D'après les matières premières siliceuses, le territoire parcouru et/
ou connu des habitants de Champréveyres et de Monruz s'étend de la
région de Bellegarde-Seyssel au Jura souabe. Toutefois, leurs circuits
pourraient également être appréhendés en recherchant les sites où ont
été abandonnés les nucléus non épuisés à Champréveyres ou Monruz.
À l'inverse, il serait intéressant de savoir jusqu'où circulait le silex
hauterivien d'origine locale ou encore si les matériaux d'origine très
lointaine étaient transportés au-delà de Champréveyres et de Monruz.
Des premiers indices de circulation et de contacts se dessinent à travers
les remontages entre sites révélant des déplacements de 1 à 4 km (voir
par exemple Scheer, 1986 ; Schaller-Ahrberg, 1990 ; Cattin, 2002,
p. 339-342).

Une autre idée du territoire connu est appréhendée à travers les
éléments de parure qui peuvent circuler sur de très longues distances ;
de plus, ces objets ont une destination et une durée de vie différentes
de celle des objets en silex et peuvent rendre compte d'autres formes
de liens sociaux (Eriksen, 2002). Ainsi les figurines féminines en jais
découvertes à Monruz évoquent des relations avec le site du Petersfels
(Allemagne) où des figurines semblables ont été mises au jour (Affolter *et al.*, 1994 ; Bullinger *et al.*, 2006). Il en est de même des
coquillages fossiles de Monruz qui proviennent du Haut-Danube et du
Bassin de Mayence ou de Paris. Enfin, l'ambre recueilli à Champréveyres suggère un lien avec l'Europe du Nord (Beck, 1997). S'il est
peu vraisemblable que les Magdaléniens se déplaçaient sur d'aussi
longues distances, ils entretenaient des contacts, de proche en proche,
qui leur permettaient d'obtenir des matériaux ou des objets d'origine
particulièrement lointaine. En conclusion, il est possible que le territoire parcouru soit restreint, mais que la richesse des contacts ait en
revanche permis d'accéder à un territoire particulièrement étendu que
l'on peut deviner grâce à ces éléments particuliers.

Bibliographie

AFFOLTER J. (2002), *Provenance des silex préhistoriques du Jura et des régions limitrophes*, Neuchâtel, Service et Musée cantonal d'archéologie, Archéologie neuchâteloise 28.

AFFOLTER J., CATTIN M.-I., LEESCH D., MOREL P., PLUMETTAZ N., THEW N., WENDLING G. (1994), « Monruz, une nouvelle station magdalénienne sur les rives du lac de Neuchâtel », *Archéologie suisse*, 17/3, p. 94-104.

BARR J.H. (1973), *The Late Upper Paleolithic site of Moosbühl : An Attempt to Analyze some of its Problems*, thèse de doctorat de l'université de Berne (Suisse).

BECK C.W. (1997), « Détermination de la provenance des résines fossiles par l'analyse spectrale en infrarouge », *in* D. LEESCH (dir), *Hauterive-Champréveyres, 10. Un campement magdalénien au bord du lac de Neuchâtel. Cadre chronologique et culturel, mobilier et structures, analyse spatiale (secteur 1)*, Neuchâtel, Musée cantonal d'archéologie, Archéologie neuchâteloise 19, p. 105-107.

BINFORD L.R. (1980), « Willow Smoke and Dogs'Tails : Hunter-Gatherer Settlement Systems and Archaeological Site Formation », *American Antiquity*, n° 45/1, p. 4-20.

(1982), « The Archaeology of Place », *Journal of Anthropological Archaeology*, n° 1/1, p. 5-31.

BORDES F. (1950), « L'évolution buissonnante des industries en Europe occidentale : considérations théoriques sur le Paléolithique ancien et moyen », *L'Anthropologie*, n° 54, p. 393-420.

BORDES F., SONNEVILLE-BORDES D. DE (1954), « Présence probable de jaspe de Fontmaure dans l'Aurignacien V de Laugerie-Haute », *Bulletin de la Société préhistorique française*, T. 51, n° 1-2, p. 67-68.

BULLINGER J., LEESCH D., PLUMETTAZ N. (2006), *Le Site magdalénien de Monruz, 1. Premiers éléments pour l'analyse d'un habitat de plein air*, Neuchâtel, Service et Musée cantonal d'archéologie, Archéologie neuchâteloise 33.

CATTIN M.-I. (2002), *Hauterive-Champréveyres, 13. Un campement magdalénien au bord du lac de Neuchâtel : exploitation du silex (secteur 1)*, Neuchâtel, Service et Musée cantonal d'archéologie, Archéologie neuchâteloise 26.

COLLIGNON B. (1996), *Les Inuit, ce qu'ils savent du territoire*, Paris, Montréal, L'Harmattan.

DEECKE W. (1933), *Die mitteleuropäischen Silices nach Vorkommen, Eigenschaften und Verwendung in der Prähistorie*, Jena, Gustav Fischer Verlag.

DEMARS P.-Y. (1982), *L'utilisation du silex au Paléolithique supérieur : choix, approvisionnement, circulation. L'exemple du Bassin de Brive*, Paris, Éditions du CNRS, *Cahiers du Quaternaire* n° 5.

(1992), « L'évolution de l'approvisionnement en matière première au Magdalénien en Périgord », in *Le Peuplement magdalénien. Paléogéographie
physique et humaine*, Actes du Colloque de Chancelade, 10-15 octobre
1988, Paris, Éditions du CTHS, Documents préhistoriques 2, p. 287-294.

ERIKSEN B.V. (2002), « Fossil Mollusks and Exotic Raw Materials in Late
Glacial and Early Postglacial Find Contexts : A Complement to Lithic
Studies », *in* L.E. FISHER et B.V. ERIKSEN (eds), *Lithic Raw Material Eco-
nomies in Late Glacial and Early Postglacial Europe*, Oxford, BAR
International Series n° 1093, p. 27-52.

FÉBLOT-AUGUSTINS J. (1997), *La Circulation des matières premières
lithiques au Paléolithique. Synthèse des données, perspectives comporte-
mentales*, Liège, ERAUL, n° 75, Éditions du CNRS et université de
Paris X – Nanterre, 2 vol.

FISHER L.E., ERIKSEN B.V. (eds) (2002), *Lithic Raw Material Economies in
Late Glacial and Early Postglacial Europe*, Oxford, BAR, International
Series n° 1093.

FLOSS H. (1987), « Silex-Rohstoffe als Belege für Fernverbindungen im
Paläolithikum des nordwestlichen Mitteleuropa », *Archäologische Infor-
mationen*, 10/2, p. 151-161.

(1994), *Rohmaterialversorgung im Paläolithikum des Mittelrheingebietes*,
Bonn, Habelt Römisch-Germanisches Zentralmuseum, Forschungsinstitut
für Vor-und Frühgeschichte : Monographien.

GENESTE J.-M. (1985), *Analyse lithique d'industries moustériennes du
Périgord : une approche technologique du comportement des groupes
humains au Paléolithique moyen*, thèse de l'université de Bordeaux I,
2 vol.

(1988), « Systèmes d'approvisionnement en matières premières au Paléolithique moyen et au Paléolithique supérieur en Aquitaine », in *L'Homme de
Néandertal. 8. La Mutation*, Liège, ERAUL n° 35, p. 61-70.

JAUBERT J., BARBAZA M. (eds) (2005), *Territoires, déplacements, mobilité,
échanges pendant la Préhistoire. Terres et hommes du Sud*, Actes du
126ᵉ Congrès national des Sociétés historiques et scientifiques, Toulouse,
2001, Paris, Éditions du CTHS.

JULIEN M. (1992), « Du fossile directeur à la chaîne opératoire », *in*
J. GARANGER (dir), *La Préhistoire dans le monde*, Paris, PUF, coll.
« Nouvelle Clio », p. 163-193.

MAUGER M. (1983), « Détermination et origine des matériaux siliceux utilisés
par les hommes du Paléolithique : une méthode complémentaire », *Cahiers
du Centre de Recherches Préhistoriques de l'Université de Paris I*, 9,
p. 103-115.

(1985), « Occupation de l'Île de France au Magdalénien supérieur. Origine
des silex, notion de territoire, déplacements et mouvements saisonniers »,
in *Séminaire sur les structures d'habitat. Espace et structuration ethnique.*

Les groupes et leurs limites (2ᵉ partie), Paris, université de Paris I, Ethnologie préhistorique, p. 63-79.

OLIVE M. (2004), « À propos du gisement magdalénien d'Étiolles (Essonne) : réflexion sur la fonction d'un site paléolithique », *Bulletin de la Société préhistorique française*, T. 101, n° 4, p. 797-813.

PERLÈS C. (1980), « Économie de la matière et économie du débitage : deux exemples grecs », *Centre de Recherches archéologiques du CNRS, Publications de l'URA 28 : cahier 1*, Paris, Éditions du CNRS, p. 37-41.

RAMOS-MILLÁN A., BUSTILLO M.Á. (eds) (1997), *Siliceous Rocks and Culture*, Granada, Universidad de Granada.

SCHALLER-AHRBERG E. (1990), « Refitting as a Method to Separate Mixed sites : a Test with Unexpected Results », *in* E. CZIESLA *et al.* (eds), *The Big Puzzle, International Symposium on Refitting Stone Artefacts*, Bonn, Holos, Studies in Modern Archaeology, 1, p. 611-622.

SCHEER A. (1986), « Ein Nachweis absoluter Gleichzeitigkeit von paläolithischen Stationen ? », *Archäologisches Korrespondenzblatt*, 16/4, p. 383-391.

SCHILD R., SULGOSTOWSKA Z. (eds) (1997), *Man and Flint*, Proceedings of the VIIᵗʰ International Flint Symposium Warszawa-Ostrowiec 'Swietokrzyski, septembre 1995, Warszawa, Institute of Archaeology and Ethnology Polish Academy of Sciences.

SÉRONIE-VIVIEN M.-R., LENOIR M. (eds) (1990), *Le Silex de sa genèse à l'outil*, Actes du Vᵉ Colloque international sur le silex – Vᵗʰ International Flint Symposium, Bordeaux, 17 sept.-2 oct. 1987, Paris, Éditions du CNRS, *Cahiers du Quaternaire* n° 17, 2 vol.

SIEVEKING DE G., NEWCOMER M.H. (eds) (1987), *The Human Uses of Flint and Chert*, Proceedings of the IVᵗʰ International Flint Symposium, Brighton Polytechnic, 10-15 avril 1983, Cambridge, Cambridge University Press.

TIXIER J., INIZAN M.-L., ROCHE H. (1980), *Préhistoire de la pierre taillée. 1 Terminologie et technologie*, Antibes, Cercle de recherches et d'études préhistoriques.

WEISGERBER G. (ed) (1999), *5000 Jahre Feuersteinbergbau. Die Suche nach dem Stahl der Steinzeit*, Bochum, Deutsches Bergbau-Museum, Veröffentlichungen aus dem Deutschen Bergbau-Museum Bochum 77.

WENIGER G.-C. (1991), « Überlegungen zur Mobilität jägerischer Gruppen im Jungpaläolithikum », *Saeculum*, 42/1, p. 82-103.

Que peut-on percevoir du rituel ?

Étude du rituel
chez les chasseurs-cueilleurs

Apport de l'ethnoarchéologie des sociétés
de la Terre de Feu

María Estela MANSUR, Raquel PIQUÉ, Assumpció VILA

L'étude de tout ce qui se rattache au monde symbolique, en tant que reflet de l'idéologie, a toujours revêtu une importance particulière en Préhistoire, surtout pour le Paléolithique supérieur. Pour cette période, il a même été suggéré que la pensée symbolique et les possibilités de communication qui en résultent avaient permis l'expansion de l'*Homo sapiens*, car elles constituent un avantage clé pour l'espèce.

Cependant, dans la pratique archéologique, nous nous sommes limités à interpréter comme contextes « cérémoniels » ou « rituels » les seuls témoins archéologiques exceptionnels, c'est-à-dire ceux qui ne correspondent pas à l'image généralement admise de « contexte domestique ». Ainsi, l'étude des aspects symboliques est abordée par opposition à l'idée préconçue d'« espace domestique » et donc en relation avec le caractère exceptionnel de certains matériels et contextes archéologiques. Dans le cas du Paléolithique supérieur, l'éclosion du monde des représentations symboliques est rattachée aux contextes remarquables – art mobilier ou pariétal, inhumations, témoins archéologiques retrouvés dans des contextes spatiaux particuliers (grottes profondes…).

Différentes interprétations ont été proposées pour ces contextes particuliers, le plus souvent inspirées par l'ethnographie : rituels chamaniques, rites initiatiques, rituels propitiatoires pour la chasse, culte de la fertilité, croyance en l'au-delà, pour ne citer que les plus répandues. Cependant, ces mêmes documents ou sources ethnographiques concernant les sociétés de chasseurs-cueilleurs révèlent l'existence d'autres activités rituelles fondamentales pour le maintien de l'ordre social. Sans sous-estimer l'importance de ces contextes exceptionnels et des hypothèses interprétatives proposées, nous voudrions ici attirer l'attention sur ces autres activités rituelles destinées à maintenir et renforcer l'ordre social, et qui sont donc indispensables à la reproduction du système d'organisation lui-même.

Les sociétés de chasseurs-cueilleurs se caractérisent par la contradiction entre leur capacité reproductive (potentiellement illimitée) et leur capacité productive (limitée par le niveau de développement des forces productives). Par conséquent, il est indispensable à ces sociétés de contrôler la reproduction biologique, ce qui a entraîné le contrôle de la sexualité des femmes qui a presque toujours été normalisée. Dans les sociétés de chasseurs-cueilleurs modernes, ce contrôle est obtenu par le biais de l'idéologie, qui s'exprime sous forme de mythes et de pratiques rituelles qui ont précisément pour but le maintien de cet ordre social.

Il s'agit en général de cérémonies collectives dans lesquelles on met en scène des séquences plus ou moins invariables d'actions formelles et d'élocutions qui n'ont pas été codifiées par les acteurs. Ce sont des activités de renforcement qui se caractérisent par leur régularité, bien qu'elles n'aient pas forcément lieu à des moments ou dans des lieux fixes. D'après l'analyse de différentes sources ethnographiques, la plupart de ces activités rituelles ne produisent aucun vestige archéologique exceptionnel, et ne sont par conséquent pas identifiables archéologiquement par la voie de la pratique méthodologique habituelle.

Le rituel a des conséquences sociales, du fait qu'il s'agit d'activités chargées de signification idéologique, qui rendent possible la reproduction sociale. L'archéologue peut aussi espérer que ces activités rituelles aient également des conséquences matérielles spécifiques en raison de leur caractère régulier et répétitif, qui devraient pouvoir être repérées spatialement et qui pourraient permettre de reconnaître de tels espaces comme rituels.

Comme déjà dit, un élément clé pour l'identification des espaces rituels a souvent été leur caractère exceptionnel, par opposition à d'autres espaces qui témoignent d'activités considérées comme quotidiennes ou domestiques. Cependant cette séparation (ou opposition) du domestique et du rituel n'est peut-être pas aussi tranchée, et c'est probablement ce qui nous a souvent empêchés de reconnaître des sites ou des vestiges rituels préhistoriques. Nous pensons que les évidences matérielles produites au cours de la réalisation d'une activité rituelle, sans être forcément exceptionnelles, doivent être nécessairement différentes – qualitativement ou quantitativement – de celles produites lors d'une activité de subsistance ou artisanale.

Afin d'approcher l'identification archéologique du rituel, et d'aller au-delà de simples analogies actualistiques ou de la recherche de l'exception, nous avons abordé l'étude ethnoarchéologique du rituel dans la société Selknam de Terre de Feu. Dans notre approche, l'ethnoarchéologie n'est pas entendue comme un moyen pour générer des modèles interprétatifs à partir de la corrélation entre les évidences matérielles archéologiques et ethnographiques ; nous concevons l'ethnoarchéologie comme une discipline expérimentale qui permet de proposer des hypothèses de travail, de les développer et de les évaluer, afin de perfectionner la méthode de l'archéologie. De ce point de vue, notre démarche comprend l'analyse archéologique d'une société qui a préalablement été étudiée du point de vue ethnographique, ceci afin d'améliorer les performances de la méthode archéologique elle-même (Estévez et Vila, 1995 ; Vila et Estévez, 2000).

La société Selknam, ainsi que les autres sociétés ayant occupé la zone des îles et archipels fuégiens, a été abondamment décrite par divers auteurs (Lothrop, 1928 ; Gusinde, 1931 ; Chapman, 1986) ; on dispose également d'un large échantillon de leur outillage et de leur culture matérielle dans les musées ethnographiques, de nombreux documents iconographiques, ainsi que des résultats de recherches archéologiques menées dans la région depuis plusieurs années (voir par exemple Borrero, 1991 ; Mansur *et al.*, 1998 ; Mansur, 2003 ; Massone, 2003).

L'analyse de sources écrites et photographiques révèle l'importance d'une cérémonie particulière, le *Hain*, qui était célébrée régulièrement, bien qu'à différents endroits. Le *Hain* était un rituel réservé aux adolescents, au cours duquel ils étaient initiés à tout ce qu'impliquait la vie adulte. Tout au long du déroulement du rituel, les hommes du groupe « représentaient » les rôles de divers esprits et mettaient en scène les mythes qui justifiaient et rappelaient l'ordre social établi (c'est-à-dire la suprématie masculine), tandis que les femmes jouaient le rôle de spectatrices effrayées. Pour la célébration du *Hain*, qui pouvait durer des semaines, voire des mois, un nombre variable de groupes familiaux s'installaient à l'endroit choisi, normalement une clairière naturelle dans la forêt. Le mode d'implantation des structures était préétabli. Dans un secteur de la clairière, près de la lisière de la forêt, on bâtissait la hutte destinée aux activités secrètes des hommes-esprits. Cette hutte cérémonielle, le *Hain* proprement dit, était construite avec les mêmes matériaux que les autres huttes ; elle était de même forme mais plus grande et devait être bâtie suivant un modèle préétabli : les troncs d'appui de la structure étaient orientés suivant les points cardinaux, l'entrée étant du côté est… Les huttes domestiques étaient installées à l'intérieur de la forêt, à environ 20 mètres les unes des autres, à l'ouest du *Hain*, de sorte que l'entrée de la hutte cérémonielle restât hors de vue des femmes et des enfants. L'espace entre la hutte du *Hain* et les huttes domestiques constituait la scène où avaient lieu les représentations des mythes d'origine de l'ordre social.

L'organisation du *Hain* demandait un investissement de travail très important. À part la construction des structures, il fallait préparer des masques en écorce, des pigments pour les peintures corporelles… Tous ces éléments, ainsi que la cérémonie elle-même, pourraient être considérés comme exceptionnels, mais ils étaient faits avec des matériaux périssables (bois, écorce, peaux, etc.) ou, dans le cas des peintures corporelles, non destinés à perdurer.

Si l'on revient à une perspective archéologique, plusieurs questions se posent : quels types de vestiges archéologiques devrait-on s'attendre à trouver dans le cas d'une cérémonie de ce genre ? Qu'est-ce qui devrait permettre d'identifier le caractère rituel du site ? Est-il possible de différencier les secteurs où se sont développées les activités de subsistance de ceux où se sont déroulées les activités rituelles ?

La recherche des réponses à ces questions a été à l'origine d'un projet de recherches ethnoarchéologiques auquel nous avons travaillé pendant les saisons 2003 et 2004 dans la région du fleuve Ewan, située dans la zone centrale de la Terre de Feu. Nous y avons détecté une structure de hutte qui, d'après les informations des habitants, aurait pu correspondre à une cérémonie de *Hain*. Les caractéristiques architecturales de la hutte et son emplacement s'accordaient aux descriptions ethnographiques ; cependant, il fallait découvrir l'emplacement des huttes domestiques pour confirmer le modèle. Les deux premiers objectifs du travail sur le terrain ont par conséquent été d'une part la fouille de la hutte connue et d'autre part la prospection et des sondages afin de détecter les zones qui auraient pu être occupées par le groupe pendant le déroulement de la cérémonie (Vila *et al.*, 2004).

Pendant la première campagne de terrain, nous avons fouillé le site qui correspondait aux descriptions de la hutte du *Hain* (Ewan I) ; nos prospections ont permis de découvrir dans la forêt, à environ deux cents mètres à l'ouest de celle-ci, un autre emplacement (Ewan II), qui a été fouillé pendant la deuxième campagne (fig. 1 et 2). L'état de conservation de fragments de bois appartenant à la structure trouvés pendant la fouille, la présence de restes de faune introduite en Terre de

Feu par les colons blancs, ainsi que des restes de taille de verre, suggèrent une datation vers la fin du XIXe ou le début du XXe siècle.

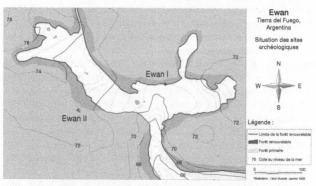

Figure 1. Localisation des sites Ewan I et Ewan II.

Figure 2. La hutte de Ewan I.

Les matériaux récupérés pendant la fouille des deux sites ne diffèrent pas sensiblement du point de vue qualitatif ; néanmoins l'analyse de leur répartition et de leur distribution spatiale a permis de mettre en évidence deux modes de gestion différents des résidus et de l'espace, selon qu'il s'agit de la hutte cérémonielle ou de la hutte considérée comme domestique. Il existe cependant aussi des ressemblances entre les deux modes d'organisation de l'espace.

Les deux structures sont articulées autour d'un foyer qui a été utilisé non seulement comme source de lumière et de chaleur mais aussi pour détruire les résidus organiques : tant à Ewan I qu'à Ewan II, la plupart des restes alimentaires sont concentrés à l'intérieur de la zone de combustion où ils sont totalement calcinés. Dans les deux cas, on a récupéré des restes de taille de verre et de résidus de combustion associés aux vestiges alimentaires. Cependant leurs proportions diffèrent : les résidus alimentaires ainsi que les restes de taille produits par le travail du verre prédominent à Ewan II. De plus, toujours à Ewan II, des outils (pointes de projectile et grattoirs) ont été découverts, éléments totalement absents à Ewan I.

Les différences concernent aussi le diamètre des huttes, plus grand dans le cas de la hutte cérémonielle (Ewan I), qui atteint six mètres. Pour la structure d'habitat (Ewan II), un diamètre de trois à quatre mètres a été estimé en fonction de la dispersion des matériaux archéologiques et de la dimension des troncs tombés découverts pendant la fouille. Enfin, l'emplacement des deux structures diffère également, à l'intérieur de la forêt, pour la hutte d'habitat, et à l'extérieur, en lisière de forêt, pour la hutte rituelle (cf. fig. 1).

Il existe donc des différences entre les deux structures mais, si l'on s'en tenait à notre méthodologie archéologique habituelle, on les interpréterait comme résultant d'une gestion différente de l'espace, probablement simplement due à une spécialisation des activités techniques et/ou domestiques.

RÉFLEXIONS FINALES

Dans le cas particulier de cette étude, nous sommes parties d'une réalité déjà connue grâce aux informations d'ordre ethnographique. Autrement, suivant la procédure archéologique habituelle, l'identification d'Ewan I comme un site d'activité rituelle n'aurait pas été possible. Les vestiges matériels qui nous ont permis de reconnaître

Ewan I comme étant la hutte du *Hain* sont en premier lieu ses caractéristiques architecturales et son emplacement. Cependant, comme il
s'agit d'une structure en bois, la singularité du mode de construction
n'aurait pu être observée par l'archéologie seule, sans les informations
ethnographiques dont nous disposions. De même, la localisation caractéristique des deux sites par rapport à la forêt n'aurait pu être reconnue
sans donnée ethnographique, le paysage ayant évolué depuis un siècle.

Néanmoins, nous savons que le rituel du *Hain* avait une importance vitale pour le maintien et la continuité de la société Selknam,
qu'il était célébré régulièrement (mais pas toujours au même endroit ni
à des moments fixes), et que son développement impliquait l'acquisition et la transformation de matériaux périssables. Il s'agit d'une
situation qui se produit certainement dans de nombreuses autres sociétés de chasseurs-cueilleurs nomades, et dont il faudrait tenir compte, ne
serait-ce que pour améliorer nos modèles analogiques.

Notre approche ethnoarchéologique ouvre le débat, à partir de cet
exemple, sur le besoin urgent de repenser la place des rituels de reproduction sociale dans l'organisation quotidienne de la vie des sociétés
sans écriture, ainsi que la conception même de cérémoniel ou de rituel.
Mais surtout, elle souligne qu'il reste beaucoup à faire à l'archéologue
non seulement pour expliquer la variabilité du témoin archéologique,
mais également pour construire une méthodologie qui donne accès à un
registre représentatif de la totalité de notre objet d'étude. Nous devons
ainsi reposer la question de savoir quel type de témoin indique une activité rituelle et quelle est la méthode strictement archéologique la plus
adéquate pour l'approcher.

Il serait intéressant de reproduire la démarche menée en Terre de
Feu ailleurs, de fouiller des sites cérémoniels ethnographiques bien
décrits (c'est-à-dire incluant des informations sur le type d'organisation sociale, sur la part de la population participant aux rituels, sur la
préparation et le développement de la cérémonie, sur les matériaux utilisés…) pour chercher des récurrences qui nous permettraient de
proposer une méthode archéologique (et non forcément un témoin particulier) capable d'identifier ne serait-ce que des « activités singulières
effectuées régulièrement », mais n'ayant pas laissé nécessairement
derrière elles des vestiges matériels exceptionnels. Il resterait ensuite
au préhistorien à interpréter ces activités, ce qui serait bien sûr conditionné dans chaque cas par le contexte, c'est-à-dire par le reste de la
documentation archéologique.

Bibliographie

BORRERO L.A. (1991), *Los Selk'nam (Onas). Su Evolución Cultural*, Buenos Aires, Búsqueda-Yuchán.

CHAPMAN A. (1986), *Los Selk'nam. La vida de los Onas*, Buenos Aires, Emecé Ed.

ESTÉVEZ J., VILA A. (1995), « Etnoarqueología : el nombre de la cosa », *in* J. ESTÉVEZ, A. VILA MITJÀ (eds), *Encuentros en los conchales fueguinos,* Barcelona, Consejo Superior de Investigaciones Científicas, Universidad Autónoma de Barcelona, p. 17-23.

GUSINDE M. (1931), *Los indios de Tierra del Fuego*, t. 1, *Los Selk'nam*, rééd. 1982, Buenos Aires, Centro Argentino de Etnología Americana, 2 vol.

LOTHROP S.K. (1928), *The Indians of Tierra del Fuego*, Contributions from the Museum of the American Indian, Heye Foundation, New York.

MANSUR M.E. (2003), « El Corazón de la Isla. Arqueología de la zona central de Tierra del Fuego », *in* C. ODONE, P. MASON (eds), *Mundos Fueguinos. Doce Miradas. Sobre Selknam, Yaganes y Kawesqar*, Taller Experimental Cuerpos Pintados, Santiago du Chili, Fundación América, p. 148-166.

— (2004), « Los unos y los otros. El uso de fuentes etnográficas y etnohistóricas en la interpretación arqueológica », Simposio internacional *Etnoarqueología de la Prehistoria : Más allá de la analogía*, Barcelone, Consejo Superior de Investigaciones Científicas, Universidad Autónoma de Barcelona.

MANSUR M.E., MARTINIONI D.R., LASA A.E. (1998), « La gestión de los recursos líticos en el sitio Marina I (zona central de Tierra del Fuego, Argentina) », in *Desde el País de los Gigantes. Perspectivas arqueológicas en Patagonia*, t. I, Río Gallegos, Universidad National de la Patagonia Austral, p. 57-72.

MASSONE M. (2003), « Los antiguos cazadores del fuego », *in* C. ODONE, P. MASON (eds), *Mundos Fueguinos. Doce Miradas. Sobre Selknam, Yaganes y Kawesqar,* Taller Experimental Cuerpos Pintados, Santiago du Chili, Fundación América, p. 117- 143.

VILA A., ESTÉVEZ J. (2000), « Calibrando el método : Arqueología en Tierra del Fuego », *Archeologia postmedievale*, 4, p. 199-207.

VILA MITJÀ A., PIQUÉ R., MANSUR M.E. (2004), « Etnoarqueología de rituales en sociedades cazadoras-recolectoras », in *Catalunya-Amèrica : Fons i documents de recerca*, Barcelona, Institut Català de cooperació Iberoamericana, coll. « Amer. Cat. », 12, p. 286-296.

Nouvelle approche de l'analyse du contexte des figurations pariétales*

Suzanne VILLENEUVE, **Brian** HAYDEN
Traduit par Sophie A. de BEAUNE *et Dominique* CASAJUS

Depuis une dizaine d'années, le contexte social et physique des représentations dans l'art pariétal paléolithique a fait l'objet d'une attention croissante. Aujourd'hui, les chercheurs se contentent de moins en moins d'explications généralistes fondées sur des arguments d'ordre écologique ou adaptatif. On considère maintenant que ces anciens modèles, qui ramenaient tout à un type unique de cause, ne prenaient pas suffisamment en compte la variabilité au sein d'une même grotte et entre plusieurs grottes, ce qui entraînait une compréhension simpliste du contexte social dans lequel cet art s'est développé (Dowson, 1998). Plus récemment, plusieurs chercheurs ont suggéré qu'il existait plusieurs domaines distincts d'action sociale derrière l'art pariétal : au moins un domaine privé et un autre « public » ou du moins destiné à un groupe d'individus (Beaune, 1995, p. 201-207 et 237-239 ; Baffier et Girard, 1998 ; Lorblanchet, 2001 ; Loubser, 2003 ; Lewis-Williams, 2002, p. 233). On a commencé à être plus sensible à l'importance du contexte topographique dans lequel les figurations s'inscrivent et au public auquel elles étaient destinées (par exemple Bahn, 2003 ; Bradley, 2002). Cependant, personne n'a encore cherché à déterminer de façon plus systématique ce qui, parmi les

* Nous voulons remercier les nombreux guides et propriétaires des grottes dans lesquelles nous avons travaillé, le personnel du Musée National de Préhistoire des Eyzies, le *Social Science and Humanities Research Council of Canada* qui a financé le programme de subvention de l'université Simon Fraser. Nous sommes reconnaissants à Sophie A. de Beaune de nous avoir invités à participer au colloque sur la Vie quotidienne au Paléolithique supérieur à Lyon et d'avoir eu la gentillesse de traduire notre article en bon français.

grottes et les figurations pariétales, pourrait relever du domaine privé ou d'un domaine plus « public ». Nous avons tenté d'aborder cette tâche en donnant une tournure plus opératoire à ces deux notions (Villeneuve, 2003). L'analyse est actuellement en cours, mais des résultats préliminaires peuvent d'ores et déjà être présentés ici.

Notre travail dans les grottes ornées est centré sur la question de savoir quel rôle (ou quels rôles) les grottes ont joué dans les sociétés qui les ont décorées et utilisées. En considérant la possibilité que l'action sociale pouvait être le fait soit d'un individu soit d'un groupe, nous avons choisi d'aborder la question en envisageant la taille et le type de public auquel les figures pouvaient être destinées, et les différentes façons dont ces visiteurs ont utilisé l'espace dans les grottes. Cependant, nous espérons que cette analyse pourra révéler d'autres contextes dans lesquels l'art pariétal aurait pu être utilisé. L'objectif ultime de notre recherche est d'atteindre une compréhension plus grande du contexte social de la fréquentation des grottes et des figurations pariétales. Nous pressentons que les grottes ornées jouaient un rôle fondamental non seulement dans l'univers symbolique et idéologique des sociétés d'Europe de l'Ouest au Paléolithique supérieur, mais aussi dans l'univers économique et politique sous-jacent aux changements sociaux intervenus alors, tels que les vestiges archéologiques les laissent percevoir.

DIMENSION INDIVIDUELLE OU COLLECTIVE
DE L'ART PARIÉTAL PALÉOLITHIQUE

Durant ces dernières années, des chercheurs comme Jean Clottes (1997), David Lewis-Williams (2002), Michel Lorblanchet (2001), Sophie A. de Beaune (1995), Dominique Baffier et Michel Girard (1998), Paul Bahn (2003) entre autres, ont commencé à s'interroger sur ce qui relevait du public ou du privé dans les grottes paléolithiques et les figurations pariétales. Des discussions comparables se sont développées dans d'autres régions à propos de l'art rupestre (par exemple Bradley, 2002 ; Loubser, 2003) et deux questions-clefs ont émergé : celle de l'espace environnant les figurations et de la répartition spatiale des figures ; celle du groupe social auquel ces figurations étaient destinées.

La plupart des chercheurs ont suggéré que de nombreuses grottes pouvaient avoir à la fois une destination privée et une destination plus collective, comme par exemple à Lascaux. Le domaine destiné au groupe est supposé correspondre aux vastes espaces et aux figures les plus élaborées et les plus denses ainsi qu'aux grands panneaux, comme la salle des Taureaux de Lascaux, où un important groupe de personnes pouvait se tenir, et où un rituel communautaire, dans lequel le fait de voir les figurations devait être significatif, pouvait se dérouler. À l'inverse, on considère les figurations qui se situent au-delà des salles élaborées, spécialement aux extrémités les plus reculées des grottes, comme étant à destination d'une audience plus privée, voire individuelle. Dans ces zones reculées, l'espace est généralement très exigu, ce qui ne permet qu'à une ou deux personnes de voir les figurations simultanément. Les figures y apparaissent souvent grossières ou bâclées, produites en peu de temps et d'effort, et elles sont dispersées sur la totalité de l'espace disponible sur la paroi. On estime que ce qui comptait dans ces endroits était d'abord *le fait d'avoir réalisé* ces figurations, plutôt que le fait de les voir.

David Lewis-Williams a porté une attention particulière aux zones de passage qui sont souvent situées entre les secteurs publics et les secteurs privés – lieux qui, à son avis, voyaient se mêler des figurations élaborées à d'autres plus hâtives. Les endroits à part couverts de gravures denses présents dans beaucoup de grottes (comme le Passage et l'Abside de Lascaux et les panneaux gravés des Trois-Frères) ont donné lieu à de nombreuses discussions et on a pensé qu'ils correspondaient peut-être encore à un autre type d'activité. Brian Hayden suggère que ces zones couvertes de gravures denses et enchevêtrées, souvent bâclées, ont peut-être été réalisées par des individus qui attendaient dans l'isolement. Si l'on en vient à comparer des grottes entre elles, les hypothèses, spatiales ou autres, que les chercheurs ont invoquées pour déterminer si les représentations étaient apparues dans des contextes publics ou privés, porteraient à croire que des grottes comme Les Combarelles I et II et les figures qui s'y trouvent relevaient entièrement d'un usage individuel ou privé. C'est, de fait, l'interprétation que fait Michel Lorblanchet (2001) de la grotte de Pergouset.

Nous avons décidé de systématiser et d'expliciter ces présuppositions et d'autres, et de conduire à leur lumière des observations destinées à tester des interprétations minimales concernant la destination publique ou privée des représentations pariétales. Le terme « privé » utilisé ici se réfère à une fréquentation individuelle de la grotte limitée à une ou deux personnes, le terme « public » désignant un groupe un peu plus élargi mais ayant tout de même fait l'objet d'une sélection, les grottes n'ayant jamais été, selon nous, un espace ouvert à tous. Les présuppositions peuvent être résumées ainsi :

1. pour les figurations liées à un usage public : i. il devrait y avoir suffisamment d'espace autour des figures pour recevoir des groupes plus ou moins élevés de personnes ; ii. les figures devraient être suffisamment grandes pour être vues par l'ensemble du groupe ; iii. elles devraient être localisées dans des lieux où les membres du groupe pouvaient les voir facilement pendant qu'ils se livraient aux activités qui les avaient rassemblés là. Lorsque l'objectif était d'impressionner un groupe de gens, il faut aussi supposer que l'effort investi dans la réalisation de l'œuvre devait être significatif.

2. pour les figurations liées à un usage privé ou individuel : i. les figures devraient fréquemment être situées dans des espaces confinés ou du moins dans des contextes spatiaux très variables ; ii. puisque la visibilité n'était pas aussi essentielle, on devrait trouver une plus grande variabilité dans la dimension des figurations et leur localisation sur les parois, avec une forte proportion de petites figures ; iii. il devrait y avoir une proportion plus importante de figures grossières ou bâclées (nécessitant un temps de réalisation plus bref et un moindre effort de création).

Dans le travail que nous avons mené en Dordogne, nous avons tenté de quantifier les observations fondées sur ces présuppositions. Nos efforts se sont concentrés sur cinq grottes : Bernifal, Font-de-Gaume, Rouffignac, Villars, et Les Combarelles II. Nous développerons ici le cas de Bernifal pour illustrer notre approche méthodologique.

MÉTHODOLOGIE

En nous inspirant des critères que les autres chercheurs avaient utilisés pour distinguer les contextes supposés publics des contextes supposés privés, nous avons relevé d'abord les caractéristiques de l'environnement spatial des figures – c'est-à-dire par exemple si la figure est située dans une salle spacieuse ou dans un petit couloir étroit ; ensuite la quantité, le type et la taille des figures ; enfin la qualité des représentations – si les figures sont grossières et bâclées ou élaborées par exemple. Nous reconnaissons que cette dernière variable est plus problématique et peut être sujette à discussion.

Pour tenter d'évaluer le public auquel les figures étaient destinées, il faut non seulement considérer la distribution et la densité des figures elles-mêmes dans l'espace pariétal, mais aussi prendre en compte l'espace disponible pour voir les différentes figures. On peut par exemple avoir une vaste salle ou un couloir où les figures sont nombreuses, mais disposées sur des corniches, des surplombs rocheux ou dans d'autres endroits d'où elles sont peu visibles. Ainsi, nous devons aussi évaluer la visibilité de ces figures. Quel était l'espace nécessaire pour les *voir* effectivement ? Combien de personnes pouvaient les voir en même temps ? Ce sont des questions auxquelles l'archéologie de terrain est tout à fait à même de répondre (Bradley, 2002, p. 232).

Afin de calculer l'espace disponible pour voir une figure, les données suivantes ont été recueillies : 1. les angles propices selon lesquels la figure pouvait être vue de façon optimale ; 2. la distance minimale à partir de laquelle elle devenait visible et la distance où cette vision était optimale (par exemple, la plupart des figures mesurant environ un mètre ne peuvent être vues correctement à moins de cinquante centimètres de distance [« distance de vue minimale »], et sont perçues de manière beaucoup plus confortable si on se recule d'un ou de plusieurs mètres [« distance de vue optimale »]) ; 3. la distance à laquelle la figure ne peut plus être vue ; 4. la localisation de la figure sur la paroi ; 5. sa dimension ; 6. sa hauteur par rapport au sol ; 7. la présence d'obstacles ou de contraintes de visibilité (par exemple, la distance de la paroi opposée, ou des concrétions stalagmitiques gênantes) ; 8. la posture (debout, accroupi, allongé) la mieux adaptée pour avoir une vision optimale de la figure, en tenant compte de tous les paramètres visuels précédents.

Ces mesures ont ensuite été utilisées pour calculer l'aire (en mètre carré) de la zone d'où la figure était visible, et pour estimer le nombre de personnes qui pouvaient occuper cette aire. Ceci a été fait pour chaque figuration de la grotte (fig. 1).

Résultats préliminaires

Nos résultats préliminaires à la grotte de Bernifal se structurent d'une façon comparable à ce qui a été obtenu à partir d'appréciations

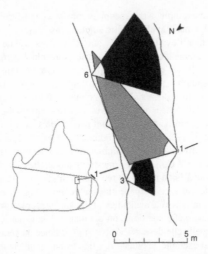

Figure 1. Aires d'où l'on peut voir les figurations 1, 3 et 6 de la grotte de Bernifal avec indications des distances de vue minimale et maximale et de la surface au sol d'où les figures sont les plus nettement visibles. La section à gauche illustre la posture recommandée pour bien voir la figuration.

subjectives par David Lewis-Williams (2002) et Norbert Aujoulat (2004) à Lascaux. Ces similitudes sont les suivantes : 1. une zone près de l'entrée où les figurations sont plus concentrées et où la visibilité potentielle par des groupes est élevée ; 2. un corridor plus étroit avec une grande densité de gravures souvent frustes, fréquemment situées sur une zone de la paroi inclinée vers le bas, de sorte qu'elles sont mieux vues quand on s'accroupit ; 3. une zone de passage qui s'étend jusqu'à l'extrémité de la grotte et qui contient des figurations dispersées présentant des techniques, des localisations, des dimensions et des qualités variées ; 4. des figures placées dans des emplacements étroits où seuls un ou deux individus peuvent se glisser.

Sur l'ensemble des figurations de Bernifal, 80 % des figures pour lesquelles nous avons effectué des mesures ont une meilleure visibilité lorsqu'on est accroupi. La majorité des figures sont de qualité moyenne ou fruste (selon les critères subjectifs utilisés par les auteurs antérieurs). La densité globale des figures n'est pas très élevée, sauf dans le corridor avec une forte densité des gravures. La dimension des figures ne varie pas beaucoup, une majorité d'entre elles mesurant entre 30 et 60 cm.

Ces observations fournissent un contraste intéressant avec une grotte comme Font-de-Gaume qui comprend une zone avec une grande densité de grandes figurations de haute qualité ainsi que des passages étroits et reculés, avec des figures bâclées et dispersées. Surtout la majorité des figures sont mieux vues en position debout. La proportion de figures excellentes ou élaborées est élevée (toujours selon les mêmes critères subjectifs proposés par les auteurs antérieurs). La dimension des figures varie considérablement, celles qui atteignent et dépassent un mètre se trouvant uniquement dans les vastes salles où l'on observe une forte densité des figurations, alors que les diverticules étroits ne recèlent que de petites figures peu denses.

DISCUSSION

L'analyse de la répartition, de la densité, de la localisation, de la dimension et de la qualité des figures du point de vue de leur visibilité apporte une aide analytique substantielle pour inférer l'intention de l'artiste au moment de la création de la figure (s'il la destinait à des groupes ou à des individus). L'évaluation de l'aire d'où elles étaient visibles a été particulièrement utile. L'approche préconisée par David Lewis-Williams, que nous avons tenté d'étendre et de rendre opérationnelle, contraste de façon marquée avec l'approche structuraliste de jadis, qui consistait à considérer la répartition des figures dans l'espace. Notre objectif n'est pas d'identifier les oppositions binaires mobilisées dans l'art, mais de comprendre quelles sortes de personnes entraient dans les grottes et pour quel public ces images étaient créées. Cette approche implique une recherche des « aires d'activité » utilisées par les individus ou les groupes de diverses tailles.

Quelques chercheurs ont avancé que les auteurs des figures n'étaient pas concernés par les aires d'activité en elles-mêmes, et qu'ils se sont contentés de placer les figures sur les surfaces utilisables. Le cas de grottes comme Les Combarelles peut corroborer cet argument, mais il est clair que, dans d'autres cavités, certains endroits ont été utilisés de manière différenciée : l'utilisation qu'on comptait faire de l'espace entrait en ligne de compte dans la décision de placer telle figure ici plutôt que là, encore que certaines surfaces pouvaient aussi être utilisées parce qu'elles convenaient bien pour un décor. Nous avons aussi conscience que d'autres facteurs ont compliqué les choses, comme la probabilité que l'usage de certaines grottes (ou de certaines de leurs parties) a pu varier au cours du temps tout comme la nature des groupes de visiteurs. Il existe assez d'analyses déjà conduites par nous-même ou par d'autres pour démontrer qu'il existait une importante variabilité d'usage au sein d'une même cavité aussi bien qu'entre plusieurs grottes d'une même région.

Quoi qu'il en soit, nous pensons que la méthodologie que nous avons développée peut aider à préciser les idées concernant les types d'activités qui ont dû se dérouler dans les grottes et les types de groupes qui ont dû les fréquenter, que ce soit pour voir les figures ou pour les réaliser. Toutefois, nous devons encore résoudre certaines difficultés comme celle de la manière dont on pourrait évaluer la qualité des figures. D'autres chercheurs ont débattu de la qualité « bâclée, grossière, élaborée, pauvre ou bonne » des figures (faisant allusion au temps passé et à l'effort de réalisation), sans proposer de méthode systématique pour évaluer cette qualité, ni fournir des exemples en nombre suffisant pour servir d'étalon. La qualité de la figure et l'effort investi sont ainsi utilisés pour évaluer si, oui ou non, cette figure a été conçue pour être vue. Cette approche est subjective, difficile à tester, et implique de nombreux présupposés concernant la valeur attribuée à ces diverses figures. Afin de faire progresser la question sur de tels sujets, nous avons commencé à passer en revue la littérature ethnographique afin de tenter de caractériser les figurations d'ordre privé par rapport à celles destinées à un groupe, ainsi que l'utilisation de l'espace qui les entoure.

Si nous pensons avoir atteint une assez bonne appréhension de la dimension des groupes qui voyaient et créaient ces figures, il nous reste à identifier la nature de ces groupes et leur dessein lorsqu'ils pénétraient dans les grottes. C'est le prochain objectif de notre recherche et nous suggérons que la compréhension de la dynamique des communautés et des sociétés du Paléolithique supérieur dans les régions des grottes ornées seront une importante clef d'accès pour atteindre cet objectif. En particulier, il serait important de considérer les inégalités socio-économiques, les stratégies utilisées par les chefs de ces groupes pour acquérir des bénéfices pour eux-mêmes et leur communauté, et l'existence de confréries partageant des intérêts particuliers. Ce sont des objectifs ambitieux, mais nous sentons que nous avons gravi quelques-unes des premières marches qui mènent à eux.

Bibliographie

AUJOULAT N. (2004), *Lascaux, l'Espace et le Temps*, Paris, Le Seuil.

BAFFIER D., GIRARD M. (1998), *Les Cavernes d'Arcy-sur-Cure*, Paris, La Maison des Roches.

BAHN P. (2003), « Location, Location : What can the Positioning of Cave and Rock Art reveal about Ice Age Motivations ? », *in* A. PASTOORS, G.C. WENIGER (eds), *Cave Art and Space : Archaeological and Architectural Perspectives*, Neanderthal Museum, p. 11-20.

BEAUNE S. A. DE (1995), *Les Hommes au temps de Lascaux 40 000-10 000 avant J.-C.*, Paris, Hachette, coll. « La Vie quotidienne ».

BRADLEY R. (2002), « Access, Style and Imagery : the Audience for Prehistoric Rock art in Atlantic Spain and Portugal, 4000-2000 BC », *Oxford Journal of Archaeology,* 21 (3), p. 231-247.

CLOTTES J. (1997), « Art of the Light and Art of the Depths », *in* M.W. CONKEY, O. SOFFER, D. STRATMANN, N.G. JABLONSKI (eds), *Beyond Art : Pleistocene Image and Symbol*, San Francisco, Californie, Memoirs of the California Academy of Sciences n° 23, p. 37-52.

DOWSON T.A. (1998), « Rock Art : Handmaiden to Studies of Cognitive Evolution », *in* C. RENFREW, C. SCARRE (eds), *Cognition and Material Culture : the Archaeology of Symbolic Storage*, Cambridge, McDonald Institute Monographs.

LEWIS-WILLIAMS D. (2002), *In the Mind of the Cave*, Londres, Thames and Hudson.

LORBLANCHET M. (2001), *La Grotte ornée de Pergouset (Saint-Géry, Lot)*, Paris, Maison des Sciences de l'Homme.

LOUBSER J. (2003), *Tripping on the Snake, or, On a Quest for Visions Forgetten : An Assessment of Selected Rock Art Sites in the Hells Canyon National Recreation Area*, Stone Mountain, GA, New South Associates Technical Report.

VILLENEUVE S. (2003), *A New Perspective on Old Art : The Social Context of Upper Paleolithic Cave Art*, B.A. Honours Thesis, Archaeology Department, Simon Fraser University, Burnaby, British Columbia (Canada).

Les rituels des grottes ornées

Rêves de Préhistoriens, réalités archéologiques

Romain PIGEAUD

Il peut sembler paradoxal de traiter des grottes ornées dans un ouvrage qui a pour préoccupation de « restituer la vie quotidienne au Paléolithique supérieur ». Car, si la grotte ornée est bien un sanctuaire, elle appartient au domaine du sacré, par définition exclu de la vie quotidienne. À moins de supposer que, justement, puisque la grotte est un sanctuaire, elle a fait l'objet d'un culte qui a dû se traduire par des rituels dont la périodicité reste à déterminer. C'est ce « quotidien du sacré » que nous voudrions examiner ici. Plus exactement, nous souhaitons nous interroger sur le sens et l'intérêt qu'il y aurait à rechercher, autour des représentations, des indices et des vestiges d'un comportement qui ne soit pas simplement celui de l'artiste (ou prétendu tel).

LA GROTTE ORNÉE EST-ELLE UN SANCTUAIRE ?

Que savons-nous exactement sur la grotte ornée ? D'abord, qu'elle n'est pas une galerie d'art. Elle n'est pas non plus, à quelques exceptions près (grottes de Bédeilhac et d'Enlène, en Ariège, grottes de Tito Bustillo et La Garma, en Espagne), un lieu d'habitat. Elle peut être vaste ou étroite, facile d'accès ou quasiment inaccessible. Sa singularité est d'être un « lieu de symbole » (Vialou, 2005, p. 78), c'est-à-dire un endroit où subsiste un décor à forte composante abstraite, où se rencontrent un bestiaire sévèrement trié ainsi que des êtres composites et des représentations imaginaires.

Un consensus s'est établi parmi la communauté des chercheurs [1], pour identifier la grotte ornée à un sanctuaire, c'est-à-dire à un lieu qui serve de « cadre sacré à l'intérieur duquel s'inscrivaient les pratiques [religieuses] » (Leroi-Gourhan, 1969, p. 311) ou, pour aller plus loin, un lieu sacré « [dans lequel] la communication avec le surnaturel aurait été facilitée » (Welté et Lambert, 2004, p. 218). Le terme « sacré » sous-entend que l'on n'y fait pas n'importe quoi. Ce qui a certaines conséquences et entraîne certaines questions : qui avait le droit de pénétrer dans la caverne ? Si sanctuaire il y a, et donc culte, qui le rendait ? Existait-il un clergé particulier ? Des personnes du groupe chargées d'entretenir le caractère sacré du lieu ? Peut-on et doit-on interpréter toutes les traces laissées autour du décor des parois (Pigeaud, 2005a) comme les vestiges de pratiques rituelles ?

LA CAVERNE « PARTICIPANTE »

La grotte ornée est donc d'emblée considérée comme un lieu particulier pour des activités particulières. Lesquelles ? André Leroi-Gourhan (1964, p. 66) a justement comparé les différentes hypothèses de cultes préhistoriques à un « vestiaire ruiné », basé sur des comparaisons ethnographiques abusives ainsi que sur une surinterprétation des données archéologiques. Nous ne détaillerons pas ici les problèmes liés au culte de l'ours, à la magie de la chasse ou au chamanisme. L'important, à notre avis, est de souligner que toutes ces hypothèses reposent sur le présupposé d'une « magie » préhistorique, considérée par les premiers préhistoriens et les premiers ethnologues, à tort ou à raison, comme la première manifestation religieuse de l'Humanité. Dans son acception la plus large, la magie consiste en « savoirs, croyances et pratiques partagés, voire initiatiques, nés du besoin d'agir sur des forces indéchiffrables et impersonnelles, inhérentes à la nature ou à certaines personnes » (Devisch, 1991, p. 431). Son mode de fonctionnement est métaphorique et métonymique (Lévi-Strauss, 1962). C'est-à-dire que, dans le cas de la grotte ornée, l'artiste paléolithique est censé exercer une action sur la paroi qui aura, par analogie, des conséquences en

---

1. Seuls Rodrigo de Balbín Behrmann et José Javier Alcolea Gonzalez (1999) ont rejeté cette hypothèse univoque et proposé d'autres alternatives.

dehors de la grotte. Le sanctuaire devient alors le double métaphorique du monde extérieur, au point que certains préhistoriens (Eastham, 1991) chercheront des correspondances directes entre la topographie, la disposition, la forme des spéléothèmes, et le relief de la vallée où s'ouvre la cavité.

Le concept de caverne participante formulé par André Leroi-Gourhan a vite été restreint au rôle joué par la cavité dans la mise en place du décor des parois. Il en est résulté une certaine fixation sur les représentations, analysées pour elles-mêmes, sans faire référence à la réalité archéologique autrement que pour les situer dans la chronologie des cultures paléolithiques. C'est Michel Lorblanchet qui, par ses travaux dans les grottes quercynoises et sur les sites rupestres australiens, a renouvelé l'intérêt des chercheurs pour le mode d'utilisation des grottes ornées (Lorblanchet, 1994). En reconstituant ce qu'il appelle la biographie des parois, il démontre que, même après leur décoration, celles-ci demeurent vivantes, ne cessant d'être frottées, aspergées, raclées… Parallèlement, la découverte et l'étude de nouvelles cavités au sol inviolé (Fontanet et le réseau Clastres en Ariège, Chauvet en Ardèche, Cussac en Périgord, Cosquer dans les Bouches-du-Rhône, La Garma en Espagne) ou la mise au jour de fragments de sols conservés (La Tête du Lion, en Ardèche, Grande Grotte d'Arcy-sur-Cure dans l'Yonne) ont remis au centre des préoccupations le contexte archéologique interne (Clottes, 1992 et 1993a) des grottes ornées.

Certes, on connaissait déjà des vestiges originaux dans les grottes ornées, qui furent d'ailleurs tout de suite interprétés en terme de magie ou de rituel. Citons pour mémoire : les sculptures et gravures sur limon associés aux foyers et sites d'habitat de la grotte de Bédeilhac ; les modelages en argile de la grotte de Montespan (Ariège), dont certains semblent avoir été percés de coups de sagaies ; les empreintes de pas d'enfants de la salle des Talons de la grotte du Tuc d'Audoubert (Ariège) ; les nombreuses concrétions brisées, pour certaines emportées à l'extérieur de la cavité, signalées dans plusieurs grottes ornées. L'ancienneté de ces découvertes, pour la plupart endommagées parce que mal protégées ou mal fouillées, ou mises en doute, les avait reléguées au rang de curiosités, dont personne ne parlait plus guère. Désormais, elles font leur retour dans les discussions, avec bien sûr les précautions d'usage.

Unique et/ou répété

À partir du moment où nous postulons que la grotte ornée est bien un sanctuaire, le problème va être que toute trace laissée par l'homme préhistorique sera, par cela même, « sacralisée ». C'est-à-dire qu'il faudra l'interpréter comme une manifestation symbolique. C'est bien sûr exagéré. Un ravivage de torche, par exemple, est un simple geste technique destiné à améliorer l'éclairage. Des projections ou des éclaboussures de colorant sur la paroi, comme dans la grotte des Escabasses, dans le Lot (Lorblanchet *et al.*, 1974, p. 29 et 32), peuvent ne résulter que du trop plein d'un godet de peinture ou de la coulure d'un pinceau mal égoutté.

François Rouzaud (1978, p. 5) distingue trois catégories de traces laissées par l'homme du Paléolithique supérieur dans les grottes : les traces de *progression* (empreintes dynamiques de pied ou de main, glissades, chutes, bris de concrétions) ; les traces d'*arrêt* (brève station, « pause », reprise de souffle, expectative devant les difficultés, problèmes d'orientation, d'éclairage, ce qui peut se traduire par des bris de concrétions sans objet pour le passage, des empreintes corporelles, la présence inexpliquée d'échantillons géologiques) ; les traces d'*aménagement* (foyers, ateliers de taille et de fabrication d'objets, vestiges culinaires, structures d'habitat et, bien sûr, manifestations d'art pariétal et mobilier, ainsi qu'insertion d'esquilles et de silex dans les anfractuosités).

Chacune de ces catégories de traces peut être considérée selon cinq critères différents : l'usuel, l'exceptionnel, le répété, l'effacé et l'absent. *L'usuel* est ce qui constitue la « norme », c'est-à-dire ce que l'on rencontre habituellement dans les grottes ornées : il en est ainsi des foyers ou des bris de concrétions. Si certaines de ces traces résultent de pratiques rituelles et régulières, nous ne pouvons, hélas, le prouver.

L'exceptionnel est ce qui fait l'originalité d'une grotte. Le caractère exceptionnel de ces traces peut être de deux ordres : soit elles sont exceptionnelles parce qu'exceptionnellement conservées, soit elles ont été conçues comme telles, c'est-à-dire voulues comme uniques. Dans le premier cas, seul le hasard de leur conservation peut expliquer leur singularité. Un exemple fameux est l'empreinte de cordage retrouvée dans le Diverticule des Félins de la grotte de Lascaux. Dans le second cas, on peut citer comme exemple, pour les traces de progression, la « danse des talons » du Tuc d'Audoubert ; pour les traces d'aménagement, la volumineuse pierre de la grotte Chauvet qui aurait été installée comme marchepied entre la salle du Cierge et la salle Hillaire (Geneste, 2001, p. 46) ; ou bien encore, les assemblages de concrétions visibles dans les grottes de Bruniquel (Tarn-et-Garonne) et La Garma (Espagne). Signalons aussi la découverte récente, dans la grotte de Rouffignac (Dordogne), de griffades d'ours « terminées » par des tracés digitaux (Ladier *et al.*, 2003).

Le *répété* est, selon nous, quelque chose de hors norme, mais reproduit à plusieurs reprises dans une cavité ou un groupe de cavités. C'est par exemple, le dépôt de fragments d'os ou de morceaux de silex dans les anfractuosités des cavités ariégeoises et dans la Grande Grotte d'Arcy-sur-Cure. Les os enfoncés dans le sol de la grotte d'Enlène, en Ariège (Bégouën *et al.*, 1996), ou encore les tracés digitaux associés aux représentations des grottes quercynoises ou de Mayenne-Sciences (Pigeaud *et al.*, 2004).

L'*effacé* est quelque chose que l'on a voulu éliminer de la paroi ou du sol de la cavité. Ce sont par exemple des représentations qui ont été grattées ou recyclées dans le tracé d'autres unités graphiques, comme dans les grottes Chauvet ou Cosquer. Soit on n'a pas réussi à les effacer complètement (ce qui nous permet de les retrouver aujourd'hui) ; soit l'effacement est *sciemment* incomplet, la ou les personnes qui ont gratté les représentations ayant voulu que cet « exorcisme » soit perpétué.

Par *l'absent*, nous entendons mettre l'accent sur des aménagements symboliques *qui auraient dû* être présents mais ne le sont pas. Ce sont ce que nous avons appelé les « blancs » iconographiques (Pigeaud, 2005b) : des zones où l'absence de décor est *volontaire*, que ce soit pour signaler un changement dans la topographie comme à Niaux (Clottes, 1995, p. 97), une modification dans le décor comme dans la grotte des Deux-Ouvertures, en Ardèche (Gély et Porte, 1996, p. 96) ou pour marquer des sortes de « pauses » dans le discours symbolique en ménageant des salles aniconiques entre deux secteurs ornés comme à Altamira, en Espagne (Freeman et Gonzalez Echegaray, 2001, p. 92-96), ou à Mayenne-Sciences (Pigeaud *et al.*, 2004, p. 50-51).

INSTANTANÉ OU PALIMPSESTE ?

Une des caractéristiques d'un rituel est sa régularité. Par conséquent, si nous cherchons des traces de rituels dans les grottes ornées, nous devrions d'abord nous intéresser à ce qui semble résulter d'actions répétées. Mais comment retrouver une périodicité sur les parois et sur les sols ? Qu'un même motif soit répété plusieurs fois, comme les 12 empreintes digitales rouges autour du cheval 17 dans la grotte de Mayenne-Sciences (Pigeaud *et al.*, 2004, p. 80), peut signifier que sa reproduction a été réalisée au même moment par une seule personne ou, au contraire, qu'elle résulte du passage de plusieurs personnes au fil du temps. *A contrario*, un événement aussi exceptionnel que le cercle de pierres de la grotte d'Oblazowa en Pologne (Valde-Nowak, 2003) avec, au centre de la structure, des dents de renard percées, un boomerang en ivoire ainsi qu'une phalangine et une phalangette humaines, n'est peut-être que la dernière manifestation d'un rituel régulier. Même si cela semble étonnant et purement spéculatif, nous devons envisager l'hypothèse qu'il a peut-être existé auparavant d'autres cercles de pierres, qui ont ensuite été détruits pour faire place à un nouveau.

La grotte ornée qui s'offre à nous aujourd'hui est le produit d'une longue histoire. Nous la découvrons dans le dernier état où les hommes préhistoriques l'ont laissée, si bien qu'il est difficile de distinguer les différentes étapes de sa fréquentation. Ainsi, même si les empreintes humaines sur le sol des cavernes sont finalement plus nombreuses et plus fréquentes que ce que l'on pense généralement, elles sont pourtant en nombre assez réduit par rapport à la fréquentation supposée de la cavité : une ou deux pistes, rarement plus. Même si on peut supposer que l'entrée de la grotte, espace sacré, a pu n'être réservée qu'à une seule personne, c'est peu, comparé à la richesse du décor (qui a parfois dû nécessiter plusieurs heures de travail, donc de station debout au même endroit et qui aurait donc dû entraîner la formation de traces de piétinement) et aux espaces de circulation dans la caverne : les publications décrivent souvent des pistes de circulation, mais dans un seul sens : un aller simple, pas de retour ! L'évolution ultérieure du sol de la caverne n'explique pas tout : les écoulements d'eau et les soutirages n'ont pas pu tout atténuer. Nous formulons deux hypothèses : 1) pour avoir marché pieds nus ou en chaussettes sur le sol de grottes, nous avons pu constater que notre passage ne laissait quasiment pas de traces. D'où l'idée que les empreintes de pas (dans le cas de sol compactés et non de pistes de sables ou d'argile mouillée comme dans le réseau Clastres) auraient pu être le résultat d'actions volontaires : le Préhistorique aurait délibérément enfoncé son pied pour laisser une empreinte lisible sur le sol ; 2) les traces de pas ont pu être effacées après chaque passage. Les pistes conservées seraient alors celles de la dernière visite.

CONCLUSION : QUELS RITUELS ?

Nous n'avons pas souhaité faire ici de synthèse ni d'inventaire exhaustif des traces probables d'activités rituelles dans les grottes ornées. Tout simplement parce que cela est impossible dans l'état actuel des recherches, étant donné le faible nombre de grottes ornées publiées de manière exhaustive, c'est-à-dire en tenant compte de la totalité des vestiges. Nous avons préféré poser ici un certain nombre de questions auxquelles nous sommes confrontés lorsque nous cherchons à interpréter la grotte ornée comme un sanctuaire.

Nous avons vu que cette interprétation avait certaines conséquences théoriques difficiles à mettre en pratique. Car qui dit sanctuaire dit régularité de rituels. Ce ne sont donc pas les vestiges exceptionnels qui peuvent nous servir dans notre argumentation. Par ailleurs, comment retrouver une périodicité dans un site qui n'est qu'un palimpseste d'événements « sédimentés » par le temps écoulé ? Enfin, est-ce parce que la grotte est un sanctuaire que tout ce qui s'y trouve doit être « sanctifié » ? En 1992, Michel Girard a ramassé sur le sol de la grotte Cosquer une boulette d'argile pétrie (Clottes *et al.*, 2005, p. 191-192). Façonnée par une main d'adulte, elle a été lissée au doigt et à l'ongle. Les stries qu'elle comporte indiquent peut-être qu'elle fut portée dans un vêtement. Faut-il vraiment voir dans cette boule le vestige d'un très ancien rituel ? Il nous est tous arrivé, dans une grotte, sur la plage, de saisir machinalement des bouts de matière et de nous amuser à les pétrir et à les malaxer.

Pourtant, il nous semble possible de définir *a minima* deux rituels possibles. Ne serait-ce que parce qu'ils sont d'une grande banalité et universellement répandus : les rites d'initiation et les dépôts votifs. Il nous semble difficile, en effet, d'interpréter autrement que comme des dépôts votifs les silex et les esquilles d'os cachés dans des anfractuosités ou plantés dans le sol. Pour ce qui est des rites d'initiation, Henri Duday et Michel-Alain Garcia se sont justement moqués des premières interprétations ritualistes des empreintes de pas humaines : « l'objet [l'empreinte] étant rare, il ne peut être qu'attribué à un événement exceptionnel ou placé dans des circonstances exceptionnelles » (Duday et Garcia, 1985, p. 36). Il est pourtant troublant de constater que l'essentiel des empreintes de pas retrouvées sont celles de jeunes enfants ou d'adolescents (Clottes, 1993b, p. 65). Certes, François Rouzaud (communication personnelle) faisait remarquer que certaines empreintes d'enfants se situaient à l'écart du cheminement principal et faisaient plus penser à des jeux de glissades et des courses poursuites qu'à de pompeuses cérémonies destinées à les accueillir dans l'âge adulte.

De nouvelles recherches cependant font passer au second plan ces « gamineries ». Il s'agit des empreintes de mains d'enfants retrouvées sur les parois des grottes. Une empreinte positive à l'argile de main de nourrisson dans la grotte Bayol (Gard) est régulièrement mentionnée dans la littérature (Bayol, 1935, p. 31). Pour l'avoir examinée, nous avouons qu'elle est troublante mais qu'elle pourrait tout aussi bien n'être qu'une projection d'argile dans laquelle les sens trompés pourraient voir une paume et un pouce écarté. Plus sûre est l'empreinte retrouvée récemment dans la grotte Cosquer (Clottes *et al.*, 2005, p. 215) : il s'agit de tracés digitaux réalisés par une petite main d'enfant. Le plus curieux est qu'elle se trouve à deux mètres vingt de hauteur ! L'enfant n'a pu la réaliser que tenu à bout de bras par un adulte ou porté sur les épaules. Par ailleurs, l'analyse de ce tracé montre que les doigts de l'enfant ont été contractés afin qu'ils s'impriment bien dans la paroi. D'autres analyses, effectuées cette fois dans la grotte de Rouffignac (Sharpe et Van Gelder, 2004) indiquent que des enfants y ont été guidés pour laisser des traces de leur passage sur les parois de la grotte. Est-ce de l'initiation, bien qu'évidemment cet enfant ne soit pas pubère, ou une sorte de rite propitiatoire en ces temps de forte mortalité infantile ?

La recherche de « rituels » dans les grottes ornées est donc relancée et n'est pas prête de s'arrêter. Car, même s'il faut bien avouer que rien ne prouve définitivement leur existence, l'ambiance particulière au monde souterrain et la particularité des vestiges que l'on y retrouve ne peut qu'y inciter. Avec le risque de s'enferrer dans les tautologies.

Mais qui a dit que les préhistoriens n'avaient pas le droit de rêver ?

Bibliographie

BALBÍN BEHRMANN R. DE, ALCOLEA GONZALEZ J.J. (1999), « Vie quotidienne et vie religieuse. Les sanctuaires dans l'art paléolithique », *L'Anthropologie*, t. 103, p. 23-49.

BAYOL, abbé (1935), *Mémoires d'un vieux fouilleur. III Grotte à peintures de Collias*, Vienne, Martin et Ternet Imprimeurs, 40 p., 15 fig. h. t.

BÉGOUËN R., CLOTTES J., GIRAUD J.-P., ROUZAUD F. (1996), « Os plantés et peintures rupestres dans la caverne d'Enlène », *in* H. DELPORTE et J. CLOTTES (dir), *Pyrénées préhistoriques, arts et sociétés*, Actes du 118ᵉ Congrès national des sociétés historiques et scientifiques, Pau, 1993, Paris, Éditions du CTHS, p. 283-306.

CLOTTES J. (1992), « L'archéologie des grottes ornées », *La Recherche*, n° 239, p. 52-61.

(1993a), « Contexte archéologique interne », *in* GROUPE DE RÉFLEXION SUR L'ART PARIÉTAL PALÉOLITHIQUE, *L'Art pariétal paléolithique. Techniques et méthodes d'études*, Paris, Éditions du CTHS, p. 49-58.

(1993b), « Ichnologie », *in* GROUPE DE RÉFLEXION SUR L'ART PARIÉTAL PALÉOLITHIQUE, *L'Art pariétal paléolithique. Techniques et méthodes d'études*, Paris, Éditions du CTHS, p. 59-66.

(1995), *Les Cavernes de Niaux*, Paris, Le Seuil.

CLOTTES J., COURTIN J., VANRELL L. (2005), *Cosquer redécouvert*, Paris, Le Seuil.

DEVISH R. (1991), « Magie », *in* P. BONTE et M. IZARD (dir), *Dictionnaire de l'Ethnologie et de l'Anthropologie*, Paris, PUF, p. 431-433.

DUDAY H., GARCIA M.-A. (1985), « L'homme et la caverne », *Traces et messages de la Préhistoire, Les Dossiers histoire et archéologie* n° 90, p. 35-39.

EASTHAM A.M. (1991), « Palaeolithic Parietal Art and its Topographical Context », *Proceedings of the Prehistoric Society*, 57, p. 115-128.

FREEMAN L.G., GONZALEZ ECHEGARAY J. (2001), *La Grotte d'Altamira*, Paris, La Maison des Roches.

GÉLY B., PORTE J.-L. (1996), « Les gravures paléolithiques de la grotte des Deux-Ouvertures à Saint-Martin-d'Ardèche », *Bulletin de la Société préhistorique Ariège-Pyrénées*, T. LI, p. 81-98.

GENESTE J.-M. (2001), « La fréquentation et les activités humaines », *in* J. CLOTTES (dir), *La Grotte Chauvet. L'art des origines*, Paris, Le Seuil, p. 44-50.

LADIER E., WELTÉ A.-C., PLASSARD J. (2003), « Relations griffades animales-traits anthropiques sur les parois de Rouffignac », *Préhistoire du Sud-Ouest*, vol. 10, fasc. 2, p. 139-144.

LEROI-GOURHAN A. (1964), *Les Religions de la Préhistoire*, Paris, PUF.

(1969), « Les rêves », in *La France au temps des Mammouths*, Paris, Hachette, p. 187-203.

LÉVI-STRAUSS C. (1962), *La Pensée sauvage*, Paris, Plon.

LORBLANCHET M. (1981), « Les dessins noirs du Pech-Merle », in *Congrès Préhistorique de France*, XXIᵉ session, Quercy, 1979, p. 178-207.

(1994), « Le mode d'utilisation des sanctuaires paléolithiques », *in* J.A. LASHERAS (ed), *Homenaje al Dr Joaquin Gonzalez Echegaray*,

Museo y Centro de Investigacion de Altamira, _Monografías_, n° 17, p. 235-251.

LORBLANCHET M., RENAULT P., MOURER C. (1974), _L'Art préhistorique en Quercy. La grotte des Escabasses (Thémines-Lot),_ Morlaas, Éd. PGP.

PIGEAUD R. (2005a), « Un art de traces ? Spontanéités et préméditations sur les parois des grottes ornées paléolithiques », _in_ D. VIALOU, J. RENAULT-MISKOVSKY, M. PATOU-MATHIS, (dir), _Comportements des hommes du Paléolithique supérieur en Europe. Territoires et milieux_, Liège, ERAUL n° 111, p. 177-191.

(2005b), « Immédiat et successif : le temps de l'art des cavernes », in _Actes du 129ᵉ Congrès des Sociétés historiques et scientifiques,_ Besançon, 19-24 avril 2004, _Bulletin de la Société préhistorique française_, t. 102, n° 4, p. 813-828.

PIGEAUD R., BOUCHARD M., LAVAL E. (2004), « La grotte ornée Mayenne-Sciences (Thorigné-en-Charnie, Mayenne) : un exemple d'art pariétal d'époque gravettienne en France septentrionale », _Gallia Préhistoire_, vol. 46, p. 1-154.

ROUZAUD F. (1978), _La Paléospéléologie. L'homme et le milieu souterrain pyrénéen au Paléolithique supérieur_, Archives d'écologie préhistorique, Toulouse, Publications École des Hautes Études en Sciences Sociales.

SHARPE K., VAN GELDER L. (2004), « Les enfants et l'"art" paléolithique : indices à la grotte de Rouffignac », _International Newsletter on Rock Art_, n° 38, p. 9-17.

VALDE-NOWAK P. (2003), « Oblazowa Cave : nouvel éclairage pour les mains de Gargas ? », _International Newsletter on Rock Art_, n° 35, p. 7-10.

VIALOU D. (2005), « Territoires : sédentarités et mobilités », _in_ D. VIALOU, J. RENAULT-MISKOVSKY, M. PATOU-MATHIS (dir), _Comportements des hommes du Paléolithique supérieur en Europe, Territoires et milieux_, Liège, ERAUL n° 111, p. 75-86.

WELTÉ A.-C., LAMBERT G. (23004), « La spiritualité au Paléolithique supérieur. Hypothèses à partir de l'art mobilier de trois sites magdaléniens de la vallée de l'Aveyron », _in_ M. OTTE (dir), _La Spiritualité_, Actes du Colloque de la Commission 8 de l'UISPP, Liège, 10-12 décembre 2003, Liège, ERAUL n° 106, p. 203-220.

Art et vie quotidienne dans l'Épigravettien final

Les galets utilisés de la Grotta della Ferrovia*

Daniela ZAMPETTI, Cristina LEMORINI, Massimo MASSUSSI

Les quatre galets utilisés et/ou décorés ici décrits [1] ont été ramassés dans la Grotta della Ferrovia (située dans les marches en Italie centrale : Broglio et Lollini, 1982). Ils remontent à l'Épigravettien final (Alessio *et al.*, 1976 ; Bartolomei, 1966 : date $_{14}$C 11 700 ± 200 BP) et sont caractérisés d'abord par leur relative intégrité, ce qui permet une analyse globale des aspects typométriques, fonctionnels et esthétiques *sensu lato*. Ils représentent le « cas archéologique », l'exemple qui nous aide à illustrer une série de questions théoriques.

* Nous remercions la Dr Mara Silvestrini et le personnel du Museo Archeologico delle Marche pour nous avoir permis d'analyser les pièces. L'élaboration des illustrations a été effectuée dans le laboratoire du « Museo delle Origini » – Università « La Sapienza » di Roma.

1. Daniela Zampetti est l'auteur de la description des galets et des gravures. Cristina Lemorini a exécuté les analyses tracéologiques et les photos des pièces. Massimo Massussi est l'auteur des observations technologiques et expérimentales et du tableau 2. Les conclusions sont l'œuvre de Daniela Zampetti avec la collaboration de Cristina Lemorini et de Massimo Massussi.

LES GALETS

Tableau 1. Données archéométriques des galets de la Grotta della Ferrovia (D. Zampetti).

	Matière première	Couleur (code Munsell)	Long. max. en mm	Larg. max. en mm	Ép. max. en mm	Poids en grammes
Galet 1	Calcaire marneux	Entre 10 YR 7/1 et 10 YR 7/2 : *light gray*	97	54	14	151,6
Galet 2	Calcaire	10 YR entre 8/2 et 8/3 : *very pale brown*	86	67	21	127,2
Galet 3	Calcaire	7.5 YR 8/1 : *white*	69,5	21	10	20,2
Galet 4	Quartzite	10 YR 8/1 : *white*	30,5	14,7	6,6	4,5

Galet n° 1

Les gravures

Ce galet, dont la morphologie rappelle une plaquette subrectangulaire, a été publié maintes fois comme pièce d'art mobilier (Broglio et Lollini, 1982 ; Couraud, 1985 ; Graziosi, 1973 ; Silvestrini et Lollini, 2002). La décoration, qui occupe l'une des surfaces aplaties et le bord le plus long, est formée par des traits linéaires qui composent un motif « en fil barbelé » (surface aplatie) et par des traits parallèles (bords) (fig. 1a et b). En ce qui concerne la séquence d'exécution des gravures « en fil barbelé », les traits les plus courts ont été gravés postérieurement aux traits allongés (fig. 1c). De plus, les gravures ont parfois été repassées avec le même outil pointu. L'examen des gravures et des traces d'utilisation indique que les gravures ont vraisemblablement précédé l'utilisation. En effet, l'une des extrémités du galet montre des traits gravés qui paraissent avoir été effacés par les macro-traces d'usure.

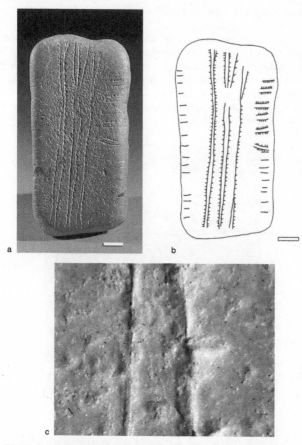

Figure 1. a, galet n° 1 de la Grotta della Ferrovia ; **b**, relevé des gravures (relevé d'après Couraud, 1985), échelle = 1 cm ; **c**, détail de la séquence des gravures (partie proximale en bas à gauche).

Morphologie des traces d'utilisation

Il s'agit d'ébréchures et de stries concentrées sur les extrémités plus courtes (fig. 2a). Le fort développement de ces traces a changé la morphologie naturelle des deux extrémités. L'extrémité proximale a en particulier acquis une délinéation du profil en « coin » (Mussi et Zampetti, 1993) ou à « facettes » (Beaune, 2000). La localisation des macro-traces dans la partie périphérique des extrémités du galet a donné ce profil particulier.

Figure 2. Traces d'usure visibles sur le galet n° 1.
a, traces *en coin* ou *à facette* sur extrémité proximale ;
b, ébréchure en *cone-step* sur la face non décorée.

L'expérimentation (tabl. 2) effectuée par l'un d'entre nous (Massimo Massussi) a démontré que l'association d'ébréchures, de petits creux (fig. 3a) et de stries, distribués en faisceaux (fig. 3b) ou en réseau (fig. 3c), se développe au cours de l'utilisation de percuteurs en pierre pour trois activités distinctes. Les ébréchures et les petits creux, qui donnent une surface piquetée, sont associés au débitage et au façon-

Tableau 2. Données expérimentales sur les percuteurs (M. Massussi).

Type de percuteur	Poids et morphologie	Actions	Traces d'utilisation	Activités et débitage
Percuteur léger	100 g – 200 g Du percuteur sphérique jusqu'au percuteur ellipsoïdal aplati (plaquette)	Percussion lancée	Piquetage Ébréchures d'usage de dimensions variables Traces de manipulation	Débitage de lamelles Façonnage
		Percussion posée	Stries distribuées en réseau ou en faisceaux parallèles Traces de manipulation	Abrasion des corniches du plan de frappe des nucléus
Percuteur demi-lourd	300 g – 500 g Du percuteur sphérique jusqu'au percuteur ellipsoïdal	Percussion lancée	Piquetage Ébréchures d'usage de dimensions variables Traces de manipulation	Débitage de lames Débitage de grands éclats Ravivage des surfaces débitées
Percuteur lourd	600 g – 1 000 g	Percussion lancée	Piquetage Ébréchures d'usage de dimensions variables Traces de manipulation	Essai de la matière première Débitage des préformes

nage. Les stries se produisent en abrasant les corniches des plans de percussion des nucléus.

Le galet n° 1 présente soit du piquetage soit des stries en faisceaux qui témoignent des trois activités. Selon l'expérimentation, le poids du galet est compatible avec une fonction en percuteur léger, utilisé pour le débitage des lamelles. En plus, le galet montre une grande ébréchure de type *cone-step* (Cotterell *et al.*, 1979) qui envahit la surface ventrale de l'objet à partir de l'extrémité distale. Elle est due à une erreur de percussion plutôt commune qui peut entraîner, dans les cas les plus extrêmes, l'abandon du percuteur (fig. 2b).

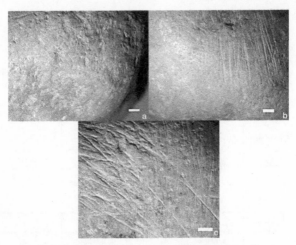

Figure 3. Données expérimentales concernant les traces d'usure
des percuteurs. **a**, petits creux ; **b**, stries en faisceaux ; **c**, stries en réseau.
Échelle = 1 mm.

Fonction présumée

L'étude des traces d'usure et leur reconstitution expérimentale
nous ont conduits à classer cette pièce parmi les percuteurs/retouchoirs.
Le galet a été utilisé pour préparer/raviver la corniche du plan de percussion d'un nucléus ou bien pour débiter et façonner des objets légers tels
que des lamelles. Les dimensions et le poids sont des indices qui confirment cette interprétation. En revanche, le grand éclat s'est détaché à la
suite d'une utilisation inadéquate. Il est hors de doute qu'il a été utilisé
pour un type de travail trop lourd, soit que ce percuteur léger ait été
utilisé en percuteur semi-lourd, soit qu'on y ait appliqué trop d'énergie.

Il faut remarquer que les stries d'utilisation se répandent aussi sur
les surfaces plates mais c'est la surface dépourvue de gravures qui présente la plus grande quantité de stries. Il y a donc eu intention de
sauvegarder le décor.

La surface du galet est caractérisée par un léger polissage diffus
qui est probablement dû au fort degré de manipulation subi par cet
objet.

Interprétation

La grande ébréchure qui envahit la surface ventrale du galet aurait pu provoquer l'abandon du galet. Mais il n'en est rien et cet objet a continué à être utilisé comme le suggèrent les traces d'usage lisibles sur sa partie proximale. Il pourrait s'agir d'un outil utilisé longuement par l'artisan qui en était le « propriétaire » aussi bien que l'utilisateur. Une valeur additionnelle peut être représentée par le caractère unique du décor, c'est-à-dire que même s'il existait des codes, chaque décor et chaque objet étaient uniques et donc étaient susceptibles de revêtir un rôle d'identification de la personne. L'objet a été utilisé après le travail d'incision. Le soin avec lequel ont été sélectionnées sa matière première, sa forme et ses dimensions ainsi que la tendance à la préservation des gravures sont très significatifs. Pour aller un peu plus loin, on peut se demander si les utilisateurs n'étaient pas les membres d'une même famille et donc si le retouchoir ne pourrait constituer une sorte d'héritage.

Galet n° 2

Les gravures

Les traces de gravures sur ce galet en forme d'éventail sont peu lisibles car elles sont très faibles (fig. 4a). De plus, le dessin est très ambigu (figure zoomorphe ?).

Morphologie des traces d'utilisation

L'extrémité distale du galet présente de nombreuses stries d'usure, distribuées en faisceaux. Ces traces se juxtaposent à de petits creux qui, néanmoins, sont des traces minoritaires (fig. 4c). L'usure intense a modifié le profil du galet qui en résulte aplati. La comparaison de la morphologie et de la distribution de ces traces avec le référent expérimental permet de formuler l'hypothèse d'une utilisation de type mixte : en percuteur-retouchoir surtout destiné à la préparation et au ravivage de la corniche du plan de percussion du nucléus (Beaune, 2000 ; Mussi et Zampetti, 1993). L'utilisation comme percuteur est confirmée par une large ébréchure conique (*cone-step*) qui a emporté

Figure 4. a, galet n° 2 de la Grotta della Ferrovia ; **b**, surface cassée ;
c, traces d'usure sur extrémité distale. Échelle = 1 cm.

presque totalement la surface opposée. Il s'agit d'une erreur de percussion qui n'a toutefois pas empêché de poursuivre l'utilisation du galet sur sa partie distale, comme les traces de manipulation observées sur le pourtour de la cassure (bords arrondis et brillants) paraissent en témoigner (fig. 4b).

Fonction présumée

L'outil a été utilisé surtout comme percuteur ; son poids est compatible avec le débitage de lamelles.

Interprétation

Cet objet a eu une histoire fonctionnelle très semblable au galet n° 1. La différence consiste dans le fait qu'il n'a pas été décoré ou bien que la décoration a été conçue comme un détail transitoire (les traces de gravures sont très faibles et peu lisibles). Par ailleurs, cette pièce constitue également un objet à usage prolongé, mais pour des raisons différentes du précédent, comme l'atteste la poursuite de son utilisation malgré sa fracture. Dans ce cas, c'est la qualité fonctionnelle qui a été préservée.

Galet n° 3

Figure 5. Galet n° 3 de la Grotta della Ferrovia : détail du bord avec les entailles. Échelle = 1 cm.

Les gravures

Il s'agit de traits linéaires parallèles qui se développent le long des bords longitudinaux : six traits courts et profonds sur un bord (fig. 5) et deux traits plus longs et moins profonds sur l'autre. Les six traits ont été exécutés avec un mouvement de va-et-vient et ressemblent à des entailles ou à des encoches. Les gravures longues sur le bord opposé sont en partie cachées par des incrustations de sédiment noirâtre et sont donc difficiles à analyser.

Morphologie des traces d'utilisation

Il n'y a pas de traces d'utilisation. En revanche, la surface du galet montre un léger polissage diffus qui suggère une continuelle manipulation.

Interprétation

L'absence de traces d'utilisation pourrait indiquer que l'objet était en cours de fabrication ; il aurait alors été destiné soit à un emploi exclusivement décoratif, soit à un type de travail conforme à ses dimensions.

Galet n° 4

Les gravures

Respectivement au nombre de sept et de neuf, les traits linéaires parallèles qui se développent sur les bords longitudinaux de ce galet ont une morphologie plus régulière et plus « classique » par rapport aux traits qui décorent le galet n° 3 (fig. 6a). Ces gravures sont beaucoup plus proches de celles qui sont visibles sur l'un des bords du galet n° 1 ; dans quelques cas, les traits gravés ont été ravivés (fig. 6b et c).

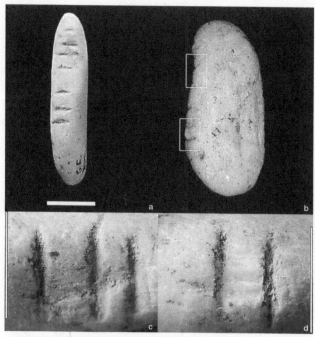

Figure 6. a, galet n° 4 de la Grotta della Ferrovia ;
b, localisation des macrophotographies des gravures, échelle = 1 cm ;
c et **d**, détails des gravures, échelle = 0,5 cm.

Morphologie des traces d'utilisation

L'objet n'a été pas utilisé comme outil. La surface du galet montre un léger polissage diffus.

Interprétation

S'agit-il d'une pendeloque en cours de fabrication (absence de perforation) ou bien d'une pendeloque utilisée avec un type de suspension qui ne nécessitait pas de percement ?

CONCLUSIONS

L'un des défis majeurs de l'archéologie préhistorique est de s'attaquer au concept de « vie quotidienne » au Paléolithique, ce qui constitue une sorte de paradoxe puisqu'il s'agit en réalité d'une reconstitution d'épisodes dont il faut se demander quelle est la valeur. Ces épisodes correspondent-ils à une règle usuelle ou bien à un événement exceptionnel ? Cela engendre une série de questions sur les méthodes et les objectifs de la recherche *sensu lato,* mais aussi sur le langage de la recherche, c'est-à-dire sur l'interprétation des données.

En ce qui concerne l'activité artistique, on peut dégager différents niveaux de réflexion. Au niveau le plus général, il faut se demander si les catégories esthétiques existaient déjà, si l'art figuratif, l'image, avait la même fonction que celle qu'il occupe dans les sociétés actuelles, s'il existait des « artistes » reconnus comme tels, un apprentissage et des « écoles » (Apellaniz, 1990 ; Groenen *et al.*, 2004). En outre, il faut se demander si l'on peut saisir une variation, pas seulement dans l'espace mais aussi dans le temps, de la valeur et de la fonction que les sociétés paléolithiques ont attribuées à l'art figuratif. Au niveau archéologique, on compte au moins trois sources d'information : le contexte, le contenu iconographique et le type d'utilisation. En ce qui concerne le contenu et l'utilisation, on peut adopter le modèle de André Leroi-Gourhan et séparer l'art à connotation religieuse de l'art associé aux objets à usage technique, quoique la coupure ne soit pas toujours nette entre les deux. On peut ajouter à cela le concept de durée. L'art pariétal traverse potentiellement plusieurs générations d'« artistes » et de « spectateurs ». En revanche, l'art mobilier a une durée de vie plus limitée parce que sa fonction peut changer assez rapidement, mais également parce qu'elle est souvent liée aux contraintes imposées par les activités manuelles.

Quant aux contextes, l'art peut être associé aux contextes rituels, aux contextes « domestiques » ou à d'autres contextes (par exemple itinéraires dans le territoire…). Écartons pour l'instant les contextes rituels et les autres contextes, qui sont représentés ici par l'art rupestre de plein air et dont les fonctions « religieuses » et signalétiques (par exemple en relation à des trajets dans un territoire) sont assez inséparables, et intéressons-nous aux contextes domestiques qui seuls peuvent nous rapprocher de la dimension du quotidien. Plusieurs possibilités nous sont offertes : présence d'art pariétal, d'ateliers de travail d'art mobilier ou de caches, témoignage d'utilisation d'objets fabriqués ailleurs… (Beaune, 2004). À notre avis, on peut saisir une dimension du quotidien quand on observe une large diffusion soit d'un art pariétal associé à des sites d'habitat, soit d'objets précaires ou peu élaborés à décoration figurative [2]. Mais il convient de faire abstraction de la signification de cette diffusion, car on ne peut savoir s'il s'agit d'une diffusion de la fonction symbolique et/ou religieuse ou bien de celle de la fonction esthétique et/ou décorative au sens moderne.

Enfin, lorsqu'on aborde le quotidien, on aborde aussi la question de l'individu. À ce sujet, les quatre galets analysés ici sont des indicateurs assez intéressants parce que, même s'il n'est pas possible de les associer à un sol d'habitat en raison des conditions de leur découverte et donc de reconstituer l'espace dans lequel ils ont été utilisés, ils illustrent néanmoins les différents types potentiels de relation d'une part entre l'individu et les outils employés, d'autre part entre l'individu et l'art.

Tous montrent des traces de manipulation mais seuls les n°s 1 et 2 ont été utilisés pour travailler la pierre. Le n° 1 est un outil décoré tandis que le n° 2 est un outil non décoré ; tous deux ont eu une durée de vie comme outils polyvalents. On peut avancer que la décoration du galet n° 1 a ajouté de la visibilité et donc de l'identité à la pièce et à son propriétaire. L'association fonction pratique/fonction symbolique est-elle intentionnelle ? Il nous semble en tous cas que le fait de décorer des objets destinés à se casser implique soit une relation très étroite avec l'outil soit une sorte de normalisation de l'activité artistique. Cette normalisation paraît confirmée par le cas des deux autres galets, exempts de fonction pratique mais utilisés. Les traits linéaires parallèles paraissent justifier à eux seuls les traces de manipulation lisibles sur les deux objets. Enfin si l'on s'arrête un instant sur la typologie des décors, qui mérite elle aussi réflexion, on observe que les formes linéaires qui ornent les galets n° 1, n° 3 et n° 4 sont assez caractéristiques des outils peu élaborés sur galet (voir par exemple Beaune, 2000 ; Mussi et Zampetti, 1993 ; Zampetti *et al.*, 2005) et fréquentes sur les pendeloques (Taborin, 1990 ; Utrilla, 1990) et les outils en matière dure animale (voir par exemple Corchon Rodriguez, 1986) et qu'elles sont de plus connues dès le début du Paléolithique supérieur. Ces des-

---

2. La distinction d'André Leroi-Gourhan entre objets précaires, objets d'usage prolongé et objets à suspendre reste une classification très pertinente (LEROI-GOURHAN, 1965).

sins, qui rappellent, par leur simplicité, la codification des signes graphiques dans l'écriture[3] et qui paraissent parfois souligner les surfaces des objets et les envelopper, peuvent-ils être considérés comme les prémices d'un langage populaire, d'un espéranto ? Ont-ils accompagné la diffusion des techniques de travail de la pierre et des matières dures d'origine animale ?

Bibliographie

ALESSIO M., BELLA F., IMPROTA S., BELLUOMINI G., CALDERONI G., CORTESI C., TURI B. (1976), « University of Rome Carbon-14 dates XIV », *Radiocarbon*, 18, p. 321-349.

APELLANIZ J.-M. (1990), « Modèle d'analyse d'une école dans l'iconographie mobilière paléolithique : l'école des graveurs de chevaux hypertrophiés de la Madeleine », *in* J. CLOTTES (dir), *L'Art des objets au Paléolithique*, Paris, Picard, t. 2, p. 105-138.

BARTOLOMEI G. (1966), « Diagramma microfaunistico con Sicista della grotta della Ferrovia nella "Gola della Rossa" del Fiume Esino presso Iesi (Ancona) », *Annali dell'Università di Ferrara*, sez. XV, III, p. 69-75.

BEAUNE S.A. DE (2000), *Pour une Archéologie du geste,* Paris, Éditions du CNRS.

(2004), « Un atelier magdalénien de sculpture de la stéatite au Rocher de la Caille (Loire) ? », *in* A-C. WELTÉ et E. LADIER (dir), *Art mobilier Paléolithique supérieur en Europe occidentale*, Actes du colloque 8.3, Congrès UISPP, Liège 2-8 sept. 2001, Liège, ERAUL n° 107, p. 177-186.

BROGLIO A., LOLLINI D.G. (1982), « I ritrovamenti marchigiani del Paleolitico superiore e del Mesolitico », *I° Convegno Beni Culturali e Ambientali delle Marche*, Rome, p. 27-61.

CORCHÓN RODRIGUEZ S. (1986), *El Arte Mueble paleolítico cantábrico : contexto y análisis interno*, Madrid, Ministerio de Cultura, Centro de investigación y Museo de Altamira, *Monografías* n° 16.

COTTEREL B., HAYDEN B., KAMMINGA J., KLEINDIENST M., KNUDSON R., LAWRENCE R. (1979), « The Ho Ho Classification and Nomenclature Committee Report », *in* B. HAYDEN (ed), *Lithic Use-Wear Analysis*, New York, Academic Press, p. 133-135.

COURAUD C. (1985), *L'Art azilien. Origine-survivance*, Paris, Éditions du CNRS, XXᵉ supplément à *Gallia Préhistoire*.

---

3. On peut citer par exemple le concept de « mémoire artificielle » utilisé par Francesco D'Errico (1999) dans le domaine de l'archéologie préhistorique et le concept de « code » qui lui est associé.

D'ERRICO F. (1999), « Palaeolithic origins of artificial memory systems : an evolutionary perspective », *in* C. RENFREW and C. SCARRE (eds), *Cognition and Material Culture : the Archaeology of Symbolic Storage*, Cambridge, MacDonald Institute Monographs, p. 19-50.

GRAZIOSI P. (1973), *L'arte preistorica in Italia*, Florence, Sansoni.

GROENEN M., MARTENS D., SZAPU P. (2004), « Peut-on attribuer des œuvres du Paléolithique supérieur ? », *in* M. LEJEUNE (dir), *L'Art pariétal paléolithique dans son contexte naturel*, Actes du colloque 8.2, Congrès UISPP, Liège 2-8 sept. 2001, Liège, ERAUL n° 107, p. 127-138.

LEROI-GOURHAN A. (1965), *Préhistoire de l'Art occidental*, Paris, Mazenod.

MUSSI M., ZAMPETTI D. (1993), « Ciottoli decorati e ciottoli utilizzati della fine del Paleolitico a Grotta Polesini (Lazio) », *Bullettino di Paletnologia Italiana*, 84, p. 57-83.

SILVESTRINI M., LOLLINI D. (2002), *Museo Archeologico Nazionale delle Marche. Sezione Falconara preistorica. L'Eneolitico*, Anona, Publicazione curata delle soprintendenza per i Beni Archeologico delle Marche.

TABORIN Y. (1990), « Le décor des objets de parure », *in* J. CLOTTES (dir), *L'Art des objets au Paléolithique*, Paris, Picard, t. 2, p. 19-37.

UTRILLA P. (1990), « Bases objectives de la chronologie de l'art mobilier paléolithique sur la côte cantabrique », *in* J. CLOTTES (dir), *L'Art des objets au Paléolithique*, Paris, Picard, t. 1, p. 87-99.

ZAMPETTI D., LEMORINI C., MASSUSSI M. (2005), « La lavorazione della pietra nell'Epigravettiano finale : I ciottoli incisi della Grotta della Ferrovia », *Atti della XXXVIII Riunione Scientifica I.I.P.P.*, p. 131-145.

La musique et les mythes

Marcel OTTE

ORGANOLOGIE

Les instruments de musique sont abondants et variés au Paléolithique supérieur européen et firent l'objet de riches études bien documentées (Dauvois, 1994a). L'importance prise alors par les matières osseuses justifie pour une part qu'on retrouve un si grand nombre de ces objets, le plus souvent en bois dans les contextes ethnographiques. Dès le Paléolithique donc, on voit attestée toute la gamme des instruments : ceux à corde (aux Trois-Frères), à percussion (à Mézine), à vent (flûtes, sifflets), les « racleurs » (sorte de percussion posée) et les rhombes (aérophones). On observe la même variété aux phases protohistoriques puis antiques mais également dans le domaine ethnographique, ce qui enrichit notre compréhension de ces instruments grâce à leur observation *in vivo*. Par exemple, la corne de Laussel évoque clairement les trompes polynésiennes et les cornes d'appel des montagnards. La gamme complète ainsi couverte ne verra plus guère d'inventions neuves mais des perfectionnements techniques incessants, assortis aux milieux historiques traversés (Schaeffner, 1980).

Récemment, la flûte de Dijve Babe fait remonter l'emploi de flûtes en os au Moustérien (fig. 1 et 2) : un os creux, tubique, possède quatre perforations d'un côté et une de l'autre, comme les doigts de la main, et évoque les flûtes en corne que les pasteurs en montagne font encore occasionnellement, lorsqu'ils manquent de matières végétales appropriées (Turk, 1997). Datée de 42 000 ans et découverte dans un contexte typiquement moustérien, cette flûte confirme les capacités intellectuelles dont disposaient les Néandertaliens, déjà attestées par

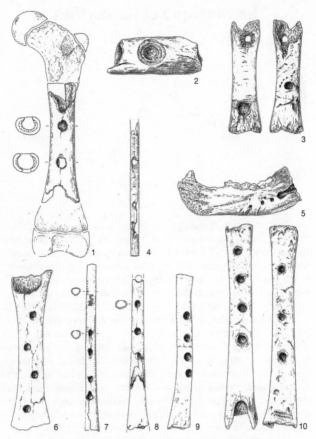

Figure 1. Flûte moustérienne de Dijve Babe et comparaisons :
1, Dijve Babe ; 2, Haua Fteah ; 3, Istállóskö ; 4, Geissenklösterle ; 5, Potoka ;
6, Liegloch ; 7 et 8, Isturitz ; 9, Molodova ; 10, Pas du miroir
(d'après Turk, 1997).

d'innombrables témoins, dont les sépultures. On sait que les Mousté-
riens étaient des « hommes du bois » : la plupart des instruments en
pierre témoignent des traces de ces activités et les découvertes

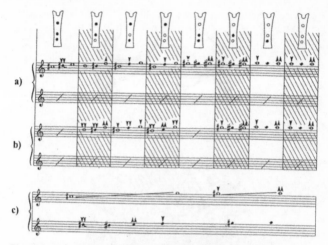

Figure 2. Tons obtenus par la flûte moustérienne reconstituée de Dijve Babe (Turk et Kunej, dans Wallin *et al.*, 2000).

d'épieux entiers le prouvent de façon éclatante (Lehringen, Schöningen). Nous avons donc toutes les raisons de penser qu'à l'instar de l'outillage, leurs instruments de musique étaient en matières végétales, comme dans la plupart des sociétés traditionnelles actuelles (Buckley, 1994).

Du reste, on ne connaît pas de société humaine dépourvue d'activités musicales, autant accompagnées de danses que de chants mais ces dernières activités n'ont guère laissé de traces au Paléolithique, à moins d'interpréter les empreintes de pas (comme celles du réseau Clastres à Niaux) comme des traces de danse (Blacking, 1980) (fig. 3). Par son universalité actuelle, la musique (les rythmes, les chants et les danses) s'impose comme nécessairement liée à la notion d'humanité (Ansermet, s.d.) au même titre que la pensée ou le langage, inconcevable lui-même sans une mélodie vocalique, dont nous percevons la particularité, bien plus que le sens des mots, dans tous les aéroports.

Outre son aspect ludique et plaisant, la musique est partout liée à des fonctions sociales : du liturgique au militaire en passant par l'appel et le charme. Elle est présente partout et remplace souvent les discours dans les assemblées. La mélodie et le rythme sont consubstantiels à

Figure 3. 1, peintures du Tassili : personnages masqués jouant
de la musique, dont l'arc musical, à droite, rappelle celui des Trois-Frères
(Mazowicz dans Le Quellec, 1994) ; **2** : orchestre du Congo
(gravure extraite de la relation de voyage de G. Merolla da Sorento,
Naples, 1692, dans Le Quellec, 1994).

l'esprit humain, ils participent à notre sensibilité, à notre émotivité et à
notre mode d'expression. Bien qu'universel, l'emploi de la musique
n'est pas limité à l'espèce humaine, tous les chants d'oiseaux vous le
diront, mais elle a pris chez nous une détermination traditionnelle et
fonctionnelle qui la lie à un milieu social propre et ainsi en donne une
large gamme de « variations ».

MYTHOLOGIE

Et c'est bien là le mot magique qui la relie aux mythologies,
comme les travaux de Claude Lévi-Strauss l'ont abondamment montré

(Clément, 2002 ; Meylan, 1994). Dans les deux cas, la maîtrise du temps est assurée par un thème général autour duquel les performances s'agencent, pour délimiter le champ réel occupé par l'emprise spirituelle. Comme la musique, la mythologie est universelle (sans qu'elle porte toujours ce nom-là) mais dans le cas européen, elle s'est figée en images dont André Leroi-Gourhan a montré l'articulation « mythographique ». Les récits abstraits furent matérialisés par l'image, au cours du Paléolithique supérieur, au moment même où les instruments étaient faits en matières animales : cette double relation (art et musique) exprime le monde animal, s'y fonde et le défie en s'y substituant. Nous sommes là dans un monde tout nouveau et très particulier, qui amorce les traditions proprement européennes. En revanche, si l'on compare aux civilisations amérindiennes, on voit que tout y est fugace, éphémère : arts et religions précisément pour en maintenir la force et la pureté ne sont pas matérialisés ; les mythologies y représentent une pensée, collective et profonde, révélant le fonds de la réalité et par laquelle tout phénomène prend un sens, atteste une vérité. Dans l'humanité paléolithique (phases anciennes incluses), l'importance des mythologies est garantie par la cohérence des comportements : maîtrise du feu, efficacité de la chasse, structures domestiques et toute la technicité. Cette efficacité dans l'emprise sur le monde vivant n'est possible que par l'existence d'un monde parallèle, imaginaire, donnant la justification morale à ces actes, intentionnels et conscients, orientés contre la nature des choses (celle de l'humanité incluse). L'homme du Paléolithique a fait preuve d'efficacité et d'intelligence pendant d'immenses périodes, et on peut penser que les mythologies ont joué un rôle crucial dans ses motivations. Elles aussi furent constitutives de son esprit.

RELATIONS DE LA MUSIQUE AUX MYTHES

Encore aujourd'hui, les relations entre musique et mythes sont fortes. Ainsi dans les sociétés pratiquant le shamanisme, le shaman entre en contact avec les esprits par l'intermédiaire de la musique et de la transe. Ce type de cérémonie renforce la cohésion du groupe. Au Paléolithique supérieur, la résonance des groupes était peut-être perçue et utilisée (Reznikoff et Dauvois, 1988 ; Dauvois et Boutillon, 1990) (fig. 4) comme le suggèrent les traces de percussion à l'entrée des salles de certaines grottes ornées de figuration à caractère peut-être mythologique. Et pourquoi ne pas évoquer, dans nos propres sociétés, la musique militaire, les hymnes religieux ou les chants propres aux clubs sportifs qui eux aussi pourraient être finalement en relation avec une certaine forme de « mythologie » moderne.

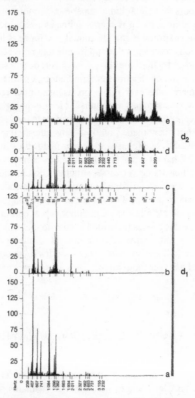

Figure 4. Gamme des résonances des draperies calcitiques dans la salle des peintures du réseau Clastres à Niaux (Dauvois, 1994b).

Par la musique, les mythes reprennent vie, ils donnent corps à leur réalité, ils rassemblent et solidarisent leur société. Dans leurs variations, les mythes assouplissent la pensée humaine pour lui donner plus de vitalité, de réalité. Ces variations, dont le terme même fut récupéré dans le langage musical, produisent la richesse d'une mélodie et son adaptation aux circonstances, aux interprètes, aux instruments.

Par-dessus tout, mythe et musique séduisent, l'un par l'esprit, l'autre par le cœur, et c'est ce mélange propre à l'être humain, de signification et de satisfaction qui ouvre la voie à une recherche de pureté, de vérité : ce sont les catalyseurs du sens moral (clairement défini, mais loin d'être atteint…).

RÉFLEXIONS

Le monde paléolithique se présente, toujours davantage, comme un immense réservoir de la sensibilité humaine, étalée au fil de centaines de millénaires : c'est un laboratoire des théories anthropologiques, mises ainsi à l'épreuve du temps. Dès lors, après avoir combattu (avec plus ou moins de succès) le mépris adressé aux peuples étrangers, à la suite de Jean-Jacques Rousseau, il nous reste à surmonter la naïve prétention qui nous place au sommet d'une évolution dont nous ne sommes en fait qu'une composante éphémère. Alors, le Paléolithique reçoit toute l'estime méritée, y compris en matières spirituelles. Les traces archéologiques ne sont en effet pour nous pas suffisantes pour témoigner d'une pensée qui, par définition, laisse peu de traces matérielles. Au-delà de la création systématique d'un simple éclat Levallois ou d'un humble biface, il nous faut imaginer toute la force symbolique mise en œuvre dans leur accomplissement, perpétuellement répété et harmonieusement adapté aux « variations » dues aux styles ou aux milieux. Derrière cette souplesse tangible de l'esprit, se trouvait aussi un monde imaginaire, équilibrant l'acte conscient, en lui donnant un sens et une élégance, par les mythes et par la musique.

Bibliographie

ANSERMET E. (s.d.), *Les Fondements de la musique dans la conscience humaine*, Neuchâtel, À la Baconnière.

BLACKING J. (1980), *Le Sens musical,* Paris, Éditions de Minuit.

BUCKLEY A. (1994), « Music and Humanisation as long-term process », *in* M. Otte (ed), *Préhistoire de la Musique*, Liège, ERAUL n° 61, p. 275-286.

CLÉMENT C. (2002), *Claude Lévi-Strauss*, Paris, PUF (2ᵉ éd.).

DAUVOIS M. (1994a), « Les témoins sonores paléolithiques », in *La Pluridisciplinarité en Archéologie musicale*, IVᵉ rencontres internationales d'archéologie musicale de l'ICTM, Saint-Germain-en-Laye, 1990, Paris, Éditions de la Maison des Sciences de l'Homme, p. 153-206.

(1994b), « Caractérisation acoustique des grottes ornées paléolithiques et de leurs lithophones naturels », in *ibid.*, p. 209-251.

DAUVOIS M., BOUTILLON X. (1990), « Études acoustiques au réseau Clastres. Salle des peintures et lithophones naturels », *Bulletin de la Société préhistorique Ariège-Pyrénées*, T. XLV, p. 175-186.

LE QUELLEC J.-L. (1994), « La musique dans l'art rupestre saharien », *in* M. OTTE (ed), *Préhistoire de la musique*, Liège, ERAUL n° 61, p. 219-242.

MEYLAN R. (1994), « Permanence de la flûte oblique autour de la Méditerranée », *in* M. OTTE (ed), *Préhistoire de la musique*, Liège, ERAUL n° 61, p. 135-151.

OTTE M. (ed) (1994), *Sons originels. Préhistoire de la musique*, Liège, ERAUL n° 61.

REZNIKOFF I., DAUVOIS M. (1988), « La dimension sonore des grottes ornées », *Bulletin de la Société préhistorique française*, T. 85, n° 8, p. 238-246.

SCHAEFFNER A. (1980), *Origine des instruments de musique*, Paris, Mouton.

TURK I. (1997), *Mousterian « Bone Flute » and Other Finds from Dijve Babe I cave Site in Slovenia,* Ljubljana, Institut za arheologije.

WALLIN N., MERKER B., BROWN S. (eds) (2000), *The Origins of Music*, Cambridge, Mass., Bradford Book, MIT.

Que peut-on dire des sociétés du Paléolithique supérieur ?

Une société hiérarchique
ou égalitaire ?

Brian HAYDEN
Traduit par Sophie A. de BEAUNE *et Dominique* CASAJUS

Il y a plus de 30 ans, le colloque *Man the Hunter* établissait un modèle égalitaire pour les modes de vie des chasseurs-cueilleurs, fondé principalement sur l'ethnographie de chasseurs égalitaires d'Afrique. Ce modèle fut majoritairement adopté pour l'interprétation des cultures paléolithiques basées sur la chasse, en Europe et ailleurs. Dès les années 1960 cependant, François Bordes et Denise de Sonneville-Bordes se demandaient si les groupes qui occupaient au Paléolithique supérieur les environnements les plus favorables ne s'apparenteraient pas plutôt à des sociétés de chasseurs-cueilleurs plus complexes comme celles des Indiens de la côte Nord-Ouest ou les Indiens des plaines (Bordes, 1969, p. 127-8 ; Sonneville-Bordes, 1969, p. 166 ; Bordes et Sonneville-Bordes, 1970, p. 64). À cette époque, la plupart des archéologues (et c'est encore le cas aujourd'hui) étaient peu disposés à accepter une telle interprétation. Les manifestations artistiques et rituelles du Paléolithique supérieur étaient considérées comme le résultat d'améliorations biologiques dans le domaine cognitif associées à l'arrivée d'*Homo sapiens* en Europe plutôt qu'à un quelconque changement dans la nature égalitaire des sociétés du Paléolithique supérieur. Ayant étudié les sociétés complexes de chasseurs-cueilleurs de l'Amérique du Nord pendant vingt ans, je souhaiterais soulever la question de savoir s'il faut considérer l'intuition déjà ancienne de François Bordes comme correcte, ou s'en tenir à la vision plus traditionnelle des groupes paléolithiques comme égalitaires.

J'ai commencé, sur le spectre de l'ensemble de sociétés de chasseurs-cueilleurs, par examiner ce qui distingue celles qui occupent les positions extrêmes (Hayden, 1995 et 2001a). Pour résumer, dans les sociétés de chasseurs-cueilleurs les plus simples, on est seulement capable d'exploiter des ressources limitées, susceptibles de s'épuiser en cas de surexploitation, telles le gibier de moyenne ou de grande taille. Du coup, ces sociétés ont des effectifs peu élevés et sont très mobiles ; le partage y est de règle ; la propriété privée et la possession de ressources en propre y sont rares ; elles sont dépourvues d'objets de prestige et n'accumulent pas de richesse ; elles ignorent la compétition économique ou la hiérarchie sociale et le stockage n'y est pas pratiqué. Voilà pour les sociétés à l'extrémité égalitaire du spectre.

À l'autre extrême, les sociétés de chasseurs-cueilleurs complexes (connues aussi sous le nom de chasseurs-cueilleurs pratiquant le stockage) sont à même de tirer beaucoup plus de ressources de leur environnement (souvent en utilisant de nouvelles techniques adaptées à l'exploitation d'espèces peu susceptibles de s'épuiser en cas de surexploitation, telles les poissons ou les graines de céréales). Les sociétés de chasseurs-cueilleurs complexes ont par conséquent des densités de population plus élevées, sont plus sédentaires et pratiquent souvent le stockage de grandes quantités de nourriture (Testart, 1982), lesquelles sont la propriété de certaines familles qui possèdent aussi les biens de prestige, la richesse, et généralement les lieux privilégiés où les ressources sont les plus abondantes. Ils présentent d'importantes inégalités socio-économiques, ce qui génère des rivalités d'ordre économique.

À partir d'exemples ethnographiques, un certain nombre de caractéristiques d'ordre matériel peuvent être utilisées pour distinguer les sociétés de chasseurs-cueilleurs complexes des plus simples : densités de population supérieures à 0,1 habitant par kilomètre carré ; sédentarité au moins saisonnière ; indices que le stockage était pratiqué ; indices de propriété privée ou de contrôle des ressources ; présence d'objets de prestige, spécialement de provenance lointaine ; inégalités socio-économiques perceptibles en contexte funéraire ou domestique ; présence de compétition basée sur la richesse, et s'exprimant sous la forme de destruction intentionnelle de biens.

INDICATIONS DU CARACTÈRE COMPLEXE DES SOCIÉTÉS DU PALÉOLITHIQUE SUPÉRIEUR

Il faut reconnaître qu'il existait une forte variabilité entre les sites et les régions dans l'Eurasie du Paléolithique supérieur. Alors que les habitants de certaines régions, comme celles qui sont les plus proches des langues glaciaires ont des ressources naturelles extrêmement réduites, d'autres, comme ceux occupant le Sud-Ouest de la France, disposaient d'un environnement incomparablement plus riche en herbivores. C'est sur ces régions plus favorables que je souhaite m'attarder afin de déterminer la complexité maximale que les sociétés paléolithiques étaient susceptibles d'atteindre.

Pendant le Paléolithique supérieur, le nombre de sites, leur taille et la durée des séjours qui s'y déroulent croît significativement, se rapprochant parfois même des densités propres aux populations agricoles (Mellars, 1994, p. 46, 61-2, 64). Ces faits suffisent à montrer que la quantité de ressources exploitées avait notablement augmenté. Les vestiges qui témoignent de l'aptitude à chasser au moins dans certaines conditions un grand nombre d'animaux, à obtenir de grandes quantités de nourriture, et à stocker des surplus considérables, vont dans le même sens. De grandes quantités d'animaux ont été capturés sur certains sites comme Solutré, Les Églises, Pincevent, Verberie, et sur un grand nombre de sites d'Europe centrale comme Dolní Vestonice ou des sites de la plaine russe (Klein, 1969, p. 222 ; Soffer, 1985, p. 328, 411, 416 ; Fontana, 2000, p. 162). De plus, des traces de découpe en filets que l'on peut associer à la préparation de la viande en vue de son stockage sont présentes dans la plupart des sites et particulièrement abondantes dans certains comme Les Églises, Moulin-Neuf, Saint-Germain-la-Rivière, Rond du Barry, Cuzoul de Vers et Troubat (Costamagno, 2003, p. 81-2).

D'après les contributeurs de ce volume et d'autres, l'exploitation d'une telle quantité de biomasse animale dans les sites situés dans les environnements les plus favorables du Paléolithique supérieur pouvait suivre deux scénarios (Demars *et al.*, ce volume ; Fontana, 2000 ; Delpech, 1983 ; White, 1985). La première stratégie aurait consisté à intercepter de grands troupeaux d'animaux migrateurs une ou deux fois par an grâce à des techniques de chasse collective, des abattages massifs et une préparation de filets de viande à grande échelle en vue de sa conservation pour une consommation différée et/ou pour son échange (Sieveking, 1976 ; Bahn, 1977 ; White, 1985). Ceci semble avoir été le cas dans le Bassin parisien et dans la plaine russe (Fairsevis, 1975, p. 91) aussi bien que dans certaines régions pyrénéennes. Sandrine Costamagno (2003, p. 84) admet toutefois que cette stratégie a pu être adoptée ailleurs, dans des lieux comme le cours moyen de la Dordogne où seuls des camps de base (plutôt que des sites d'abattage) ont été fouillés. Et c'est essentiellement dans les sites d'abattage qu'on aurait procédé au dépeçage et à la préparation des filets. La stratégie consistant à intercepter des animaux ou poissons migrateurs est celle que les chasseurs-cueilleurs complexes du Nord-Ouest de la Colombie-Britannique bien connus de la littérature ethnographique utilisent de préférence le long des rivières à saumon.

Le second scénario suppose des chasses à moindre échelle (concernant peut-être un à vingt animaux par chasse), visant des animaux stationnant dans la région (ou migrant saisonnièrement sur de courtes distances), et pratiquées tout au long de l'année à un rythme hebdomadaire ou mensuel. Certaines de ces chasses à petite échelle s'accompagnent elles aussi de la découpe de la viande en filets en vue de son stockage comme l'attestent les stries de décarnisation caractéristiques observées sur à peu près tous les ensembles fauniques examinés par Sandrine Costamagno (2003, p. 82). Cette stratégie de chasse régulière à petite échelle semble être la plus répandue en France (Costamagno, 2003, p. 83), spécialement dans la vallée de la Vézère (Fontana, 2000), encore qu'il faille prendre en compte qu'on n'a pour l'instant pas trouvé de grands sites d'abattage dans la région, et que si de tels sites ont été associés à des rivières et à des pièges de rivière, l'érosion les a détruits depuis longtemps. Or Randy White (1985) a été le premier à repérer que les sites d'occupation majeurs du Paléolithique supérieur du Périgord étaient fréquemment situés à proximité des gués de rivière, suggérant qu'on y avait installé des camps de base en vue de l'abattage des rennes pendant leur migration. Cependant, les escarpements rocheux qui alternent d'une rive à l'autre le long des méandres de la Vézère constituaient des culs-de-sac naturels qui ont pu servir pour rabattre les troupeaux d'animaux séjournant dans l'environnement immédiat, les chasseurs les attendant aux gués vers lesquels on les rabattait.

Un aspect important de la stratégie de rabattage collectif est qu'elle n'est efficace que si un grand nombre de gens y prennent part. Les faibles densités de population du Paléolithique moyen doivent avoir empêché le recours à ce genre de chasse collective sauf pendant les périodes où de nombreux groupes étaient rassemblés. Pour ce qui est de la chasse pratiquée tout au long de l'année, accompagnée d'un stockage plus limité, on peut la comparer aux stratégies des sociétés indiennes complexes du Nord-Ouest installées sur la côte sud de la Colombie-Britannique : là, on trouve tout au long de l'année toutes sortes de poissons, des fruits de mer et des mammifères marins, de sorte qu'il est possible de limiter le stockage. Dans l'intérieur du Nord-Ouest, il est intéressant de remarquer que des culs-de-sac artificiels ont été créés pour des chasses collectives afin d'assurer un approvisionnement plus sûr en chevreuils locaux (*Odocoileus*). Ces « clôtures à chevreuils » étaient construites par certaines familles auxquelles elles *appartenaient* (Alexander, 1992, p. 139-141). Les lieux les plus favorables à l'interception des saumons pendant leur migration appartenaient également à certaines familles et rendaient possible la constitution de surplus, l'échange, la circulation d'objets de prestige, l'accumulation de richesse et le développement de la complexité sociale (Donald et Mitchell, 1975 ; Hayden, 2001a, p. 247).

Ainsi, il existe deux scénarios alternatifs pour la production de surplus dans des régions comme la Vézère où la géographie, la biomasse, la démographie, et le niveau technique paraissent correspondre à une chasse communautaire hautement productive. Je suggère qu'il y a en France une relation de cause à effet entre la situation de ces ressources exceptionnelles et celle des lieux où se trouve la plus grande densité de sépultures, d'art mobilier et d'art pariétal au Paléolithique supérieur. Comme François Bordes (1969), Karl Butzer (1971, p. 463), et D. Bruce Dickson (1990, p. 177-8, 153) l'ont tous trois souligné, les steppes du Sud-Ouest français disposaient au Paléolithique supérieur d'une biomasse animale beaucoup plus riche et plus diversifiée que n'importe quel environnement actuel connu. Là aussi bien que dans la plaine russe, la quantité de viande disponible dans ces lieux les plus favorisés devait être impressionnante – probablement aussi importante que les surplus de poissons séchés qui sont à la base des sociétés complexes et des pratiques de potlatch bien connues de la côte Nord-Ouest d'Amérique du Nord. Le stockage est bien attesté dans la plaine russe (Soffer, 1985, p. 253-8, 459-62 et 1989), et des témoignages répandus de préparation de la viande en filets en France indiquent que le stockage y était également significatif (Costamagno, 2003, p. 81-84).

Étant donné l'abondance des ressources dans des zones clefs et l'apparente capacité à stocker de substantielles quantités de nourriture, il n'est pas surprenant que la densité de population semble s'être accrue du Paléolithique moyen au Paléolithique supérieur en Europe. En France, Sophie A. de Beaune (1995, p. 264) avance une densité moyenne de 0,1 à 0,2 habitant au kilomètre carré pour le Paléolithique supérieur, tandis que la densité dans des lieux particulièrement favorables comme la vallée de la Vézère a pu être significativement plus élevée. Ces densités sont comparables à celles des chasseurs-cueilleurs complexes de Colombie-Britannique (par exemple, Hayden, 1992, p. 530).

De la même manière, lorsque s'accroît la possibilité d'obtenir des ressources de nourriture, et en particulier de recourir au stockage ne serait-ce que saisonnier, on doit s'attendre à observer un accroissement de la durée des séjours, et plus spécifiquement de la sédentarité saisonnière. Ceci est également caractéristique des chasseurs-cueilleurs complexes. Laure Fontana (2000, p. 161-2) et d'autres estiment que l'occupation sédentaire saisonnière dans la vallée de la Vézère durait de novembre à mai, tandis que Sophie A. de Beaune (1995, p. 148, 257) observe que les sites les plus riches ont livré des dépôts d'occupation extrêmement épais, ce qui indique que des groupes doivent y avoir séjourné de façon répétée pendant des milliers d'années. En Europe de l'Est, des huttes semi-enterrées et de longues habitations (comparables à celles de Colombie-Britannique) sont généralement considérées comme indiquant une sédentarité substantielle, voire totale (Klíma, 1962, p. 201). Olga Soffer (1985, p. 328, 411, 416) et Richard Klein (1969, p. 222) ont estimé que des groupes humains ont pu résider de façon permanente dans certains de ces sites pendant plus de quatre ans. À Dolní Vestonice, Predmostí et Mezhirich, les massives charpentes en os et les facilités de stockage sont aussi l'indice d'une sédentarité saisonnière notable. Le schéma, avancé par Laure Fontana, d'un séjour hivernal dans les vallées fluviales, suivi à la bonne saison par la dispersion en petits groupes occupés à la collecte, est précisément le même que celui que rapporte l'ethnographie des chasseurs-cueilleurs complexes de l'intérieur de la Colombie-Britannique, qui sont sédentaires saisonniers (Alexander, 1992).

Une autre des caractéristiques fortement associées aux chasseurs-cueilleurs complexes est l'existence de biens de prestige, de matériaux provenant de contrées éloignées et de la propriété privée. Les objets qui peuvent être dits de prestige sont ceux qu'on utilise pour poursuivre des objectifs sociopolitiques tels que l'établissement d'alliances, l'obtention de partenaires de mariages, et le paiement de réparations compensatoires en cas de blessure ou de meurtre. Des objets de prestige existent parfois dans des populations de chasseurs-cueilleurs simples sous forme d'objets rituels particuliers ; cependant, ils sont toujours cachés dans des lieux écartés et ne sont jamais exhibés sur les sites résidentiels. À l'inverse, dans les sociétés de chasseurs-cueilleurs complexes, beaucoup d'objets de prestige sont destinés à être exhibés en public comme signe de succès économique ou de puissance politique, pour consacrer les mariages et les alliances ou pour payer les dettes. Ces objets de prestige ont la caractéristique de se trouver dans des sites résidentiels et tendent à être de loin beaucoup plus répandus que les objets rituels des sociétés de chasseurs-cueilleurs simples. Il n'y a guère de doute que les objets de prestige sont couramment présents dans de nombreux habitats du Paléolithique supérieur d'Eurasie. Tous les objets répertoriés comme objets d'« art mobilier » ou objets rituels, tous les outils décorés (tels les propulseurs sculptés, les feuilles de laurier et les lames exceptionnellement longues), tous les éléments de parure (coquillages perforés, perles en ivoire, pendeloques, dents percées), et les pierres exotiques ou l'ambre sont en fait des objets de prestige. Quelques pièces exotiques de valeur, comme certains coquillages ou certaines pierres, provenaient de lieux distants de plus de 1 000 kilomètres (Taborin, 1993, p. 325, 327 ; Beaune, 1995, 117, 175-179, 185, 247-248, 264 ; Féblot-Augustins, 1997).

De plus, j'ai suggéré que les effets taillés dans des peaux étaient certainement destinés à être exhibés comme objets de prestige (Hayden, 2002). L'existence de vêtements de peaux taillées et cousues est attestée par la forte proportion de grattoirs dans les industries du Paléolithique supérieur, par les sépultures où l'on trouve des parures en coquillage ou en os qui étaient cousus sur les habits, et par les figurations de vêtement dans l'art (Beaune, 1995, p. 68). D'autres indices importants laissent penser que les fourrures, les plumes d'oiseaux et les serres de rapaces étaient utilisées pour de tels costumes de prestige (comme dans de nombreuses populations de chasseurs-cueilleurs complexes en Amérique du Nord). Les oiseaux recherchés pour leur valeur et les animaux à fourrure étaient apparemment souvent chassés en grand nombre à des fins d'échange (Bouchud, 1953 ; Soffer, 1985, p. 400 ; Beaune, 1995, p. 92 ; Fontana, 2003 ; Laroulandie, 2003). D'autres cas similaires, et même plus frappants encore, ont été rapportés pour le Paléolithique supérieur et l'Épipaléolithique du Proche-Orient. L'image de la société du Paléolithique supérieur qu'on voit ainsi se dessiner présente bien peu de ressemblances avec les groupes de chasseurs-cueilleurs simples du Kalahari, et ressemble bien davantage aux sociétés complexes de chasseurs-cueilleurs de Sibérie, où les chefferies reposaient sur l'échange de fourrure et de nourriture séchée, comme l'a décrit Peter Jordan (2003, p. 34-44).

Étant donné tout l'effort qu'il fallait pour fabriquer ou acquérir des objets de prestige destinés à l'ostension publique, je pense que la simple présence d'objets de prestige dans des habitats suffit à rendre probable l'existence de propriété individuelle ou familiale. Le travail d'Alain Testart (1982) renforce la plausibilité d'une telle inférence pour les sociétés du Paléolithique supérieur puisqu'il observe que le stockage favorise considérablement le développement de la propriété privée, et on a vu justement qu'il y a de bonnes indications de l'existence du stockage au Paléolithique supérieur. Mon travail sur l'ethnographie des populations de chasseurs-cueilleurs complexes du Nord-Ouest m'a également convaincu que les lieux principaux où l'on se procurait la nourriture au Paléolithique supérieur, comme les gués de rivière, devaient aussi appartenir à des familles ou à des groupes. J'ai aussi suggéré que les fêtes où les participants surenchérissaient dans l'étalage de richesses pouvaient donner lieu au bris ou la destruction volontaire d'objets de valeur, semblables à la destruction des plaques de cuivre ouvragées à laquelle on assistait lors des potlatch de la côte Nord-Ouest (Hayden, 1995, p. 68 et 2001b, p. 53). Le bris intentionnel d'objets de prestige a certainement existé, comme Sophie A. de Beaune (1995, p. 212) le rapporte, et ce pourrait être l'indice que le Paléolithique supérieur pratiquait l'étalage agonistique de biens somptuaires.

Ainsi, la présence systématique d'objets de prestige dans de nombreux sites du Paléolithique supérieur peut être considérée comme une bonne raison de penser que ces sociétés présentaient en leur sein des disparités socio-économiques et des différences de richesses significatives. Une autre preuve, encore plus convaincante, que ces sociétés étaient hiérarchisées et inégalitaires vient des sépultures. Alors que des millions de personnes ont dû vivre en Eurasie durant cette période, seule une petite centaine de tombes ont été découvertes. Cela indique que l'inhumation était un traitement spécial réservé à un groupe particulier de personnes. Tout aussi significatif est le fait que la plupart des inhumés sont accompagnés de parures ou d'offrandes funéraires souvent très élaborées, comme ces petits coquillages cousus par centaines sur les bonnets et les vêtements des enfants enterrés dans la grotte des Enfants et celle des Eyzies. Cependant, les inhumations les plus remarquables à ce jour sont celles retrouvées à Sungir' dans la plaine russe, où des milliers de perles en ivoire sont cousus sur les vêtements d'un adulte et de deux adolescents. Randy White (1993) a évalué le temps nécessaire à la fabrication de ces perles à environ 10 000 heures. Les sociétés égalitaires sont rarement le théâtre d'un investissement en travail aussi imposant. Une accumulation de richesse et un contrôle du travail de cette envergure sont plutôt caractéristiques des sociétés hiérarchisées à chefferie. Rick Shulting et moi-même (Hayden et Schulting, 1997) avons examiné la répartition des objets de prestige dans la région intérieure du Nord-Ouest de l'Amérique du Nord et avons montré qu'ils se concentrent préférentiellement dans les lieux de pêcherie de saumons les plus riches. Sur la côte, Leland Donald et Donald Mitchell (1975) ont démontré de la même manière que la complexité sociopolitique était fortement liée à la disponibilité des ressources. Pour l'Europe, je suggérerais que la concentration nette des sépultures, et spécialement des inhumations avec des offrandes funéraires dans certaines régions comme le Périgord, est là aussi à mettre en relation avec la richesse en ressources de ces régions.

En plus de la présence très inégale des sépultures avec offrandes, les tombes avec une architecture élaborée sont elles aussi très rares, comme le coffre en dalles de pierres qui recouvrait le corps de la femme à Saint-Germain-la-Rivière, richement paré et accompagné d'offrandes. Bien que de petites dimensions, cette construction en pierre constitue tout de même un des rares exemples d'architecture monumentale au Paléolithique supérieur. On peut en citer d'autres comme les massives charpentes de huttes en os de mammouth de la plaine russe centrale (Soffer, 1985), et la dalle d'une tonne utilisée pour la construction d'un monument rituel à la grotte d'El Juyo (Freeman et Echegaray, 1981). Ce type de structure monumentale suppose un contrôle et une coordination du travail qui va bien au-delà de ce que l'on peut attendre normalement d'une société de chasseurs-cueilleurs simple.

Ainsi, il y a de bonnes raisons de considérer que les sociétés du Paléolithique supérieur, *celles du moins qui occupaient les environnements les plus favorables de l'Eurasie*, étaient des sociétés de chasseurs-cueilleurs complexes à des degrés divers. Les ressources disponibles dans ces régions sont de loin bien plus abondantes que tout ce qui avait été connu auparavant (et ce grâce aux techniques, à la biomasse animale, à la géographie, aux techniques de stockage et à la chasse collective). L'exploitation effective de ces ressources a favorisé l'accroissement de la densité de population et de la taille des communautés, et permis un sédentarisme saisonnier et un stockage important. Le stockage en lui-même suppose au minimum la production occasionnelle de surplus ainsi que la reconnaissance de la propriété privée. La présence systématique d'objets de prestige dans des habitats constitue une indication supplémentaire de l'existence de la propriété privée, et il en est de même pour les riches offrandes funéraires qui accompagnent certains défunts. Les inégalités dans la répartition des offrandes funéraires et la présence parmi elles d'objets de prestige plaident fortement en faveur de l'existence d'inégalités socio-économiques et d'une organisation hiérarchique (plutôt qu'égalitaire) de la société. Tous ces traits sont caractéristiques des sociétés de chasseurs-cueilleurs complexes et hiérarchisées, alors qu'ils sont absents des sociétés de chasseurs-cueilleurs simples et égalitaires. C'est la disponibilité des ressources qui apparaît comme la condition de l'émergence des inégalités et de la complexité des sociétés de chasseurs-cueilleurs, et ce, aujourd'hui comme autrefois.

De plus, la littérature ethnographique montre que les sociétés de chasseurs complexes et disposant de surplus de richesses tendent à favoriser l'émergence d'individus qu'on peut caractériser comme des « agrandisseurs » (Hayden, 1995 et 2001a et b), tels ces chefs de la côte Nord-Ouest, qui s'élèvent dans la hiérarchie sociale en organisant des potlatch somptuaires. Ils contribuent ainsi à provoquer dans la société les changements qui confortent leurs propres intérêts, et ce sont probablement eux qui sont responsables de l'apparition des caractéristiques sociopolitiques des chasseurs-cueilleurs complexes. J'ai précédemment proposé l'hypothèse selon laquelle ils auraient favorisé l'émergence de la propriété privée, l'usage de biens de prestige à même de leur procurer des bénéfices sociaux et politiques, l'aptitude à acquérir des compagnes grâce à leur richesse, l'organisation de fêtes où les surplus leur permettaient d'acquérir des avantages et de se créer des obligés, la restriction de l'accès aux pouvoirs surnaturels, et autres innovations du même ordre qui ne pouvaient qu'altérer en profondeur les valeurs égalitaires. Il est peut-être temps de commencer à chercher ces individus ou au moins les expressions matérielles de leurs stratégies, durant le Paléolithique supérieur.

Bibliographie

ALEXANDER D. (1992), « A Reconstruction of Prehistoric Land Use in the Mid-Fraser River Area based on Ethnographic Data », *in* B. HAYDEN (ed), *A Complex Culture of the British Columbia Plateau*, Vancouver, University of British Columbia Press, p. 90-176.

BAHN P. (1977), « Seasonal Migration in Southwest France during the Late Glacial Period », *Journal of Archaeological Science*, 4, p. 245-257.

BEAUNE S.A. DE (1995), *Les Hommes au Temps de Lascaux*, Paris, Hachette, coll. « La Vie quotidienne ».

BORDES F. (1969), « Les Chasseurs », in *La France au temps des Mammouths*, Paris, Hachette, p. 93-131.

BORDES F., SONNEVILLE-BORDES D. DE (1970), « The Significance of Variability in Paleolithic Assemblages », *World Archaeology*, 2, p. 61-73.

BOUCHUD J. (1953), « Les Paléolithiques utilisaient-ils les plumes ? », *Bulletin de la Société préhistorique française*, T. 50, p. 556-560.

BUTZER K. (1971), *Environment and Archaeology*, Chicago, Aldine.

COSTAMAGNO S. (2003), « L'exploitation des Ongulés au Magdalénien dans le Sud de la France », *in* S. COSTAMAGNO, V. LAROULANDIE (eds), *Mode de Vie au Magdalénien. Apports de l'Archéozoologie*, Oxford, BAR, International Series n° 1144, p. 73-88.

DELPECH F. (1983), *Les Faunes du Paléolithique supérieur dans le sud-ouest de la France, Cahiers du Quaternaire* n° 6, Paris, Éditions du CNRS.

DICKSON D.B. (1990), *The Dawn of Belief : Religion in the Upper Paleolithic of Southwestern Europe*, Tucson, University of Arizona Press.

DONALD L., MITCHELL D. (1975), « Some Correlates of Local Group Rank among the Southern Kwakiutl », *Ethnology*, 14, p. 325-346.

FAIRSERVIS W. (1975), *The Threshold of Civilization*, New York, Scribners.

FÉBLOT-AUGUSTINS J. (1997), « Middle and Upper Paleolithic Raw Material Transfers in Western and Central Europe », *Journal of Middle Atlantic Archaeology*, 13, p. 57-90.

FONTANA L. (2000), « La chasse au renne au Paléolithique supérieur dans le Sud-Ouest de la France », *Paléo*, vol. 12, p. 141-164.

(2003), « Characterization and Exploitation of the Arctic Hare (*Lepus timidus*) during the Magdalenian », *in* S. COSTAMAGNO, V. LAROULANDIE (eds), *Mode de Vie au Magdalénien. Apports de l'Archéozoologie*, Oxford, BAR, International Series n° 1144, p. 101-118.

FREEMAN L., ECHEGARAY J. (1981), « El Juyu : A 14 000 Year-Old Sanctuary from Northern Spain », *History of Religions*, 21, p. 1-19.

HAYDEN B. (1981), « Research and Development in the Stone Age », *Current Anthropology*, vol. 2, p. 519-548.

(1992), « Conclusions : Ecology and Complex Hunter/Gatherers », *in* B. HAYDEN (ed), *A Complex Culture of the British Columbia Plateau*, Vancouver, University of British Columbia Press, p. 525-564.

(1995), « Pathways to Power », *in* T.D. PRICE, G. FEINMAN (eds), *Foundations of Social Inequality*, New York, Plenum Press, p. 15-85.

(2001a), « Richman, Poorman, Beggarman, Chief : The Dynamics of Social Inequality », *in* G. FEINMAN, T.D. PRICE (eds), *Archaeology at the Millenium*, New York, Kluwer Academic/Plenum Publishers, p. 231-272.

(2001b), « Fabulous Feasts : A Prolegomenon to the Importance of Feasting », *in* M. DIETLER, B. HAYDEN (eds), *Feasts : Archaeological and Ethnographic Perspectives on Food, Power, and Politics*, Washington, D.C., Smithsonian Institution Press, p. 23-64.

(2002), « L'évolution des premiers vêtements en cuir », *in* F. AUDOIN-ROU-ZEAUD, S. BEYRIES (eds), *Le Travail du Cuir de la Préhistoire à nos jours*, Juan-les-Pins, Éditions APDCA, p. 193-216.

HAYDEN B., SCHULTING R. (1997), « The Plateau Interaction Sphere », *American Antiquity*, vol. 62, p. 51-85.

JORDAN P. (2003), *Material Culture and Sacred Landscape : The Anthropology of the Siberian Khanty*, Walnut Creek, Calif., Altamira Press.

KLEIN R. (1969), *Man and Culture in the Late Pleistocene*, San Francisco, Chandler.

KLÍMA B. (1962), « The First Ground-Plan of an Upper Paleolithic Loess Settlement in Middle Europe and its Meaning », *in* R. BRAIDWOOD, G. WILLEY (eds), *Courses Toward Urban Life*, Chicago, Aldine, p. 193-210.

LAROULANDIE V. (2003), « Exploitation des Oiseaux au Magdalénien en France », *in* S. COSTAMAGNO, V. LAROULANDIE (eds), *Mode de Vie au Magdalénien. Apports de l'Archéozoologie*, Oxford, BAR, International Series n° 1144, p. 129-138.

MELLARS P. (1994), « The Upper Paleolithic Revolution », *in* B. CUNLIFFE (ed), *The Oxford Illustrated Prehistory of Europe*, Oxford, Oxford University Press, p. 42-78.

SIEVEKING A. (1976), « Settlement Patterns of the Late Magdalenian in the Central Pyrenees », *in* G. SIEVEKING *et al.* (eds), *Problems in Economic and Social Archaeology*, London, Duckworth, p. 583-603.

SOFFER O. (1985), *The Upper Paleolithic of the Central Russian Plain*, Orlando, Academic Press.

(1989), « Storage, sedentism, and the Eurasian Paleolithic record », *Antiquity*, vol. 63, p. 719-732.

SONNEVILLE-BORDES D. DE (1969), « Les Cavernes », in *La France au temps des Mammouths*, Paris, Hachette, p. 165-186.

TABORIN Y. (1993), *La Parure en coquillage au Paléolithique*, XXIXe supplément à *Gallia Préhistoire*, Paris, Éditions du CNRS.

TESTART A. (1982), « The Significance of Food Storage among Hunter-Gatherers », *Current Anthropology*, vol. 23, p. 523-537.

WHITE R. (1985), *Upper Paleolithic Land Use in the Perigord. A Topographic Approach to Subsistance and Settlement*, Oxford, BAR, International Series n° 253.

(1989), « Husbandry and Herd Control in the Upper Paleolithic », *Current Anthropology*, vol. 30, p. 609-632.

(1993), « Technological and Social Dimensions of "Aurignacian age" Body Ornaments across Europe », *in* H. KNECHT *et al.* (eds), *Before Lascaux*, Boca Raton, CRC Press, p. 277-299.

WOODBURN J. (1982), « Egalitarian Societies », *Mankind*, vol. 17, p. 431-451.

Réflexions sur la parure

De l'Atlantique à l'Oural*

Andrei SINITSYN

Deux sortes de réflexions scientifiques peuvent être appliquées à la démarche archéologique. D'abord, l'intégration des découvertes dans des systèmes de représentation (concepts, valeurs) et la reconstitution d'images tirées du passé. Ensuite, la prise de conscience de nos propres capacités d'observation et d'analyse des sources archéologiques. Il est en effet indispensable d'évaluer la nécessité de créer des catégories nouvelles et des approches méthodologiques afin de modifier les méthodes de travail et de les concrétiser.

Ces deux aspects agissent en complémentarité et notre connaissance du passé dépend de la combinaison des deux systèmes de valeurs : elle va du connaissable au connu. Nous ne pouvons percevoir que ce que notre appareil conceptuel et le niveau technique de la science mettent à notre disposition. Les événements tirés du passé ne peuvent être perçus selon le système de valeurs modernes qu'à condition que les valeurs scientifiques actuelles soient prêtes à les intégrer.

Par exemple, la science du XIXᵉ siècle ne pouvait pas admettre l'art pariétal car il ne s'inscrivait pas dans les valeurs scientifiques d'alors. Mais, plus encore, il subissait une carence de réflexion : la réflexion scientifique en Préhistoire excluait alors la production artistique. Tout comme l'archéologie avant Heinrich Schliemann ne pouvait pas tenir compte de la poésie épique comme source d'information.

La présente contribution vise à estimer l'état actuel de la réflexion dans l'étude des objets de parure personnelle, sur de grands territoires orien-

---

* Cet article fut préparé dans le cadre du projet RFFI. 04-06-80270. Je suis très reconnaissant à Marcel Otte d'avoir revu mon texte et à Sophie A. de Beaune pour l'avoir réécrit.

taux, à partir de la confrontation et de l'analogie avec les ensembles de la couche de « cendre volcanique » du site de Markina Gora (Kostienki 14).

SITUATION GÉNÉRALE

En 2000, une couche culturelle fut identifiée à Markina Gora (Kostienki 14), dans la cendre volcanique entre les niveaux III et IVa, selon la nomenclature des années 1953-1954. La littérature est tellement abondante sur ces sites (comme sur bien d'autres sites voisins) qu'il n'a pas été possible d'en modifier la numérotation. Nous avons donc utilisé des termes descriptifs tels que « couche culturelle de cendre volcanique » ou « horizon des os de mammouths », ou encore « horizon du sol fossile » (ces deux derniers se trouvant entre les couches culturelles IVa et IVb). Les premières fouilles avaient montré que la couche culturelle était protégée par la cendre volcanique et que la présence d'habitats avait été interrompue par un événement catastrophique (Sinitsyn, 2003). Lors des saisons suivantes, les fouilles ont montré que la situation était plus complexe. Les couches culturelles restées *in situ* étaient identiques au-dessus des cendres volcaniques, comme si l'habitat avait été inchangé au-dessus de la cendre, donc comme si cette occupation s'était prolongée après la catastrophe.

Cette couche contenait une industrie lithique aurignacienne, avec de nombreuses lamelles Dufour et objets de parure (fig. 1a). Son âge d'environ 32 000 ans a été obtenu par trois datations au carbone 14. Cette cendre volcanique pose des problèmes chronologiques : durant les quatre-vingts ans de recherches effectuées au siècle passé, l'éruption fut attribuée à l'Ignimbrite Campinien (IC) de l'aire Phlégréen en Italie du Sud. Cependant, par analogie avec le cortège minéral de l'horizon Y5, décelé au fond de l'Adriatique, ce niveau fut placé entre 41 000 et 38 000 ans (Melekestsev *et al.*, 1984 ; Ton-That *et al.*, 2001 ; Fedele *et al.*, 2003). Les différences entre ces dates au carbone 14 et celles obtenues par d'autres méthodes comme la thermoluminescence suscitèrent la remise en cause des deux échelles chronologiques, en corrélation avec la géologie, la palynologie et le paléomagnétisme.

Les perles tubulaires furent réalisées sur diaphyses de petits animaux (lièvre, renard, oiseau). Elles furent ornées par des incisions, en séries transversales, parfois en spirales concentriques (fig. 2a), ce qui soulève de nouvelles questions, telle que la cause de ces ressemblances avec la parure de la couche 11 de Denisova, en Altaï.

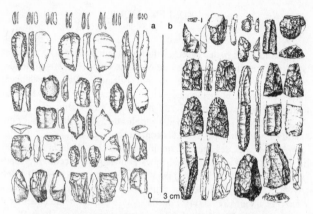

Figure 1. Industrie lithique. **a**, Kostienki 14 (Markina Gora), couche de « cendres volcaniques » ; **b**, Denisova, couche 11 (d'après Derevianko *et al.*, 2003).

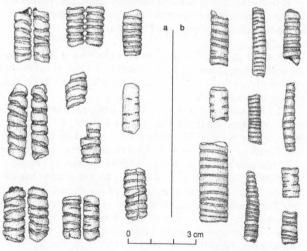

Figure 2. Perles longues. **a**, Kostienki 14 (Markina Gora), couche de « cendres volcaniques » ; **b**, Denisova, couche 11 (d'après Derevianko et Shounkov, 2004, fig. 12, p. 22).

PROBLÉMATIQUE

Les longues perles osseuses du niveau 11 de Denisova et celles issues des cendres volcaniques de Markina Gora (fig. 2) sont totalement identiques, et ce dans les moindres détails : elles appartiennent donc à une seule et même catégorie. Cette analogie est d'autant plus inattendue que les aspects suivants méritent d'être soulignés.

1. Les deux sites sont séparés par plus de 3 000 kilomètres, ce qui exclut l'unité culturelle, voire les contacts entre eux.

2. Les dates des sites semblent assez proches. Pour la couche 11 de Denisova, on a les dates suivantes pour la galerie centrale : supérieure à 37 235 (COAN-2504) pour la partie moyenne ; 29 200 ± 360 (AA-35321) pour la partie supérieure (Derevianko *et al.*, 2003 ; Derevianko et Shounkov, 2004). Pour la galerie est, la même couche est datée de 48 650 ± 2 380/1 840 (Derevianko, 2005, p. 504). À Kostienki 14, les couches « de cendre volcanique » ont été datées de 32 420 ± 440/420 (GrA-18053) (Sinitsyn, 2003), 31 770 ± 280 (GrA) et 32 090 ± 280 (Beta), ces deux dernières dates, sans référence de laboratoire, nous ayant été communiquées par Paul Haesaerts. Gardons à l'esprit que la couche volcanique (39-41 ka) était associée à la couche culturelle.

3. Les deux ensembles présentent des traditions techno-typologiques différentes. La couche 11 de Denisova se rapporte aux cultures transitionnelles, tandis que celle « de cendre volcanique » de Kostienki est aurignacienne (voir fig. 1).

4. Ces analogies ne portent que sur un seul type de parure, tous les autres types étant différents. Cependant, l'importance numérique de ces parures est la même dans les deux sites. À Markina Gora, ceci est peut-être dû aux dépôts volcaniques très rapides d'origine catastrophique. Mais, pour l'Altaï, l'abondance des pendeloques reste à expliquer.

Ainsi, ces objets de parure intégrés à des assemblages très éloignés dans l'espace, mais assez proches chronologiquement et retrouvés dans des contextes techniques lithiques et osseux très différents forment une catégorie particulière. Mais il est possible que la parure soit une composante culturelle assez stable, comme tendent à le montrer les données ethnographiques.

RÈGLES ET EXCEPTIONS

La rareté des pendeloques ne facilite pas la définition de règles régissant leurs répartitions. De vastes territoires n'ont pratiquement livré aucune pendeloque sur de longues périodes.

Certains ornements possèdent une diffusion si générale qu'ils en perdent toute signification culturelle (coquilles et dents animales). Inversement, certains types spécifiques ne sont connus que dans quelques sites, tels que les longues perles. Alors que les perles allongées fabriquées à partir de diaphyses de petits animaux et que les décors incisés péricylindriques sont tous deux assez répandus, la combinaison de ces deux attributs sur un même objet est exceptionnelle. Les techniques de décor en gravure profonde se distinguent de celles du Gravettien où les traits incisés sont beaucoup plus fins. Outre Denisova et Markina Gora, de tels objets sont connus dans le Sud-Ouest de la France, en particulier à la Souquette (White, 1989) et peut-être dans la couche aurignacienne d'Isturitz (White, information personnelle).

Ces ressemblances sont si éloignées dans l'espace que cela exclut l'hypothèse d'un contact. Cela correspond à l'idée, dominant jusqu'au milieu du XIXe siècle, d'une évolution en stades techniques qui aurait été indépendante du lieu. Les différences observées d'une région à l'autre étaient mises sur le compte du caractère lacunaire de notre documentation. L'exemple le plus frappant est celui de la grotte Kapova (Oural) dont la ressemblance avec l'art magdalénien franco-cantabrique ne fait pas de doute.

Les ressemblances à longue distance furent observées par exemple dans les habitats de l'Ouest européen jusqu'au Ienisséi et même jusqu'au lac Baïkal. Elles furent interprétées comme résultant de la convergence de modes de vie analogues et de la similitude des matériaux disponibles (Vassilev, 1996). En revanche, la ressemblance entre les anneaux d'ivoire de Kourtak (Ienisséi), Arcy (Yonne) et Spy (Belgique) (Taborin, 2004, p. 163), celle des styles artistiques, des ensembles techniques ou des objets de parure observés dans des sites très éloignés dans le temps et l'espace n'ont pas encore reçu d'explication. Ce sont apparemment autant d'exceptions dans nos connaissances actuelles. Bien entendu, les ressemblances les plus fortes touchent l'équipement technique de sites proches ; plus la distance entre les sites augmente, plus ces ressemblances ont tendance à diminuer. Ces constantes et variations sont à la base des définitions des ensembles culturels régionaux et de leurs aires d'extension spatiale.

Ainsi, les exceptions confirment la règle. Toutefois, le nombre d'exceptions s'accroît au fil des découvertes. Aux exemples déjà mentionnés, on peut ajouter la ressemblance entre plusieurs sites du début du Paléolithique supérieur (Bocher Tachtit, Bohunice, Kara Bom) ou la manifestation inattendue de l'Aurignacien en Altaï (Otte et Derevianko, 2001 ; Otte, 2004). Citons encore la ressemblance des pointes du Lincombien-Jerzmanovicien avec celles de Telmanskaia (le plus récent : Flas 2000-2001, 2002), la ressemblance entre les microlithes géométriques et les triangles de Byki 1 et 7 (région de Koursk, avec des dates de 17 000 à 16 000 ans) (Tchoubour, 2001 ; Akhmetgaleeva, 2004a et b) ou la similitude entre les ornements du Sauveterrien français de Maisières et ceux d'Elissevitchi (Heinzelin, 1973).

Dans les trois derniers cas, outre la distance géographique considérable, les sites appartiennent à des périodes très éloignées. On peut y ajouter les analogies étonnantes entre les harpons barbelés magdaléniens de l'Ouest de l'Europe, ceux de l'Altaï (Koungourov, 1993), et ceux du Middle Stone Age d'Afrique du Sud (Yellen *et al.*, 1995 ; Yellen, 1998).

Au fil des recherches futures, il est probable que de tels exemples vont se multiplier. De même, la réflexion scientifique va devoir s'adapter et s'intéresser à l'augmentation du nombre de telles « exceptions » qui n'en seront plus. Le besoin de les expliquer va se faire sentir. Tant que ces exceptions restent minoritaires, elles ne remettent pas en question les conceptions en vigueur. Mais si leur nombre dépasse certaines limites, on risque d'être obligé d'intégrer ces « exceptions » et de repenser en profondeur les cadres de nos connaissances actuelles.

La forte analogie observée entre les perles longues de Denisova et celles de Markina Gora illustre ces limites et met l'archéologue face à la nécessité de formuler de nouveaux concepts qui dépassent la simple explication consistant à attribuer de telles ressemblances au hasard.

APPROCHE SYSTÉMIQUE

Le hasard ne peut être retenu car il n'explique rien. Il ne conduit à aucune interprétation et se limite à la simple constatation, exclusive et unique, d'un phénomène « rare ».

En d'autres termes, si de telles ressemblances existent entre les perles longues sur de si grandes distances, quel mécanisme peut-il en être à l'origine ?

Une réponse n'est possible que si l'on admet que la « culture » exprime davantage que la somme de ses différentes composantes assimilées : en plus de sa fonction dans la vie quotidienne, la culture jouerait un rôle dans le maintien du système, le tout fonctionnant comme une unité organique.

La notion de catégorie culturelle ne peut être admise que si l'on accepte l'existence de mécanismes destinés à maintenir la cohésion des diverses composantes du système comme unité logique. Il existerait donc de telles tendances, supérieures à la somme des mécanismes internes dont la culture est formée. Outre ces capacités de définition, il faut faire apparaître les mécanismes qui maintiennent le système et assurent son fonctionnement autonome. On peut supposer que les divergences entre cultures ne reflètent pas seulement des variations de type, de technique ou de quantité, mais aussi du caractère composite de leur organisation. En empruntant l'idée formulée par Edward Sapir en linguistique structurale, on ne peut pas exclure l'existence de cultures archéologiques qui ne se définiraient pas seulement par l'association de certaines composantes mais aussi par leur organisation les unes par rapport aux autres. La prise en compte de cet aspect est un principe fondamental de l'approche systémique et c'est ce qui fait sa différence par rapport à l'approche quantitative des composantes.

En somme, la situation actuelle est la suivante : d'un côté, on observe des classes d'artefacts dont on estime le degré d'analogie, de l'autre, le besoin d'élargir les critères diagnostics se fait sentir. La démarche actuelle semble incapable de poursuivre de telles études et mérite d'être renouvelée.

La supposition de l'existence de mécanismes culturels internes régissant l'organisation des formes existe dans deux domaines : le domaine linguistique et le domaine stylistique. Tous deux sont orientés vers la mise en évidence des mécanismes générant des unités culturelles différentes.

LE DOMAINE LINGUISTIQUE

La « linguistique générative » de Noam Chomsky se fonde sur la supposition de l'existence de mécanismes internes. Si l'on transpose cette idée au domaine archéologique, il s'agit de décrypter l'information archéologique selon sa propre grammaire, grammaire dont les règles et les composantes seront déduites de la diversité des attributs et de leurs combinaisons observés à partir de l'information matérielle. Composantes et règles internes ne peuvent être transposés d'un ensemble à un autre, de même qu'il est impossible d'utiliser les unités d'une langue pour l'analyse d'une autre, bien qu'elles partagent des mots et des sons similaires.

Des tentatives de telles analyses ont été réalisées par des chercheurs américains et russes, sur le plan théorique (Hymes, 1970 ; Deetz, 1967 ; Klein, 1981) et sur le plan pratique (Kovalevskaïa, 1970 ; Isaac, 1972 et 1977 ; Hassan, 1988 ; Sinitsyn, 2000). Mais leurs réflexions n'ont pas porté sur les problèmes d'évolution.

LE DOMAINE STYLISTIQUE

La notion de style est celle à laquelle on a le plus souvent recours pour expliquer les différences. Définie d'abord dans le domaine artistique, cette notion fut utilisée dans le domaine culturel en complément de celle de la fonction. La notion de style s'imposa pour expliquer les variations morphologiques pour des objets ayant une fonction identique. De nombreux travaux ont opposé la variabilité stylistique à la variabilité typologique ou fonctionnelle (Binford, 1972 ; Lenoir, 1975 ; Jelinek, 1976 ; Sackett, 1973, 1977 et 1986 ; Tomaszenski, 1988). Cependant, leurs applications pratiques sont restées rares (Close, 1978 et 1989) et ils n'eurent guère de suite, peut-être à cause de la charge théorique de cette approche.

La construction théorique que l'on cherche à mettre en évidence peut être ramenée à un seul modèle, comme on peut le vérifier en examinant les traditions stylistiques dans l'histoire culturelle. Ainsi, les styles classique, baroque et de la Renaissance concernent aussi bien l'architecture, la peinture, la musique, la sculpture que les critères comportementaux, la mode vestimentaire, etc. Ces catégories ne possèdent aucun attribut formel en commun mais c'est l'appartenance à un même système de valeur culturelle qui fait leur unité. Le seul domaine dans lequel il est possible de rechercher des principes d'organisation est celui des proportions et des relations, en d'autres termes le domaine de la construction et de l'architecture. Nous avons l'intuition que les principes communs qui régissent l'élaboration d'objets, que ce soit dans le domaine architectural, pictural ou musical, correspondent aux mécanismes qui servent à maintenir la cohésion et l'intégrité culturelles.

Ces deux approches – linguistique et stylistique – orientées vers les mécanismes responsables des traits culturels n'ont pas connu une grande diffusion car la nécessité de trancher entre ces termes n'apparaît guère. Ainsi, la ressemblance stylistique entre l'art des cavernes occidentales et celui de l'Oural, de même que celle des éléments de parure de la France, de la Russie centrale et de l'Altaï n'ont guère retenu l'attention. La disparition de ces curieuses ressemblances est d'ailleurs tout autant passée inaperçue.

La plupart des questions relatives à l'archéologie comparative ont été abordées par le biais des analyses traditionnelles typologique, technologique et fonctionnelle. Cependant, l'augmentation du nombre de cas exceptionnels, dont la quantité atteint une limite critique, modifie la situation. C'est ce qu'avait déjà noté James Deetz lorsqu'il faisait remarquer que le lien que faisaient les occupants d'un site entre deux types d'artefacts, même très dissemblables sur le plan formel (comme les pointes de projectile et les polissoirs par exemple), est plus difficile à percevoir pour nous que celui que nous pouvons établir entre des artefacts de type semblables qui proviennent de sites différents. Ainsi, on n'a aucune peine à rendre compte de la similarité globale que peuvent présenter des poteries provenant de plusieurs sites ; mais, pour ce qui est de déterminer le lien que les occupants d'un site pouvaient faire entre leur céramique, leur architecture, leurs outils de pierre ou d'os, c'est une autre affaire (Deetz, 1971, p. 6).

Bibliographie

AKHMETGALEEVA N.B. (2004), « Microindustrie du Site de Byki 7. Antiquité de Desna bassin », *in* E.I. PROKOFIEV (ed), *Antiquité du Bassin de Desna. Matériaux de la conférence consacrée à la mémoire de F.M. Zaverniaev*, Bryansk, vol. III, p. 58-67 [en russe].

(2004b), « L'assemblage lithique du site Byki 7 », *in* Kh. A. AMIRKHANOV (ed), *Problèmes de l'Âge de Pierre de la plaine russe*, Moscou, Éditions Le Monde Scientifique [Naoutchnyi Mir], p. 285-298 [en russe].

BINFORD L.R. (1989), « Styles of Style », *in* L.R. BINFORD (ed), *Debating Archaeology*, New York, Academic Press, Studies in Archaeology, p. 209-222.

CLOSE A.E. (1978), « The Identification of Style in the Lithic Artifacts », *World Archaeology*, vol. 10, n° 2, p. 223-237.

(1989), « Identifying Style in Stone Artefacts : a Case Study from the Nile valley », *in* D.O. HENRY and G.H. ODELL (eds), *Alternative Approaches to Lithic Analysis*, Archeological Papers of the American Anthropological Association, n° 1, Arizona State University, p. 3-26.

DEETZ J. (1967), *Invitation to Archaeology*, Garden City, New York, American Museum, Science Books, Natural History Press.

(1971), « Must Archaeologist Dig ? », *in* J. DEETZ (ed), *Man's Imprint from the Past : Reading in the Methods of Archaeology*, Boston, Little, Brown and Co, p. 2-9.

DEREVIANKO A.P. (2005), « La transition du Paléolithique moyen au Paléolithique supérieur en Asie du Nord », *in* A.P. DEREVIANKO (ed), *La Transition du Paléolithique moyen au Paléolithique supérieur en Eurasie : hypothèses et faits*, Novosibirsk, Institut d'archéologie et d'ethnographie, Presses de l'Antenne sibérienne de l'académie des Sciences de Russie, p. 501-510 [en russe].

DEREVIANKO A.P., SHOUNKOV M.V. (2004), « La Formation des Traditions du Paléolithique supérieur en Altaï », *Archéologie, ethnographie et anthropologie d'Eurasia*, 3 (19), Novosibirsk, p. 12-40 [en russe].

DEREVIANKO A.P., SHOUNKOV M.V., AGADJANIAN A.K., BARYSHNIKOV G.F., MALAEVA E.M., OULIANOV V.A., KOULIK N.A., POSTNOV A.V., ANOIKIN A.A. (2003), *Paléoenvironnement et occupation humaine au Paléolithique de Gorny Altai. L'environnement de la Grotte Denisova*, Novosibirsk, Institut d'Archéologie et d'Ethnographie, Presses de l'Antenne sibérienne de l'académie des Sciences de Russie [en russe].

FEDELE F.G., GIACCIO B., ORSI R.I., ORSI G. (2003), « The Campanian Ignimbrite Eruption, Heinrich Event 4, and Palaeolithic Change in Europe : a High-Resolution Investigation. Volcanism and Earth's Atmosphere », *Geophysical Monograph*, 139, p. 301-325.

FLAS D. (2000-2001), « Étude de la continuité entre le Lincombien-Ranisien-Jerzmanowicien et le Gravettien aux pointes pédonculées septentrional », *Préhistoire européenne*, Liège, vol. 16-17, p. 163-189.

(2002), « Les débuts du Paléolithique supérieur dans le Nord-Ouest de l'Europe : le Lincombien-Ranisien-Jerzmanowicien. État de la question », *Anthropologica et præhistorica, Bulletin de la Société royale belge d'Anthropologie et de Préhistoire*, Bruxelles, vol. 113, p. 25-49.

HASSAN F.A. (1988), « Prolegomena to a Grammatical Theory of Lithic Artifacts », *World Archaeology*, vol. 19, n° 3, p. 181-296.

HEINZELIN J. DE (1973), *L'industrie du site paléolithique de Maisières-Canal*, Bruxelles, Institut Royal des Sciences Naturelles de Belgique, mémoire 171.

HYMES D. (1970), « Linguistic Models in Archaeology », *in* J.-C. GARDIN (ed), *Archéologie et Calculateurs*, Paris, Éditions du CNRS, p. 91-120.

ISAAK G.L. (1972), « Some Experiments in Quantitative Methods for Characterizing Assemblages of Acheulian artifacts », *Congrès Panafricain de Préhistoire, Actes de la 6ᵉ session*, Dakar, 1967, Chambéry, Éditions Imprimeries Réunies, p. 547-555.

JELINEK A. (1976), « Form, Function and Style in Lithic Analyses », *in* C.E. CLELAND (ed), *Cultural Change and Continuity : Essays in honor of James Bennett Griffin*, New York, Academic Press, p. 19-33.

KLEIN L.S. (1970), « Sur la Langue des Choses », *in* L.M. PLETNIOVA (ed), *Aspects méthodologiques des recherches archéologiques et ethnographiques en Sibérie de l'Ouest*, Tomsk, Éditions de l'Université de Tomsk, p. 16-18 [en russe].

KOUNGOUROV A.L. (1993), *Paléolithique et Mésolithique de l'Altaï*, Barnaoul, Éditions de l'Université de l'Altaï [en russe].

KOVALEVSKAÏA V.B. (1970), « Recherches sur les Systèmes Sémiologiques en Archéologie par les Méthodes de la Théorie de l'Information », *in* J.-C. GARDIN (ed), *Archéologie et Calculateurs*, Paris, Éditions du CNRS, p. 187-191.

LENOIR M. (1975), « Style et Technologie lithique », *Bulletin de la Société préhistorique française*, T. 72, n° 2, p. 46-49.

MELEKESTSEV I. V., KIRIANOV V. YU., PRASLOV N. D. (1984), « L'éruption catastrophique dans la région des champs phlegréens (Italie) : source possible de la cendre volcanique des sédiments quaternaires de la partie européenne de l'URSS », *Volcanologie et sismologie*, 3, p. 35-44 [en russe].

OTTE M. (2004), « The Aurignacian in Asia », *in* P.J. BRANTINGHAM, S.L. KUHN, K.W. KERRY (eds), *The Early Upper Paleolithic beyond Western Europe*, Berkeley, University of California Press, p. 144-150.

OTTE M., DEREVIANKO A. (2001), « The Aurignacian in Altai », *Antiquity*, vol. 75, n° 287, p. 44-49.

SACKETT J.R. (1973), « Style, Function and Artifact Variability in Palaeolithic Assemblages », *in* C. RENFREW (ed), *The Explanation of Culture Change : Models in Prehistory*, Londres, Duckworth, p. 317-325.

(1977), « The Meaning of Style in Archaeology : a General Model », *American Antiquity*, vol. 42, n° 3, p. 369-380.

(1986), « Isochrestism and Style : a Clarification », *Journal of Anthropological Archaeology*, vol. 5, n° 3, p. 266-277.

SINITSYN A.A. (2000), « Composants archaïques de l'assemblage lithique de Kostienki 14 (couche II) », *in* Z. MESTER, Á. RINGER (dir), *À la recherche de l'Homme préhistorique*, volume commémoratif de Miklós Gábori et de Veronika Gábori-Csánk, Liège, ERAUL n° 95, p. 295-304.

SINITSYN A.A. (2003), « A Palaeolithic "Pompeii" at Kostenki », Russia, *Antiquity*, vol. 77, n° 295, p. 9-14.

TABORIN Y. (2004), *Langage sans parole. La parure aux temps préhistoriques*, Paris, La Maison des Roches.

TCHOUBOUR A.A. (2001), *Byki. La micro-région nouvelle et sa place dans le Paléolithique supérieur de la plaine russe*, Bryansk, Éditions Bryansk aujourd'hui [en russe].

TOMASZEWSKI A.J. (1988), « Style and Chipped Stone Artifacts : a Review of Some Problems », *Archeologia Polski*, T. XXXIII, n° 1, p. 60-66.

TON-THAT T., SINGER B., PATERNE M. (2001), « 40Ar/39Ar dating of Latest Pleistocene (41 ka) Marine Tephra in the Mediterranean Sea : Implication for Global Climate Records », *Earth and Planetary Science Letters*, 184, p. 645-658.

VASSILEV S.A. (1996), *Paléolithique supérieur du Bassin d'Ienisseï. Matériaux des sites de plusieurs couches culturelles de la région de Maïna*, St. Pétersbourg, Éditions du Centre de Recherche Orientale de Saint-Pétersbourg, Archaeologia Pertpolitana I [en russe].

WHITE R. (1989), « Production Complexity and Standardization in Early Aurignacian Bead and Pendant Manufacture : Evolutionary Implications », *in* P. MELLARS et C. STRINGER (eds), *The Human Revolution. Behavioral and Biological Perspectives on the Origins of Modern Humans*, Edinburgh, Edinburgh University Press, p. 366-390.

YELLEN J.E. (1998), « Barbed Bone Point : Tradition and Continuity in Sahara and Sub-Saharan Africa », *African Archaeological Review*, vol. 15, n° 3, p. 173-198.

YELLEN J.E., BROOKS A.S., CORNELISSEN E., MEHLMAN M.J., STEWART K. (1995), « A Middle Stone Age Worked Bone Industry from Katanda, Upper Semliki Valley, Zaire », *Science*, vol. 268, p. 553-556.

Que peut-on montrer au public et au lecteur ?

La Préhistoire-réalité
et le mythe de la Caverne

Fernand COLLIN

CARTE DE VISITE DU PRÉHISTOSITE DE RAMIOUL

Émanation de l'association « Les Chercheurs de la Wallonie », le Préhistosite de Ramioul s'est installé à Flémalle au pied de la grotte de Ramioul située en bord de Meuse en région liégeoise. C'est la seule infrastructure en Communauté française conçue dans le but de proposer aux publics une synthèse générale sur la Préhistoire de la région wallonne. Il propose la visite de la grotte de Ramioul, la visite du Musée de la Préhistoire en Wallonie (dont le fil conducteur est thématique et non chronologique, qui pose la question des points communs entre les hommes d'aujourd'hui et les hommes de la Préhistoire, et présente une collection d'artefacts illustrant les plus prestigieux sites wallons), la visite du Village des expériences (avec la possibilité pour chaque visiteur de tailler le silex, de tirer au propulseur, de faire de la poterie, de participer au déplacement d'un mégalithe et de visiter la reconstitution grandeur nature d'habitations préhistoriques).

Entreprise culturelle, le Préhistosite de Ramioul a créé vingt-cinq emplois (quatorze équivalents temps plein). Il s'autofinance à 60 % et est pour le reste subventionné par la Communauté française, la région wallonne, et la commune de Flémalle. Les infrastructures ont été financées par les fonds FEDER de la Communauté européenne. Quatorze archéologues travaillent dans le service éducatif comme guide-animateur et accueillent chaque année 35 000 visiteurs dont 28 000 scolaires (chiffres arrondis de 2004). Les objectifs du Préhistosite vis-à-vis du public sont : lui procurer du plaisir, l'aider à apprendre, l'aider à apprendre à apprendre, l'aider à apprendre à agir et réagir. En outre, ce projet s'inscrit dans un processus de sensibilisation des visiteurs à la culture scientifique, en garantissant l'intégrité scientifique de l'ensemble mis en œuvre et enfin vise à favoriser une dynamique de créativité contemporaine sans ambiguïté.

Pas de médiation sans _making of_ !

Comment reconstitue-t-on la Préhistoire ?

On pourrait comparer le préhistorien à un metteur en scène de cinéma. Il coordonne toute une équipe de chercheurs pour « mettre en image » le passé. Mais à l'inverse du cinéaste, il ne dispose d'aucun scénario. Il produira plus de dix kilomètres de pellicule toute noire avec de temps à autre quelques images fixes sur ce qui s'est passé dans certains sites archéologiques et quelques bouts de séquences animées sur des périodes de temps particulièrement bien documentées.

Les décors sont réalisés par des spécialistes de l'étude de l'environnement. Ils reconstituent les paysages, la flore et les animaux qui les peuplaient ainsi que le climat. Le casting est proposé par le paléoanthropologue qui étudie les ossements humains. Il décrira avec précision le physique des acteurs principaux et leurs aptitudes. Les accessoires sont fournis par les spécialistes de l'étude des outillages (typologues, tracéologues, technologues) qui pourront aussi dans certains cas proposer des reconstitutions d'habitations. En revanche, ils ne disposent quasiment d'aucun renseignement sur les vêtements. Ces derniers seront donc le plus souvent inventés.

Les scriptes qui prennent tout en note durant un tournage sont pour le préhistorien les techniciens et les opérateurs de fouille qui minutieusement enregistrent la position de chacune des découvertes faites sur le site archéologique. Le rôle du planchiste qui réalise le clic-clac avant chaque prise de vues est quant à lui tenu par des physiciens qui donnent au préhistorien les datations nécessaires pour organiser la chronologie. Il y a bien sûr d'autres spécialistes qui participent aux recherches archéologiques et qui ne sont pas cités ici.

Les spectateurs peuvent être déçus du peu d'images effectivement réalisables pour ce long-métrage. Il faut dire que le temps a fait disparaître une foule d'informations périssables et que le film de la Préhistoire est un film muet, à l'exception peut-être de quelques rares instruments de musique.

Si le public désire « en voir plus », il faut que quelqu'un d'autre écrive un scénario. On peindra alors sur la pellicule noire des images inventées qui, même scientifiquement vraisemblables, feront passer le film du statut de science à celui de fiction. C'est bien sûr le droit de chacun de « se faire » son propre film sur la Préhistoire, mais il faudrait que chacun soit bien conscient qu'il s'agit seulement d'un bien agréable fantasme puisque nous sommes tous victimes du mythe de la Caverne.

Le mythe de la Caverne et la réalité préhistorique

Platon raconte que des prisonniers étaient enchaînés dans une caverne sombre dans laquelle ils ne se voyaient même pas eux-mêmes. Il y avait devant la grotte une route sur laquelle passaient des gens mais les prisonniers ne les voyaient pas, ils ne voyaient que leurs ombres projetées sur la paroi par la lumière d'un feu. Un jour, on libéra un prisonnier. Une fois debout, il découvrit les gens qui passaient sur le chemin. Étonné par ce curieux phénomène, il conclut que ce qu'il avait toujours vu sur la paroi de la grotte était la réalité et que les gens qu'il voyait maintenant n'étaient en fait pas réels.

Les préhistoriens et le public intéressés par la Préhistoire sont les prisonniers de la Caverne de Platon. Nous n'apercevons en fait que l'ombre d'une Préhistoire que nous imaginons. Si d'aventure, par quelque miracle technologique, une machine à remonter le temps nous faisait rencontrer des hommes et des femmes préhistoriques « pour de vrai », nous serions certainement forcés de constater que nous étions, dans notre imaginaire, à des milliers d'années-lumière de cette nouvelle réalité.

Nous faisons de la Préhistoire ce que nous voulons en faire, nous y voyons ce que nous voulons y voir. D'aucuns y verront des femmes traînées par les cheveux, des hommes sales et simiesques luttant bestialement pour leur survie, d'autres, des inventeurs de génies ou des gens vivant en harmonie avec la nature… Depuis le XIXe siècle, l'homme préhistorique a beaucoup évolué parce que les scientifiques et leur société aussi ; et ce n'est pas fini !

Pourquoi pas un making of ?

Un micro-trottoir réalisé en 2004 à l'occasion de la mise en place de la nouvelle muséographie du Musée de la Préhistoire en Wallonie et du

Préhistosite nous confirme que, malgré les efforts de ces dernières décennies pour la sensibilisation du public à l'archéologie et à la Préhistoire, les archétypes caricaturaux sont bien tenaces et le mythe du « bon sauvage » reste un stimulant de l'intérêt du grand public pour la Préhistoire. La vulgarisation emploie résolument, et de plus en plus, l'image « fidèle à la réalité », du diaporama au film, de la carte postale au livre. Cette imagerie correspond à l'attente du public car cette « Préhistoire-réalité » est de même nature que la « télé » du même nom. Entre autres choses, on y retrouve la lutte pour la survie, le besoin de s'identifier au plus fort et d'éliminer le plus faible, des pulsions de vie et de mort, du catastrophisme…

Cet état de fait interpelle et pose quelques questions aux scientifiques sur la représentation de la Préhistoire : faut-il montrer au public ce qu'il attend ? Comment informer le public sur les limites de l'interprétation scientifique ? Quelles sont les valeurs dissimulées dans les discours de médiation ?

Un réalisateur d'images préhistoriques ne va-t-il pas trop loin s'il n'informe pas le public sur ses incertitudes et ses choix poétiques ? Ne devrait-il pas envisager de recourir au *making of* ou au « carré blanc » pour faire de son image également un instrument de sensibilisation à la démarche scientifique ?

Vous avez dit déontologie ?

Que ce soit pour un musée, pour un archéosite, pour une publication de vulgarisation, le médiateur assume une « mise en image » de la Préhistoire dont il est déontologiquement responsable. Bien plus que le scientifique de terrain ou de laboratoire, il est confronté à l'attente des publics habitués de surcroît à une communication faite d'images, de slogans, de raccourcis percutants.

Au Préhistosite, toutes les visites sont accompagnées par un archéologue-animateur. Si l'entreprise offre à ses visiteurs un contact privilégié avec le patrimoine archéologique, vu le nombre d'animateurs et les changements fréquents de personnel, elle court le risque de dérives professionnelles : commentaires inadaptés aux visiteurs, commentaires colorés de convictions politiques, interprétations abusives des données archéologiques… C'est pourquoi l'équipe du service éducatif s'est dotée d'une déontologie propre afin de respecter les principes et normes d'une médiation du patrimoine de la société. Il a également mis au point une méthode d'évaluation de son travail éducatif. Considérant que le métier de médiateur a de nombreux points communs avec celui de journaliste (rechercher des faits, les rapporter, les commenter, les analyser), le code de déontologie du Préhistosite s'est très largement inspiré du code de déontologie des journalistes professionnels [1] qui décrit succinctement mais précisément ce qu'un journaliste doit faire, et ce qu'il ne doit pas faire. Qu'il conçoive un projet multimédia, un jeu-questionnaire, une visite conférence ou une démonstration d'allumage du feu, le médiateur est soumis aux mêmes contraintes que le journaliste : être une interface objective entre le fait archéologique et le public.

Dans un premier temps, le code précise les objectifs fondamentaux de l'entreprise et en particulier identifie les valeurs de référence qui constituent les objectifs majeurs de la pratique de la médiation. Dans un second temps, le code aborde les attitudes à adopter dans la pratique de la médiation.

Code de déontologie des archéologues-animateurs du Préhistosite de Ramioul

L'équipe pédagogique du Préhistosite a adopté cette charte déontologique destinée à établir des garde-fous dans la pratique de la médiation du patrimoine. Largement inspirée du code de déontologie des journalistes professionnels, cette charte envisage l'attitude professionnelle et les limites de la profession de médiateur.

Les membres du Préhistosite de Ramioul partagent un souci déontologique et adoptent ce code pour professer les principes et normes d'une médiation du Patrimoine de la Société en complément du code de déontologie de l'ICOM pour les musées.

Objectifs généraux

L'objectif du Préhistosite est d'établir avec ses visiteurs un contact entre le présent et le passé afin d'établir un dialogue à propos de demain.

---

1. 1996, <http//spj.org/ethics_codef.asp>.

Le patrimoine est ainsi un prétexte à l'éducation et l'épanouissement de citoyens responsables mais également matière à sensibiliser tout un chacun à la culture scientifique.

Il reconnaît enfin comme valeur de référence les textes internationaux suivants : les droits de l'Homme et de l'Enfant, la convention de Rio pour le développement durable, la convention sur le patrimoine archéologique de la Valette.

Le code de déontologie reconnaît les limites de la pratique d'une archéologie-message utilisant le patrimoine comme prétexte à des discussions et des débats de société.

Les objectifs pédagogiques du médiateur sont : procurer du plaisir, aider à apprendre, aider à apprendre à apprendre, aider à apprendre à agir et réagir.

Le slogan du Préhistosite, « Réveillez le primitif qui vit en vous », veut stimuler l'émergence des représentations des visiteurs à propos de la Préhistoire, provoquer une réflexion sur la notion de « primitivité » dans le temps et dans l'espace et donner envie d'en savoir plus.

Le médiateur doit toujours s'efforcer de rendre le visiteur acteur afin qu'il soit autant que possible l'auteur de ses propres découvertes. Un proverbe chinois résume bien le concept de découverte active qui sous-tend la médiation du Préhistosite : « J'entends, j'oublie ; je vois, je comprends ; je fais, je me souviens ».

Faire un geste « comme dans la Préhistoire » est plus qu'un amusement, c'est une manière d'appréhender avec émotion les difficultés et l'intelligence techniques des artisans d'autrefois. C'est pour les visiteurs d'aujourd'hui une étonnante leçon de modestie qui ne peut en aucun cas être confondue avec de l'archéologie expérimentale, discipline scientifique.

Recommandations pour la pratique de la médiation

Les archéologues-animateurs (médiateurs) du Préhistosite de Ramioul estiment qu'un public informé est formateur d'un esprit de citoyenneté. Notre rôle est de faire avancer vers cette fin par des animations équitables et simples, menées avec minutie et honnêteté. L'intégrité professionnelle est la pierre angulaire de la crédibilité d'un médiateur.

Un médiateur doit être honnête, équitable et créatif dans ses efforts pour rassembler, rapporter, interpréter et partager l'information avec le public.

Il doit tester l'exactitude de l'information et de ses sources et être prudent afin d'éviter toute erreur d'interprétation. Il n'est jamais permis de déformer délibérément les faits archéologiques.

Il doit identifier ses sources lorsque c'est possible. Le public a droit à toute l'information possible afin de juger de la crédibilité des sources.

Il doit s'assurer que les reconstitutions, les gestes, les titres, les promotions, les photos, les images, les sons, les graphiques ne sont pas présentés sous un faux jour. Le médiateur ne doit pas simplifier outre mesure ou souligner certains événements hors de leur contexte.

Il ne doit jamais fausser le contenu des photos ou des images, des animations. Il doit identifier les montages et les illustrations, les raccourcis.

Il doit identifier les reconstitutions hypothétiques d'événements et les nouvelles fabriquées. Si une reconstitution est nécessaire pour raconter l'histoire, elle doit être identifiée comme telle.

Les analyses et les commentaires doivent être identifiés et ne doivent pas déformer les faits ni leur contexte.

Le médiateur doit raconter l'histoire de la diversité et l'importance de l'expérience humaine hardiment, même lorsque le sujet est impopulaire.

Il doit éviter de stéréotyper par race, genre, âge, religion, ethnie, géographie, orientation sexuelle, infirmité, apparence physique ou rang social.

Il doit donner la parole à ceux qui n'ont pas la parole.

Il doit examiner ses propres valeurs culturelles et éviter de les imposer au public.

Les animateurs soucieux de déontologie traitent leurs sources, sujets et collègues comme des êtres humains méritant respect.

Un animateur doit assumer ses responsabilités envers ses publics et collègues. Il doit :

– clarifier et expliquer la méthodologie d'animation et encourager le public à exprimer ses reproches envers l'animation ;

– admettre ses erreurs et les corriger rapidement ;

– dénoncer publiquement les pratiques des animateurs et des animations qui ne sont pas déontologiques ;

– respecter les mêmes règles de comportement qu'il/elle demande aux autres de respecter ;

– faire preuve de bon goût ; éviter de se laisser attirer par une curiosité malsaine ;

– ne jamais plagier ;
– n'avoir d'autre intérêt que celui du droit à l'information du public.

Ce code déontologique est inspiré largement du code de déontologie de la Société des journalistes professionnels. Cette version a été adoptée à l'unanimité par le personnel du Préhistosite de Ramioul à Flémalle (Belgique) le 10 février 2001.

Le code de déontologie dans la pratique

Outre le rappel d'évidences telles que : citer ses sources, éviter de caricaturer, de déformer les faits, montrer le chemin de la connaissance (ce qui est dans la pratique de la médiation rarement respecté), le code de déontologie du Préhistosite aborde la notion fondamentale d'une « archéologie-message », miroir de la société contemporaine, où le fait archéologique sert à élaborer une réflexion avec le visiteur sur des enjeux de la société d'aujourd'hui. Par exemple, les ossements humains servent à discuter de la notion de racisme. Les silex taillés servent à parler de l'intelligence humaine que l'on peut rencontrer partout dans le temps et dans l'espace et de ce fait servir la notion de tolérance et de respect des minorités culturelles. Les ossements animaux servent à aborder l'évolution de la relation entre l'homme et son environnement. Les méthodes déployées par les archéologues servent à aborder la notion même de critique historique, etc.

Après avoir décrit des faits archéologiques sélectionnés avec soin, le médiateur peut mettre ceux-ci en perspective avec la société contemporaine. Ainsi, l'expérience patrimoniale atteint deux objectifs :
– faire voir, faire constater le potentiel des vestiges à révéler des informations sur les hommes, leurs sociétés et leurs environnements dans le temps et dans l'espace (démarche de valorisation du patrimoine archéologique) ;
– faire apprécier, faire constater l'intérêt de conserver le patrimoine archéologique pour les générations futures vu le rôle stimulant qu'il joue pour une réflexion continue sur les enjeux de la société contemporaine (démarche de sensibilisation des publics aux patrimoines archéologiques).

Cette archéologie-message réclame bien sûr une déontologie rigoureuse sans laquelle les plus graves dérives ou récupérations extrémistes pourraient se produire. La principale des dérives est certainement l'archéologie identitaire qui tendrait à prouver la légitimité « historique » de l'une ou l'autre thèse politique. Le rôle du médiateur devrait se borner à susciter le questionnement et non à donner des réponses pour que le visiteur puisse lui-même émettre une opinion. L'archéologie-message a dès lors comme unique but de stimuler une citoyenneté responsable. Dans ce cadre, le service éducatif du Préhistosite a choisi de reconnaître les textes internationaux des droits de l'Homme et de l'Enfant, la convention de Rio et bientôt de Johannesburg ainsi que les conventions internationales de l'Unesco pour le Patrimoine comme valeurs de référence. Prochainement, ce code pourra aussi faire référence à la charte d'Ename comme il se réfère déjà aujourd'hui au code de déontologie de l'ICOM pour les musées. Avec le public, le médiateur pourra le cas échéant faire directement ou indirectement référence à l'un ou l'autre de ces textes dans le but de stimuler une « proactivité » citoyenne.

Raconter la Préhistoire en ce qu'elle nous fait réfléchir sur nous-mêmes. Est-ce vraiment là le rôle des musées ? Si ce n'est pas pour servir de miroir à la société, pour qu'elle y réfléchisse son avenir, l'institution muséale a-t-elle vraiment encore un intérêt ? Cette question ouvre un débat sur la place des projets archéologiques de médiation dans le monde et le marché de la culture. Gageons que les productions culturelles à venir s'enrichiront des meilleures intentions et précautions déontologiques plutôt que de gadgets kitch et attrape-touristes quels que soient par ailleurs leurs objectifs financiers.

La culture est à l'homme ce que le bois est au feu. Merci aux organisateurs du colloque à l'origine de cet ouvrage d'avoir réuni les bûcherons pour qu'ils échangent réflexions et savoir-faire pour fournir le meilleur bois.

Mise en scène muséographique de l'habitat

Marie-Chantal FRÈRE-SAUTOT

« Left in the dust », tel est le titre d'un chapitre de *Interpretation of Archaeological Spatial Pattering* de Ellen M. Kroll et T. Douglas Price paru en 1991 : une expression qui révèle toute la dimension du problème de la compréhension des structures d'habitat en archéologie. Or, depuis les débuts de l'archéologie préhistorique et la découverte des cultures les plus anciennes de l'humanité, les chercheurs se sont efforcés de représenter ce qu'ils imaginaient des modes d'habitations disparus à partir de l'interprétation des structures discernées dans leurs fouilles, des données de l'anthropologie ou du paléoenvironnement, d'abord par des dessins qui sont à la base de toutes reconstitutions volumétriques, puis en maquettes, et enfin, plus récemment grandeur nature ou même en 3D. Représenter pour comprendre et pour faire comprendre, la reconstitution archéologique a fait preuve d'un dynamisme considérable depuis les années 1970, à travers les expositions ou les nouvelles présentations des musées, leur volonté d'ouvrir leurs portes à un plus large public, et grâce au concept du parc à thème culturel.

Si les recherches en sémiologie de l'image ont été un puissant ressort critique pour mettre en évidence les connotations de notre imaginaire, rares sont les chercheurs en archéologie qui ont abordé la notion de reconstitution, soit parce que c'est un domaine qui leur semble « trivial », soit parce qu'ils n'osent risquer un discours polémique et préfèrent se retrancher derrière les images conventionnelles divulguées par la médiatisation muséale. Les illustrations hantent les livres les plus autorisés, les maquettes foisonnent dans les musées et les reconstitutions d'habitats paléolithiques envahissent les parcs archéologiques.

Finalement, l'inventaire laisse apparaître une uniformité dans les solutions proposées. C'est sans doute dans les modèles ethnographiques qu'il convient de situer l'origine de ces modélisations de l'habitat dont nous allons tenter de mettre en évidence la genèse. Il ne faut pas oublier que dans la sphère large de la reconstitution par l'image le pire et le meilleur se côtoient pour le plus grand dommage des spectateurs. Il n'en est pour témoin que les deux émissions intitulées *Odyssée de l'Espèce* de Jacques Malaterre diffusées sur FR3 en janvier 2005, scandaleusement cautionnées par Yves Coppens.

L'homme préhistorique tapi dans sa grotte sombre et humide n'est plus qu'un souvenir d'illustrateurs du passé. L'intervention des parois rocheuses pour la protection des groupes préhistoriques n'intervient plus que dans le contexte, révélé par les fouilles, des porches et des abris sous roche, et le développement de l'archéologie rurale a, depuis une trentaine d'années, mis en évidence d'autres formes d'installations beaucoup plus fréquentes : les gisements de plein air. Selon les données apportées par les fouilles, nos connaissances sur les époques, les ressources et les traditions culturelles se sont accrues et l'habitat préhistorique montre un nouveau visage que maquettes et reconstitutions tentent de restituer. De quelles données disposons-nous aujourd'hui ?

Les découvertes se limitent aux structures suivantes : une surface sur-creusée formant une cuvette plus ou moins régulière, souvent un assemblage incontestablement intentionnel de pierres, quelques fosses ou quelques trous de poteaux, une concentration d'artefacts qui révèle parfois un véritable atelier de taille pour autant que l'habitat cumule un lieu de travail et de préparation des outils, et un lieu de vie, dont on formule l'hypothèse à partir de la présence de foyers.

Les manifestations artistiques du Paléolithique supérieur ne sont pas d'un grand secours. À peine si cette plaquette en os de mammouth de Meziritch semble comporter un tableau parfois interprété comme la représentation d'un camp en bordure de rivière ; la forme des « tentes » y reste trop schématique pour aider à la compréhension de l'habitat préhistorique. Sans parler des signes « tectiformes » mais dont la forme ne suggère pas nécessairement une toiture à double pente interprétés parfois comme la figuration d'une tente, un abri ou d'un écran double.

L'analyse des interprétations spatiales, souvent très subtile et qui démontre une vraie maîtrise de la lecture des sols, reste péremptoire. Reprenons la publication du site de Marsangy fouillé par Béatrice Schmider (Schmider, 1994) sur lequel, dans les années 1980, a été tenté un travail de reconstitution grandeur nature dans le cadre des activités de l'Archéodrome : nappes et amas de silex sont en gris, foyers en noir, autour est dessinée au trait une structure ovoïde qui définit l'habitat supposé (fig. 1). De cette description, nous pouvons conclure : 1, que les outils, éclats et rejets de débitage jonchaient le sol ; 2, que le foyer se trouvait à l'intérieur de l'habitation ; 3, que les déchets osseux se retrouvaient également dans des périmètres supposés d'habitat. Or, aucune question n'est posée sur la compatibilité de ces objets avec une aire destinée à la vie quotidienne.

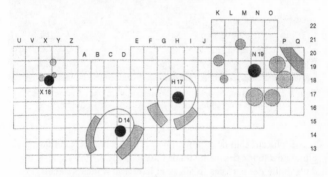

Figure 1. Répartition schématique des vestiges dans le secteur central du gisement de Marsangy. Les nappes et amas de silex taillés sont en gris foncés ; les foyers N19, H17, D14 et X18 sont indiqués par un disque noir ; les contours supposés des habitations D14 et H17 sont tracés (d'après Schmider, 194, p. 150).

Dans les années 1980, Jacques Pelegrin et Éric Boëda ont mené à l'Archéodrome une série d'expérimentations sur la reconstitution des amas lithiques et en contrepoint une reconstitution de cet habitat. Rappelons ici les principales étapes de la démarche menée dans cette perspective, avec un habillage provisoire de la tente en tissu, suivi d'expérimentations d'écharnage de peaux de vache et une version définitive de la tente revêtue de vingt-deux peaux de poneys acquises dans le commerce et dont la durée de vie n'a pas dépassé trois années après exposition aux aléas du climat bourguignon (fig. 2). On se place ici dans une hypothèse de tentes du type « magdalénien du Bassin parisien » défini à partir du site de Pincevent.

Figure 2. Reconstitution des tentes de Marsangy (Yonne) avec amas de silex
taillés au premier plan. Cliché APAB, Archéodrome.

L'objectif était de montrer, non pas un habitat préhistorique, mais
plutôt l'évolution des méthodes de l'archéologie préhistorique, le degré
de lisibilité des surfaces fouillées et le niveau d'interprétation auquel
l'archéologue pouvait se risquer. Il s'agissait donc plutôt d'une démarche herméneutique. S'il avait fallu suivre un mode opératoire rigoureux
pour cet habitat, il eut fallu consacrer un temps considérable au traitement des peaux, à condition encore d'en restituer le savoir-faire.

Des observations ethnographiques au sein de diverses populations
arctiques ont permis de mettre en évidence des technologies efficaces
en matière de traitement des peaux, mais l'apprentissage de ces artisa-
nats en voie de disparition dépassait le cadre technique de cette
approche. Les conditions d'une expérimentation estivale n'auraient
jamais permis la restitution du travail de ce vaste habillage. On peut en
déduire que si les préhistoriques avaient eu recours à des structures de
ce type, la couverture en peaux de leurs habitations était sans doute un
capital précieux issu de longues heures de travail. En cas de déplacement le paquetage était lourd, même pour des peaux de rennes traitées
avec la meilleure efficacité. Et à notre connaissance, il n'existait pas
d'attelage susceptible d'en assurer le transport. Ces données indui-
raient une probable limitation des déplacements. Bosinski a fait les

mêmes constatations à Gönnersdorf pour les peaux de bisons (Bosinski, 1990) : nous en arrivons donc à la question essentielle du mode de vie des groupes préhistoriques du Paléolithique supérieur. La restitution de ces types d'habitat préhistoriques dérive du postulat selon lequel ces sociétés de chasseurs-cueilleurs nomades sont opportunistes et se déplacent au gré des migrations du gibier. Le comparatisme ethnographique pousse les préhistoriens à chercher des exemples d'habitations nomades dans les grandes plaines d'Amérique du Nord ou dans les régions sibériennes affectées d'un climat plutôt froid, comparable à celui du Paléolithique supérieur. Sans aller jusqu'à représenter ces nomades comme dans les tableaux de Fernand Cormon du XIXᵉ siècle, ou dans la série télévisée déjà évoquée, sous la forme d'une horde échevelée, vêtue de haillons de fourrure fuyant on ne sait quelle malédiction biblique, le préhistorien reste fidèle à cette notion de nomadisme et de déplacements permanents sur laquelle il convient peut-être de s'interroger.

Du reste, la mobilité des populations de chasseur-cueilleur est largement attestée par les ethnologues. Ainsi, A. Testard écrit : « Comme les moyens de transport sont peu développés et qu'aucune construction stable ou complexe ne retient le groupe à un endroit plutôt qu'à un autre, le lieu de résidence tend à s'ajuster sur le lieu de travail » (Testart, 1986). Tous les auteurs insistent sur une occupation de courte durée des habitats, supposant des déplacements fréquents et une réoccupation régulière ou aléatoire de ces abris. On peut également développer l'hypothèse plus vraisemblable, du moins pour le Paléolithique supérieur, d'un habitat hivernal alternant avec un habitat estival plus léger situé sur un espace différent, ce qui expliquerait l'existence de structures lourdes, donc permanentes comme celles du « type Kostienki ».

On observe aujourd'hui encore des comportements qui ne sont pas très éloignés, par exemple chez les nomades du désert d'El Kom en Syrie, les familles vivant en été sous la tente qui jouxte leurs maisons en dur… Ainsi le concept de nomadisme s'en trouve-t-il modifié ; mais l'objectif de celui qui « reconstitue » et qui cherche à faire connaître n'est-il pas de « faire comprendre » ? La meilleure façon de faire comprendre le mode de vie des hommes du Paléolithique supérieur est de les montrer sous un tipi, de la même manière qu'on affecte au « camping » un signe en forme de triangle pour indiquer sa présence sur une carte. Le tipi représente le « signe du nomadisme » dans l'imaginaire contemporain et l'archéologue fait ainsi de la sémiologie sans le savoir.

Il importe de tenir compte des ressources dont disposaient les Préhistoriques selon les lieux et les saisons pour réaliser des habitations. Ce thème est rarement pris en compte dans les efforts de reconstitution. L'utilisation des os de mammouth suppose un formidable travail de récolte sur des dépouilles résultant soit de la chasse, soit de la mort naturelle de l'animal. Il faut un nombre important de squelettes pour réaliser la cabane de Meziritch-Mezin ou de Kotienski-Anosokova ! Quelques dizaines d'hommes entraînés peuvent être venus à bout de ces transports, mais nous ignorons la durée de la construction ! Pour toutes les populations qui n'ont pas eu la chance de disposer de cet immense réservoir de matière première que constitue le mammouth, il faut supposer l'usage du bois, donc la présence de perches assez grandes pour former l'armature d'une tente, ainsi qu'une technique d'abattage appropriée.

Il semblerait qu'un environnement glaciaire de type steppique ne recèle guère de forêts propres à fournir ce type de ressources. Or, dans les régions de la France de l'Est, au début du Tardiglaciaire (Dryas ancien), les spécialistes décrivent le paysage entre 18 000 et 13 500 av. J.-C. comme « des sols faiblement colonisés par une végétation steppique embryonnaire », le bouleau nain ne commençant à croître qu'après 13 500 av. J.-C. On peut donc s'interroger sur les difficultés d'approvisionnement en perches ; quant aux revêtements en écorce, il convient d'en reporter l'usage à des époques plus clémentes. Toutefois, même aux époques les plus froides, subsistaient des bosquets d'arbres dans les vallées encaissées plus protégées. Sans les longues portées de troncs adultes, comment élever une série de tentes composant un « village » comme le proposent les reconstitutions en usage ? Quels outils pour abattre ces perches ? Seule la pierre pour caler les poteaux ou daller les sols était aisée à se procurer.

L'investissement requis pour des structures de dimensions moyennes aussi bien en temps qu'en termes d'efforts physiques, en comptant également le temps passé à la chasse pour se procurer les peaux de couverture, suppose un effort collectif que les groupes humains produisaient peut-être quelquefois dans leur vie, mais certainement pas à chaque saison, d'où l'idée qu'ils devaient déplacer l'ensemble des éléments qui composent l'habitat à chaque migration. En ce qui concerne le transport de tels matériaux, ce n'est pas l'exemple des Evenes ou des Tchoutches qui permette d'imaginer une manière de faire, puisque ces « renniculteurs » utilisent les rennes pour le transport ! Or, nos hommes préhistoriques ne pratiquent pas encore l'élevage ! Nous restons dans l'équation stéréotypée du chasseur-cueilleur-campeur type « paléo-indien ». C'est le mode de vie supposé qui dicte une forme d'habitat et non les composants livrés par la fouille.

Après ces considérations générales auxquelles il semble essentiel de réfléchir, nous allons examiner les différentes restitutions que nous proposent les dessins, maquettes, ou reconstitutions que l'on peut trouver dans les musées ou les parcs. La forme de base la plus souvent reproduite, peut-être, eu égard à l'antériorité des fouilles et à l'autorité d'André Leroi-Gourhan, est celle qui est attribuée aux habitations du site magdalénien de Pincevent, comme la tente de Marsangy que les chercheurs s'étaient appliquée à restituer à l'Archéodrome. On n'est pas très loin de la tente de Laponie, tente conique à arceau couverte de peaux de rennes l'hiver, et d'écorce de bouleau l'été. Le bas du revête-ment peut être maintenu par de lourdes pierres. C'est l'observation de tels « cercles de pierre » qui a permis aux préhistoriens de déceler l'existence de structures d'habitat. Ce modèle ethnographique, dénommé « koté », assure une protection suffisante aux Lapons. Mais on trouve également des modèles de tentes coniques simples chez les Eskimos Caribou, où vingt peaux suffisent à abriter une ou deux familles. De cette même forme procèdent le « wigwam » des peuples de la forêt nord-américaine ou le tipi des Sioux et d'autres tribus des plaines de l'Amérique du Nord.

Tous ces peuples nomades disposaient d'un mode de portage pour les déplacements, cheval ou traîneau à chiens, mais rien n'exclut l'existence de systèmes de portage ou de traîneau aux périodes les plus récentes du Paléolithique. Pour les périodes plus anciennes, les hypo-thèses de restitution reposent plutôt sur des abris rudimentaires avec écrans d'herbe ou de branchages et armatures à double pente, comme celui qu'Éric Boëda et Jacques Pelegrin avaient également restitué en 1985 à l'Archéodrome, abri effondré après deux ou trois ans. Ce type d'abri correspond aux hypothèses formulées pour Terra Amata qui avaient été inspirées par les huttes de populations nomades d'Australie et de Patagonie, par les Semangs de Malaisie et par les Indiens Payiutes d'Amérique du Nord, dont les conditions environnementales sont radi-calement différentes.

La voûte intervient dans un autre modèle moins « rudimentaire », celui d'une hutte en coupole. On peut l'observer chez les Pygmées, mais aussi dans de nombreuses populations nomades d'Afrique sahé-lienne comme chez les Bella du nord du Burkina-Faso et du Mali.

Construites sur un entrecroisement d'arceaux, elles peuvent être couvertes de feuilles, de nattes, de tissus, voire de peaux. Certains préhistoriens ont adopté ce type de reconstitution pour dessiner les habitats de Molodova par exemple, mais les tentatives de reconstitution grandeur nature manquent.

Reste la yourte, modèle ethnographique noble s'il en est un dans la catégorie des habitats nomades. C'est probablement pour cela que les préhistoriens qui ont travaillé sur l'interprétation des structures du site magdalénien de Gönnersdorf ont choisi ce modèle à la hauteur des productions artistiques des hommes préhistoriques qui peuplaient ces lieux. Nous voyons bien dans cette « hiérarchisation » culturelle des sociétés qu'on ne « prête qu'aux riches » et que nous attribuons automatiquement à des sociétés produisant de l'art un savoir-faire technique supérieur à celui des autres, arguant du principe que les modèles du pouvoir et de l'avoir déterminent automatiquement un habitat ample et commode. Adaptée aux exigences de la steppe asiatique, cette demeure spacieuse exige une quantité de matériaux appropriés ; il faut imaginer une grande quantité de peaux pour se substituer au revêtement de feutre des yourtes actuelles et beaucoup de bois pour l'armature.

Il existe enfin un autre modèle très répandu, qui est une variante du modèle de Pincevent : ce sont les « multi tipi » si je peux risquer ce néologisme. Une série de tentes coniques associées constitue la base de ces grands abris souvent évoqués pour les structures des grands gisements d'Europe centrale et orientale. Prenant appui sur du bois, plus souvent sur des défenses de mammouth, ces cabanes ovales allongées à plusieurs foyers sont occupées par des groupes qui disposent de ressources nombreuses et produisent des œuvres d'art mobilier exceptionnelles. Les sites de Kostienki en Russie, Malta en Sibérie, Pouchkari en Ukraine ou Petrkovice en Moravie ont tous été reconstitués selon ce modèle, avec cette amusante théorie des os iliaques de mammouth comportant un trou naturel utilisé pour la stabilisation des perches de soutien de l'abri. On est ici en présence de très grandes structures qui requièrent beaucoup de matériel, et qui semblent ne pouvoir correspondre qu'à des abris fixes. De nombreuses fosses ont d'ailleurs été interprétées comme de vastes garde-manger destinés à assurer l'approvisionnement de plusieurs familles durant toute une saison. Si les interprétations les plus simples sont aussi les plus logiques, il n'est pas nécessaire de reprendre la démonstration. Ces sociétés qui produisent des « richesses » parce qu'elles disposent d'une matière première abondante sont plus nombreuses et doivent disposer de plus d'espace dans leur habitat. Mais la tendance interprétative à prêter à ces dispositifs une apparence « cossue » et « confortable » est nettement ethnocentrique. Ce choix de reconstitution traduit la volonté de signifier au spectateur que ce sont là des groupes qui disposent d'un mode de vie plus élaboré.

Toutes ces variantes sont autant de signes d'un imaginaire qui traduit la répartition au sol des « traces » en terme de lieux de séjour de courte, moyenne ou longue durée. Les différentes images de l'habitat préhistorique présentées à travers les dessins, les maquettes et les reconstitutions grandeur nature révèlent que le modèle ethnographique est omniprésent dans ce type d'interprétation, sans doute parce qu'il est le plus facile à transposer et à faire comprendre. On peut ajouter que certaines observations anthropologiques ont parfois été mal interprétées par les préhistoriens. Ainsi, Lucien Lepoittevin (1996) cite le cas des Okombambi d'Afrique du Sud qui vivent dans des huttes dont les supposées « pierres de calage » ne sont d'aucune utilité et il ajoute pertinemment que ces pierres peuvent résulter d'un marquage symbolique du sol.

Quant aux structures en os de mammouth, de type Meziritch, reconstituées sous forme de cabanes à coupole, leur destination n'est en rien assurée. On a voulu y voir un lieu d'exception au milieu d'un « village » consacré à une destination très particulière : toutefois à Gontsy (Ukraine), c'est une trentaine de cabanes qui ont été fouillées, ce qui infirme l'interprétation concernant un lieu d'exception. Il reste que ce modèle, comme beaucoup d'autres, circule dans les maquettes et les images reproduites dans de nombreux musées et livres de vulgarisation alors qu'il n'a été observé qu'en Russie et en Ukraine.

Pour être exhaustif, il faudrait aussi évoquer la reconstitution de tout ce qui environnait les habitats, c'est-à-dire les ateliers, les hommes, leurs vêtements… C'est plus particulièrement dans les maquettes que l'on observe des représentations miniaturisées des humains au travail. Là aussi, conventions et stéréotypes abondent. Ils n'empruntent plus à des modèles ethnographiques mais à l'imagination des préhistoriens. De l'environnement misérable du chasseur du Paléolithique inférieur et moyen à la richesse et à la diversité du vêtement et des parures au Paléolithique supérieur, ces maquettes très détaillées et minutieuses font entrer le songe dans le domaine privilégié de la réduction qui prête à toutes les représentations. C'est pour cette raison que les maquettes de Michel Proux et Henri Bidault ont eu un très grand succès dans les musées, avec leur finition dans les moindres détails. Les humains y sont mis en scène dans un décor qui restitue le paysage. Vêtus de costumes dont le choix est bien sûr arbitraire, ils s'adonnent à des activités liées aux exigences de leur vie de chasseur-cueilleur. Ce type de maquette constitue une véritable richesse documentaire et un support à la réflexion, bien moins grossier et ridicule que certains mannequins préhistoriques visibles dans les musées. Toutefois on retrouve, pour l'habitat, les mêmes conventions de restitution que pour les reconstitutions grandeur nature limitées à quatre ou cinq formes de base.

L'architecture est un des produits de la « culture matérielle », et reflète, outre les conditions environnementales, les structures des rapports sociaux et familiaux régis par une série de règles religieuses, économiques, juridiques… L'observation des « architectures primitives » dont quelques-unes viennent d'être évoquées a considérablement servi l'interprétation hypothético-déductive de la répartition spatiale des vestiges observables. Devons-nous en conclure que le recours à l'anthropologie pour une meilleure représentation des données archéologiques et une meilleure compréhension du public serait abusif ? Dans le domaine de la modélisation spatiale, il conviendrait de définir, préalablement à tout comparatisme, ce que nous entendons par « sociétés nomades », nomades avec camp de base, semi-nomades ou semi-sédentaires, et c'est bien là le centre de la question qui conditionne la représentation de l'habitat.

Enrico Guidoni écrit :

> « *une ligne de démarcation s'impose entre les sociétés nomades et sédentaires. Pour les premiers, l'architecture est essentiellement l'organisation du territoire, ce qui entraîne, objectivement, le rôle secondaire de la construction comme activité sociale (produit et instrument de relations). Les sociétés nomades se fondent par définition sur la richesse mobilière… L'absence de propriété privée du sol, et la nécessité pour le groupe de déplacements rapides, font de la maison tout au plus le plus grand et le plus précieux des meubles…* »

Guidoni, 1995.

La reconstitution isolée ne reflète pas une image de la société mais de la fouille. C'est la disposition relative des habitations d'un campement qui rend compte des relations d'association ou de parenté. Le modèle ethnographique une fois en place, la restitution des structures d'habitat dévolues à la famille nucléaire se réduit à quelques types simples comme la « cabane », la « hutte », la « tente » réalisées à l'aide de matériaux légers, démontables et transportables. Tous les ethnologues s'accordent sur la simplicité des solutions techniques : avec quelques perches on ne peut construire que quelques formes fondamentales. Sans entrer dans la problématique plus complexe de la compétition sociale et des signes du pouvoir difficilement perceptibles au Paléolithique (voir Hayden, ce volume, p. 197-208), on peut s'interroger sur la variabilité de l'habitat paléolithique et remettre en question le « simplisme » réducteur de nos restitutions qui privilégient l'usage de structures en bois et de peaux.

Ce serait considérer que durant tout le Paléolithique, de l'Europe à l'Asie occidentale et à la Sibérie, des hommes ont édifié des sortes de « tipis » sans que la singularité des groupes ou des contextes environnementaux ne viennent interférer sur la conception de l'habitat. Or, le peu que l'on perçoit de l'habitat au Paléolithique supérieur indique bien des différences dans la répartition spatiale des fosses et des traces de calages interprétées comme limites d'abri. Si la structure externe est le signe visible de l'appartenance à une famille, à un clan ou à un groupe, elle a dû puiser dans de nombreux symboles (peinture, sculpture) sa visibilité.

Dans le rapport au corps individuel, au corps social, au mythe fondateur, l'architecture est une signature des individus qui l'élaborent. Elle montre la présence d'un groupe mais elle le cache également : hauteur, emprise, enfouissement, appui sur une paroi sont autant de recours techniques destinés à assurer ou occulter la visibilité d'un ensemble d'individus. De même, l'orientation et l'organisation spatiale des habitats les uns par rapport aux autres, reflètent le système institutionnel du groupe. Il est probable que l'habitat préhistorique répondait également à ce type de rapport à l'individu, aux groupes, aux croyances, au territoire, et enfin à un système symbolique. En outre, il y a lieu de s'interroger sur les modalités du « nomadisme » des groupes du Paléolithique, lorsque l'on pense aux pratiques du piégeage chez les Indiens d'Amérique du Nord, pratiques qui entraînaient parfois la semi-sédentarité des communautés.

Un autre élément devrait modérer notre tendance au comparatisme : le tipi des Indiens relève de sociétés qui pratiquent la chasse à cheval, donc l'élevage. De même, la yourte appartient à des populations d'éleveurs aux déplacements saisonniers. Les économies de subsistance radicalement différentes de celles des chasseurs-cueilleurs paléolithiques ne peuvent servir de référence à des sociétés exposées aux conditions climatiques de cette phase du Quaternaire. Il faut ainsi écarter les tentes de Bédouins et les huttes de pasteurs d'Afrique. Une architecture est à la fois le reflet d'un contexte climatique, d'un ensemble de ressources en matériaux, de comportements de survie et d'un groupe social : la variété de ces paramètres accroît la difficulté à calquer une représentation sur des observations ethnographiques. Sans compter que les structures « discernables » à partir des vestiges mis en évidence sur une fouille peuvent aussi correspondre à des « faits » sociaux tels que la division sexuelle, la nécessité de disposer d'espaces collectifs dévolus aux échanges, aux pratiques cérémonielles, rituelles, à tout ce qui se rapporte au sacré, autant d'éléments dont nous ne pouvons discerner aujourd'hui l'impact sur la disposition d'un campement.

À partir de quatre perches ou plus, une restitution standardisée est complètement spéculative, et tout ce qui se rapporte aux particularités du décor se heurte à un vide documentaire. Il suffit pour s'en convaincre de comparer les différentes solutions techniques des peuples arctiques et sub-arctiques, Lapons, Yakouts, Koriakes, où l'usage des peaux alterne avec celui de l'écorce de bouleau ou du bois recouvert de mottes de terre et où l'habitat semi-enterré concurrence l'habitation aérienne, selon des règles de saisonnalité.

Pour restituer à partir d'un faible corpus documentaire ce qu'ils comprennent des sociétés préhistoriques et pour le transmettre au public, les archéologues se sont enhardis à proposer des modèles de reconstitution en partant de questions concernant le nomadisme, les matières premières et la variabilité du décor, mais faute de témoins suffisamment précis, ils ont dû s'en tenir à un répertoire limité de formes compatibles avec les traces archéologiques. Puisant largement dans le registre emprunté aux anthropologues des siècles passés, dans une sorte d'onirisme ethnocentrique qui se dérobe à une analyse critique approfondie, ces reconstitutions d'habitat constituent néanmoins aujourd'hui l'essentiel d'un support informatif indispensable.

Bibliographie

Aurenche O. (ed) (1984), *Nomades et Sédentaires. Perspective ethnoarchéologique*, Paris, Éditions Recherche sur les civilisations, mémoire n° 40.

Bosinski G. (1990), *Homo sapiens, l'histoire des chasseurs du Paléolithique supérieur en Europe (40 000-10 000 av. J.-C.)*, Paris, Errance.

Braemer F., Cleuziou S., Coudart A. (eds) (1999), *Habitat et Société*, Actes des XIXᵉ Rencontres internationales d'archéologie et d'histoire d'Antibes, 22-24 octobre 1998, Juan-les-Pins, Éditions APDCA.

Couchaux D. (2004), *Habitats nomades*, Paris, Éditions Alternatives, coll. « Architecture ».

GOSDEN C. (1999), *Anthropology and Archaeology. A changing Relationship*, Londres et New York, Routledge.

GUIDONI E. (1995), *Architecture primitive. Histoire de l'architecture*, Paris, Gallimard/Electa.

JAMESON J.H. Jr (ed) (2004), *The Reconstructed Past. Reconstructions in the Public Interpretation of Archaeology and History*, AltaMira Press.

KROLL E.M., DOUGLAS PRICE T. (eds) (1991), *The Interpretation of Archaeological Spatial Patterning. Interdisciplinary Contributions to Archaeology*, New York et Londres, Plenum Press.

LEPOITTEVIN L. (1996), *La Maison des origines. Essai de critique anthropologique*, Paris, Masson.

SHANKS M., TILLEY M. (1992), *Re-Constructing Archaeology. Theory and Practice*, Londres et New York, Routledge.

SCHMIDER B. (1994), « Marsangy », *in* Y. TABORIN (dir), *Environnements et habitats magdaléniens dans le centre du Bassin parisien,* Éd. de la Maison des Sciences de l'Homme, DAF n° 43, p. 147-153.

STONE P.G., PLANEL P.H. (eds) (1999), *The Constructed Past. Experimental Archaeology, Education and the Public*, Londres et New York, Routledge.

TESTART A. (1986), *Le Communisme primitif. I : Économie et idéologie*, Paris, Éditions de la Maison des Sciences de l'Homme.

Du *Bulletin de la Société préhistorique française* à Jean Auel

Un exercice de style

Sophie A. DE BEAUNE

Le préhistorien dispose de plusieurs moyens de faire connaître son travail : le publier dans des revues spécialisées qui ne s'adressent qu'à ses pairs ; en vulgariser les résultats à l'intention d'un public plus large, sans s'attarder sur la démarche qui les a produits ; opter pour le medium plus riant de la fiction romanesque.

Ces trois modes de publication correspondent à trois modes de transmission des connaissances, où les procédés d'écriture diffèrent. J'entends cependant montrer ici que ces différences ne sont que de degré.

DE LA PUBLICATION SPÉCIALISÉE...

L'article destiné aux pairs est, en Préhistoire du moins, rédigé dans une langue exempte de toute recherche stylistique ; on se veut « objectif », les adjectifs appréciatifs sont le plus possible évités. En un mot, le chercheur, fidèle en cela à une conception poppérienne de la démarche scientifique, écrit sous le contrôle de la communauté des pairs et se soumet au risque de la réfutation. Est-il si sûr cependant qu'il y parvienne ? Les tenants de la *New Archeology* n'en doutaient pas, mais je crains que le ver de l'irréfutabilité ne se glisse très tôt dans la pomme du discours préhistorique. Savoir si l'on peut considérer l'archéologie préhistorique comme une science au sens poppérien est une question dont j'ai déjà débattu ailleurs (Beaune, 2007).

Alain Gallay s'est lui aussi posé ce genre de question et a souligné le tiraillement que peut ressentir l'archéologue, qui oscille constamment entre deux activités : « d'une part la mise en évidence et la description méticuleuse et obsessionnelle des faits matériels […], d'autre part la présentation d'explications anthropologiques et historiques censées rendre compte de tous les aspects de la vie des hommes d'autrefois » (Gallay, 1995, p. 9).

Ce que je tiens à faire remarquer pour ma part est que le corps de l'article spécialisé n'a pas le même statut scripturaire que la conclusion. Si détaillé qu'il puisse être, il n'est en général que descriptif. On y livre un corpus, on décrit des objets, on risque éventuellement de prudentes comparaisons et quelques statistiques, mais tout cela n'est au fond qu'un travail de laborantin. L'auteur ne devient un chercheur à proprement parler que dans la conclusion, laquelle est presque toujours, même à son insu, l'amorce d'un récit.

Deux exemples suffiront. L'étude d'Olivier Le Gall sur les vestiges de poisson à la grotte des Églises conclut, après plusieurs pages de description et de décompte d'ossements de saumon, que si dans la zone fouillée les vertèbres thoraciques sont plus abondantes que les vertèbres caudales et si l'atlas et l'axis sont absentes, c'est que la tête des poissons était tranchée après capture et laissée auprès de la rivière, et que les Magdaléniens ont parfois emporté la partie caudale charnue de certains d'entre eux (Le Gall, 1984, p. 175). Mais qu'est-ce que cela sinon la relation d'une succession d'actions se déroulant dans le temps, c'est-à-dire un récit ? Un tout petit récit certes, à l'intrigue toute simple, mais c'est ce récit qui donne tout son intérêt à l'article, et le texte qui précède ne visait qu'à le rendre plausible. Nous sommes passés là du paradigme du modèle au paradigme du récit, pour parler comme les épistémologues qui opposent les praticiens des sciences exactes, fabricants de modèles, et les historiens, pourvoyeurs de récits. Nous voyons que le plus austère des préhistoriens peut difficilement s'empêcher, ne serait-ce que dans la dernière ligne de ses articles, de devenir quelque chose qui ressemble beaucoup à un historien. Et qui, du même coup, ressemble un tout petit peu à un romancier.

Autre exemple, celui de l'étude de Michel Garcia sur les empreintes de pas du réseau Clastres de Niaux. Précis et descriptif, l'article se conclut ainsi :

> *Voici un scénario que l'on peut imaginer : les visiteurs viennent de l'entrée préhistorique de la Galerie Clastres où les enfants ont laissé des*

empreintes dans quelques plaques boueuses, puis ils parviennent dans la partie centrale du réseau ; sur la plage 5, les enfants longent la paroi, l'homme adulte marche au milieu de la galerie et entre eux une femme, grande adolescente ou adulte, marche au bord du banc de sable.

Plage 5, les enfants sautent et franchissent l'eau des gours puis tout le monde monte plage 4. La femme y reste, peut-être avec le plus jeune, alors que les autres redescendent et s'arrêtent à la hauteur de la plage 1. Le groupe ensuite est reparti vers l'entrée préhistorique en passant par les gours du milieu de la galerie.

Garcia *et al.*, 1990, p. 174.

Là, au moins, les auteurs avouent qu'ils « imaginent » un « scénario », c'est-à-dire une petite histoire, même réduite à une seule scène au demeurant charmante. C'est ce résultat qui nous intéresse et on imagine sans peine que c'est à ce récit qu'ils voulaient parvenir, et l'article perdrait sans lui une grande partie de sa raison d'être.

De même, l'expérimentateur qui propose en conclusion la reconstitution d'une chaîne opératoire particulière devient aussi narrateur. Il en est ainsi encore lorsque l'on tâche de comprendre la place d'un site dans un ensemble régional ou chronologique ou bien de resituer telle ou telle production technique, sociale ou esthétique dans un ensemble donné.

Certains auteurs cherchent à donner plus de vie encore à leurs résultats. Lorsqu'elle imagine la circulation des coquillages, Yvette Taborin évoque des visiteurs de passage laissant quelques parures à leurs hôtes ou des jeunes épousées en route avec leurs bijoux vers le campement de leurs beaux-parents. Elle infère de cette aimable fiction « la reconnaissance et la pratique des liens de fraternité entre groupes, tellement indispensables à la sécurité et à la survie d'un groupe de chasseurs » (Taborin, 2004, p. 70). Là, l'intrigue est plus complexe qu'une simple histoire de pêche ou que les batifolages de garnements pataugeant dans la gadoue. Nous sommes cette fois incontestablement passés du côté de la fiction narrative, mais la différence avec nos deux exemples précédents n'est que de degré.

Fort bien nous dira-t-on, mais si importantes et si attrayantes parfois que soient les dernières lignes de nos articles, c'est tout ce qui précède qui fait de nous des scientifiques, et qu'on ne dise pas que là, nous racontons des histoires. Est-ce si sûr ? Lorsque Nicole Pigeot propose le remontage d'un nucléus, que fait-elle sinon dire que l'objet lui-même, dans toute sa brute matérialité, raconte une histoire. Car recomposer un nucléus, remonter un puzzle à trois dimensions, c'est bel et bien suggérer une séquence d'actes s'étant déroulée dans le temps. Et c'est bien ainsi que les narratologues définissent un récit. Le modèle lui-même est ici devenu un récit.

Et même lorsque, plus modestement, nous nous en tenons à la description de faits que nous croyons matériels, sommes-nous si objectifs que nous le proclamons ? Dès l'instant où le chercheur sélectionne les caractères qui lui paraissent pertinents pour en faire l'étude, il doit faire parler les données : les *choses* que nous exhumons ne deviennent des *objets* archéologiques que pour autant que nous les avons transformés en *documents*. Mais c'est le regard que nous portons sur eux qui opère cette transformation. Et ce regard est riche de toute l'histoire de la discipline. Ce n'est pas pour rien que nous voyons aujourd'hui plus de choses que nos prédécesseurs, au point de juger utile, à l'occasion, de fouiller dans les déblais qu'ils avaient méprisés : derrière l'œil qui voit, il y a l'œil qui pense, et cet œil-là ne pense que dans la mesure où il se raconte un peu des histoires. Les objets ne sont pas lisibles d'eux-mêmes, il faut les faire apparaître comme tels. On voit ici à quel point il serait erroné d'opposer une phase d'observation, qui serait objective à une phase d'interprétation qui serait plus subjective. L'observation est déjà une interprétation, la différence étant peut-être que le sujet qui interprète est alors un sujet collectif, à savoir l'ensemble de la communauté scientifique, qui, à un moment donné de son histoire, tient tel ou tel trait pour digne ou non d'être relevé.

…À LA LITTÉRATURE DE VULGARISATION…

Passons maintenant à ce qu'on appelle la littérature de vulgarisation. La définition la plus simple de ce qu'on entend par là est peut-être celle du Dr Verneau qui précise, à propos de son *Enfance de l'Humanité*, paru en 1890, que son ouvrage n'est « ni un roman, ni un livre ne pouvant être lu que par des spécialistes » (Verneau, 1890, p. VIII, cité par Coye, 2000, p. 206). Il revendique la rigueur scientifique tout en se voulant accessible au plus grand nombre de lecteurs.

Comment parvient-on à réaliser cette double ambition ? Ayant moi-même tâté du genre (Beaune, 1995), je vais présenter brièvement les objectifs que je m'étais fixés et les moyens que je m'étais donnés pour les atteindre.

Mon intention était de 1, restituer à l'usage du néophyte des connaissances scientifiques « nettoyées » de toute la « cuisine » interne scientifique ; 2, lui présenter du concret, et enfin 3, faire « revivre » les hommes du passé sans toutefois tomber dans le piège de la généralisation.

S'agissant du premier point, je n'ai gardé que les résultats obtenus, sans détailler les circonstances de leur obtention. Des publications consultées, je n'ai donc conservé que les quelques lignes « narratives » de leurs conclusions. C'était du reste une exigence de l'éditeur. Pour mettre ma conscience en paix, j'ai tout de même mis à la disposition du lecteur une bibliographie la plus détaillée possible, tout en respectant les exigences du même éditeur (en note renvoyant à une bibliographie finale en plus d'une bibliographie générale).

Quant au deuxième point, ce ne fut au fond qu'une affaire de syntaxe. Dans notre prose professionnelle, l'homme paléolithique apparaît essentiellement dans la position du complément d'agent, le rôle du sujet étant tenu par les documents archéologiques sur lesquels nous nous penchons, ce qui donne à nos phrases la tournure de base suivante : cet objet (que j'ai pris tant de peine, cher lecteur, à décrire et à analyser à ton intention), a été utilisé de telle et telle manière par les Magdaléniens de la Grotte Une Telle. Mon travail d'écriture a consisté à faire passer ce genre de phrase de la voie passive à la voie active : Les Magdaléniens (sujet) ont utilisé de telle et telle manière ces silex (objet) (et si tu souhaites, cher lecteur, savoir ce qui me permet de l'affirmer, va consulter la bibliographie).

C'est ainsi que j'ai écrit à propos des vertèbres de saumon de la grotte des Églises :

> [...] *abandonnant la tête des poissons au bord de l'eau, les pêcheurs n'ont rapporté au campement que les corps. Puis, après les avoir accommodés dans la grotte, ils ont emporté la partie caudale de certains salmonidés. Celle-ci aura sans doute été fumée ou séchée au-dehors, lors d'une expédition loin de la grotte, ou bien conservée pour n'être dégustée que plus tard, dans l'habitat principal* [...]
>
> Beaune, 1995, p. 98.

On voit donc que je n'ai fait en réalité que rendre explicite ce qui était implicite dans l'article scientifique.

Pour honorer le troisième point, j'ai nuancé toutes les affirmations pour indiquer au lecteur que ce qui est vrai à tel moment ou tel endroit n'était pas forcément vrai toujours et partout. Ce sont des formules du type : dans tel site, à telle époque, les hommes ont fait ceci ou cela…

Au bout du compte, mes phrases avaient donc un sujet (l'homme du Paléolithique, héros du livre), un complément d'objet (les documents archéologiques dont l'élucidation est le pain quotidien de notre métier) et des compléments circonstanciels en nombre assez élevé (trop élevé au goût de l'éditeur, qui s'est cependant laissé faire).

Ce genre de travail grammatical a, je crois, des chances de rendre la lecture des faits archéologiques moins douloureuse au néophyte, mais, comme dit Jean-Claude Gardin quand il se désole que nos restitutions du passé n'aient qu'une valeur « tristement "locale" », il ne permet pas de parvenir à « des tableaux aussi riches qu'on l'aimerait des modes de vie ou des pensées propres aux sociétés anciennes » (Gardin, 1995, p. 29).

On peut conclure de tout ceci qu'au fond, il n'y a que très peu de différences autres que grammaticales entre une publication scientifique (ou du moins ses dernières lignes de conclusion) et sa publication sous forme vulgarisée. Je parle bien entendu de la littérature de vulgarisation due à des auteurs dominant leur sujet. Lorsque le sujet n'est pas dominé, on arrive bien sûr à des résultats détestables. Pensons par exemple, bien qu'il ne s'agisse plus d'écriture, au film de Jacques Malaterre intitulé *Homo sapiens*, diffusé sur France 3 en janvier 2005 où le fantasme vulgaire le dispute à une évocation désuète digne de Victor Hugo : « Lorsqu'avec ses enfants vêtus de peaux de bête, échevelé, livide au milieu des tempêtes… » .

…ET AU ROMAN PRÉHISTORIQUE

Au risque d'en choquer certains, je vais essayer de montrer qu'au fond, le roman préhistorique ne diffère de la littérature scientifique et de la littérature de vulgarisation que par une différence de degré supplémentaire.

On peut distinguer deux grandes catégories de « fictions préhistoriques » qui diffèrent par leurs objectifs mais qui sont soumises à des contraintes analogues.

La première catégorie comprend les fictions écrites par un archéologue qui utilise l'outil littéraire pour rendre compte des acquis de la connaissance scientifique. On peut parler ici de roman « appliqué », et Claudine Cohen fait remarquer qu'il est significatif que certains des préhistoriens qui ont mis en récit leurs découvertes sous une forme romanesque l'ont souvent fait sous le couvert d'un pseudonyme (Cohen, 1999, p. 215). L'un des plus anciens romans de ce type a été publié par Max Bégouën en 1935. Citons, dans un autre genre, la bande dessinée réalisée par Alain Gallay avec André Houot en 1992. Comme il l'a expliqué, Alain Gallay a privilégié l'un des scénarios possibles pour rendre compte de changements culturels observés à travers les vestiges archéologiques (Gallay, 1995). Une des hypothèses avancées par Alain Gallay en tant que préhistorien, devient ainsi le *thème* du récit.

Dans la seconde catégorie de fiction préhistorique, le romancier, qui n'est pas archéologue, privilégie le romanesque et s'intéresse à l'histoire d'un ou de plusieurs personnages qui évoluent dans un cadre préhistorique. Les faits préhistoriques ne sont plus ici le *thème* du récit, mais seulement son *cadre*.

Il existe bien entendu de très mauvais romans préhistoriques mais il va de soi que seule nous intéresse ici ce que l'on peut considérer comme de la « bonne littérature historique », c'est-à-dire une construction romancée qui a « le double mérite de s'appuyer sur les acquis de la recherche scientifique et de les prolonger par les artifices de la création littéraire… » (Gardin, 1995, p. 30).

Je prendrai ici l'exemple de la saga en 5 volumes de l'écrivain américaine Jean Auel, *Les Enfants de la Terre*, qui fait parcourir à la jeune Ayla un périple de plusieurs années depuis ses plaines russes natales jusqu'au bassin aquitain (Auel, 2002).

Que ces acquis scientifiques interviennent comme le *thème* du roman ou qu'ils n'en soient que le *cadre*, la mise en forme de l'histoire se doit d'être le plus proche possible de la plausibilité. L'obstacle principal « réside dans le désir contradictoire de vouloir concilier le respect du passé avec la liberté de création fictionnelle » (Couegnas, 1986, p. 18, cité par Stoczkowski, 1995, p. 35).

Pour le surmonter, l'auteur, qu'il soit préhistorien ou romancier, va utiliser les données environnementales et les données archéologiques et les compléter avec des données ethnographiques et expérimentales. Alain Gallay a bien montré comment ces données appartiennent à des cercles comparatifs allant du particulier au général (Gallay, 1995). Ce sont :

– des références locales concernant le contexte topographique et géographique et la végétation ;

– des références régionales regroupant les connaissances acquises sur la Préhistoire de la région concernée : elles concernent les techniques, l'économie, l'architecture, le vêtement, la parure et ce que l'on peut supposer des croyances religieuses ;

– des références ethnographiques permettant de se faire une idée de l'organisation sociale. En suivant cette démarche, nous admettons qu'il existe dans notre monde certaines régularités concernant l'organisation sociale, ce qui pourrait être critiqué et jugé trop réductionniste.

Si l'on cherche à retrouver ces trois niveaux de référence dans *Les Enfants de la Terre* de Jean Auel, on s'aperçoit que l'auteur a scrupuleusement respecté les références locales. Ses descriptions comportent des détails sur la faune et la flore, parfois même sur la géologie. Ainsi, sa présentation de la steppe herbeuse de la plaine russe et de sa faune semble sortir tout droit d'une monographie archéologique (*Le Clan de l'Ours*, p. 90-91). Son souci d'exactitude est tel qu'il semble même qu'elle craint parfois d'être accusée de généralisation abusive. Ainsi, à propos de l'habitat en grotte, elle se sent tenue d'expliquer que : « tous les hommes des Cavernes ne vivaient pas dans ce type d'habitat. Ils habitaient aussi dans des habitats construits en plein air. Malgré tout, les caches naturelles creusées dans le rocher avaient à leurs yeux une valeur inestimable, surtout pendant la saison froide » (*La Vallée des Chevaux*, p. 539). Ce genre de précaution oratoire est un peu l'équivalent des compléments circonstanciels que je me suis imposés, et, à mon avis, Jean Auel aurait pu s'en dispenser. Mais ces scrupules l'honorent.

Jean Auel puise ses références régionales dans les connaissances actuelles sur les sites du début du Paléolithique supérieur, d'abord en Russie et en Europe centrale, puis dans le Sud-Ouest de la France.

Il en est ainsi de sa description de la grande habitation collective du Camp du Lion (*Les Chasseurs de Mammouths*, p. 857 et 865-867). On découvre l'habitation par les yeux d'Ayla au fur et à mesure qu'elle s'en approche et qu'elle la parcourt. Il est évident qu'à ce moment de la rédaction, l'auteur avait sous les yeux toute une documentation sur les habitats du complexe de Kostienki-Avdeevo et en particulier de l'habitation du niveau I de Kostienki 1 et de l'habitation de Kostienki IV, mais aussi des cabanes de Mezirich et de Mezin (Ukraine). On y retrouve l'aspect extérieur en tertre, les différents éléments surmontant le toit, la voûte faite de défenses de mammouths croisées fixés dans un manchon, les pièces surcreusées avec un foyer en leur centre, l'alignement des pièces le long d'une rangée de foyers, le pseudo-ensemble musical de Mezin.

Le caractère lacunaire des données archéologiques oblige l'écrivain à compléter sa documentation en puisant dans le registre ethnographique. La dimension narrative intervient pour décrire tout ce qui ne se conserve pas : vêtements, outils et provisions suspendus à la charpente en os de mammouths, litières faites de fourrures amoncelées le long des parois, tentures et rideaux en peaux de mammouth qui ferment les issues et découpent l'espace…

Le troisième niveau des cercles comparatifs concerne les références ethnographiques qui permettent de se faire une idée de l'organisation sociale.

Un seul exemple tout à fait remarquable montrera comment l'auteur tente de restituer les mécanismes qui régissent les liens sociaux entre les individus chez les premiers hommes modernes. On se souvient de l'étonnante double sépulture d'enfants mise au jour en 1969 par O.N. Bader à Sungir' en Russie. Les enfants étaient étendus sur le dos tête contre tête dans une étroite fosse, longue de trois mètres et reposaient sur une couche d'ocre rouge de part et d'autre de deux longues lances en ivoire de mammouth. Ils étaient accompagnés d'un riche mobilier (javelots, poignards, rondelles ajourées, figurines de cheval en ivoire, bâtons percés) et parés de milliers de perles d'ivoire et de nombreuses canines de renard.

Pour expliquer la quantité de parure et la présence des lances en ivoire, Jean Auel imagine que ces enfants, destinés à devenir chefs, devront donner des preuves de leurs rangs une fois parvenus dans le monde des Esprits. Usant de sa liberté d'écrivain, elle a opté pour une hypothèse *invérifiable mais crédible*.

Plus fascinant est ce qu'elle entreprend pour justifier la position des enfants dans la tombe : elle fait dire à l'un des sages de la communauté que les enfants vont voyager jusqu'au monde des Esprits et que « s'ils se réveillaient côte à côte ils pourraient oublier qu'ils sont frère et sœur et s'accoupler par erreur […]. Tête contre tête, ils peuvent s'encourager durant le Voyage, sans toutefois se tromper sur leurs liens à leur arrivée de l'autre côté » (*Les Chasseurs de Mammouths*, p. 1337-1339).

Cette explication est là encore plausible puisque les ethnologues ont montré l'universalité de l'interdit de l'inceste, mais elle ne recoupe aucun fait archéologique. Est-ce vraiment l'important ? ; car, après tout, cette idée est une fort belle trouvaille romanesque. L'auteur fait ici coup double : elle se prononce sur un fait archéologique qui nous intrigue tous, et elle le fait en bonne romancière. Nous serions donc malvenus de la juger ici sur des critères autres que littéraires.

Elle est moins convaincante quand elle imagine que ni les Néandertaliens ni les premiers hommes modernes ne font le lien entre l'acte sexuel et la procréation. Supposer une telle lacune est d'autant plus curieux que Jean Auel prête par ailleurs à ces hommes du début du Paléolithique supérieur une parfaite compréhension de leur environnement végétal et animal. De plus, il n'existe pas de société connue qui n'ait fait ce rapprochement. Mais cela tient peut-être à ce que sa documentation ethnographique sur ce point est un peu datée.

Par ailleurs, l'écrivain doit donner une dimension psychologique à ses personnages et c'est assurément là qu'il est le plus souvent fautif car le risque de dérapage ethnocentrique est fort. Jean Auel est ici prudente car, si elle prête des sentiments très contemporains à ses héros, elle garde du recul et fait comprendre au lecteur qu'elle est bien consciente qu'il s'agit d'un anachronisme ou tout au plus d'un ethnocentrisme. Ainsi, dans *Les Chasseurs de Mammouths*, Jondalar est presque constamment jaloux d'un autre homme qui courtise Ayla. Or, l'auteur insiste sur le fait que ce sentiment est étranger à sa culture et que Jondalar lui-même ne comprend pas les sentiments qui l'animent et se croit anormal.

L'écrivain romancier ne peut se contenter de faire évoluer des personnages stéréotypés dans un décor reconstitué qui seul importerait. Lorsque Ayla se livre à une activité quelconque, comme de pêcher ou de chasser, l'auteur ne se contente pas de décrire l'action, mais nous conte par le menu l'état d'esprit de l'héroïne, ses hésitations, ses échecs, ses victoires sur l'animal, etc.

Cette exigence littéraire l'oblige parfois à des complications narratives. Ainsi, il ne suffisait pas de décrire la sépulture de Sungir', mais il fallait encore justifier son apparition dans l'intrigue. Justement, Ayla est guérisseuse, ce qui permet à l'auteur d'imaginer qu'on fait appel à elle pour soigner les enfants. Mais comment expliquer que les enfants soient morts, alors que la guérisseuse n'a jamais jusque-là connu l'échec ? Eh bien, c'est qu'elle est arrivée trop tard pour les guérir et n'a pu qu'assister, impuissante, à leurs funérailles. Moyennant quoi l'histoire se tient, et ce magnifique document archéologique qu'est la tombe de Sungir' a pu figurer dans le roman. Les ficelles sont un peu grosses, mais on pardonne à l'auteur ce passage qui n'a d'ailleurs pas grand'chose à voir avec ce qui précède et ce qui suit, car elle y reconstitue admirablement le déroulement des funérailles, en y ajoutant toute l'atmosphère ambiante, avec mélopées plaintives et battements de tambours.

CONCLUSION

On voit finalement que les trois genres évoqués, quand ils sont pratiqués par de bons ouvriers, doivent obéir à des contraintes comparables, et que la dimension narrative est présente même dans un article scientifique. Évidemment, dans un roman, le fossé se creuse à un moment entre la réalité telle que l'on peut la reconstituer à partir des vestiges archéologiques et la fiction littéraire, mais c'est plus une différence d'habillage stylistique, souvent beaucoup mieux réalisé par les romanciers que par les archéologues, soit dit en passant.

Jean-Claude Gardin oppose « les "faits" établis par la "science" », aux « constructions romancées de l'histoire », qui prolongent ces faits acquis « par les artifices de la création littéraire... » (Gardin, 1995, p. 30-31). Or, nous venons de montrer que les faits eux-mêmes ne sont constitués comme faits qu'au terme d'un travail interprétatif. Les faits « établis » sont ceux que la communauté scientifique, à un certain moment de son histoire, considère comme tels. Et nous avons vu que dans cet établissement même, quelque chose de narratif est déjà présent.

Pour Wiktor Stoczkowski, « il y a peu d'espoir que l'on puisse satisfaire dans le même ouvrage les exigences contradictoires de la rigueur scientifique et de la liberté narrative », l'« art à ambition scientifique » ne pouvant « produire que des visions aussi séduisantes que fallacieuses » (Stoczkowski, 1995, p. 46). On peut lui opposer que notre travail de scientifique consiste précisément à rendre plausible, au prix d'une très grande rigueur, l'ébauche d'une construction narrative.

Enfin, pour Gilles Boëtsch et Jean-Noël Ferrié, la représentation de la Préhistoire qui consiste à « inventer des objets fictionnels » n'a rien à voir avec la connaissance (Boëtsch et Ferrié, 2000, p. 230). Pour eux, la vulgarisation scientifique n'a aucune utilité pédagogique et sert davantage à comprendre le présent qu'à connaître le passé. Mais il ne faudrait pas oublier que notre travail comporte une nécessaire part d'invention, l'important étant que cette part soit contrôlée, et ce n'est pas en la niant que nous la contrôlerons. Rappelons ici la remarque du sociologue Bernard Lahire qui écrit que « toute interprétation sociologique pertinente est une surinterprétation contrôlée » (Lahire, 2005, p. 64).

Il est amusant de constater que Clifford Geertz s'est posé le même genre de question il y a une quinzaine d'années à propos de l'anthropologie sociale et plus spécifiquement de l'ethnographie. Il a remarqué que, comme en Préhistoire, les « bons textes anthropologiques sont [censés] être neutres, sans prétention » (Geertz, 1988, p. 10). Il note que les écrits purement factuels sont rares en anthropologie, sauf au niveau du compte rendu de terrain ou du relevé topographique, et qu'ils ne sont généralement pas destinés à être publiés. On pourrait faire un parallèle avec le rapport de fouille, qui lui non plus n'est pas destiné à être publié sous sa forme brute. Lorsqu'il aborde la publication ethnographique, il constate qu'il existe une contradiction inhérente à la nature même d'un livre d'ethnographe et il souligne « la bizarrerie qui consiste à élaborer des textes d'aspect scientifique à partir d'expériences largement biographiques, ce que font finalement les ethnographes » (*ibid.*, p. 17). C'est pourquoi il souligne la difficulté qu'il y a pour l'ethnographe à faire un compte rendu distancié et « objectif » et en même temps à traduire ses impressions intimes « subjectives ». C'est ce qui explique que l'ethnographe oscille bien souvent entre les deux. Pour Clifford Geertz, il ne fait pas de doute que l'ethnologue est avant tout producteur de textes, auteur.

Un dernier point reste à évoquer, c'est le statut social des auteurs de ces différentes formes littéraires. On s'aperçoit que, selon que l'on est amateur, étudiant, journaliste, chercheur…, on s'autorise ou non à écrire dans l'un ou l'autre genre ; ce qui revient à dire que ce que l'on écrit est largement conditionné par son statut social. Un chercheur non statutaire aura tendance à se cacher derrière un pseudonyme s'il publie une fiction littéraire pour éviter le risque d'être décrédibilisé auprès de ses pairs. Seuls les chercheurs reconnus, qui ne craignent plus l'opinion de leurs pairs, signeront de leur nom leurs romans. Le degré narratif d'un texte est donc instructif sociologiquement et constitue au moins un marqueur culturel. Et là nous retrouvons la communauté scientifique, avec ses membres à part entière, ses membres postulants, ses exclus ; et nos résultats ne sont avérés que pour autant qu'elle le tient pour tels.

Bibliographie

AUEL J. [trad. fr.] (2002), *Les Enfants de la Terre I*. 1, *Le Clan de l'Ours des Cavernes* [1re éd. 1981] ; 2, *La Vallée des Chevaux* [1re éd. 1986] ; 3, *Les Chasseurs de Mammouths* [1re éd. 1986], Paris, Omnibus.
[trad. fr.] (2002), *Les Enfants de la Terre II*. 4, *Le Grand Voyage* [1re éd. 1991], suivi de « Le monde des Enfants de la Terre », par J.-P. RIGAUD, Paris, Omnibus.

[trad. fr.] (2002), *Les Enfants de la Terre. 5, Les Refuges de Pierre*, Paris, Presses de la Cité.

BEAUNE S. A. DE (1995), *Les Hommes au temps de Lascaux. 40 000-10 000 avant J.-C.*, Paris, Hachette, coll. « La Vie Quotidienne ».

(2007), « La Préhistoire est-elle toujours une science humaine ? », in *Actes du Congrès Préhistorique de France*, XXVIᵉ session, Avignon, 2004.

BÉGOUËN M. (1935), *Les Bisons d'argile*, Paris, Fayard.

BOËTSCH G., FERRIÉ J.-N. (2000), « Construire la Préhistoire : une anthropologie de la communication de la science », *in* A. DUCROS et J. DUCROS (dir), *L'Homme préhistorique. Images et imaginaire*, Paris, L'Harmattan, p. 225-231.

COHEN C. (1999), *L'Homme des origines. Savoirs et fictions en Préhistoire*, Paris, Le Seuil.

COUEGNAS P. (1986), « Préhistoire et Récit "préhistorique" chez Rosny et Wells », *Europe : revue littéraire mensuelle*, 681/682, p. 18-29.

COYE N. (2000), « En leur science et conscience. Vulgarisateurs et caution scientifique en Préhistoire au XIXᵉ siècle », *in* A. DUCROS et J. DUCROS (dir), *L'Homme préhistorique. Images et imaginaire*, Paris, L'Harmattan, p. 205-224.

GALLAY A. (1995), « Archéologie et histoire : la tentation littéraire », *in* A. GALLAY (ed), *Dans les Alpes, à l'aube du métal : archéologie et bande dessinée*, Catalogue d'exposition *Le Soleil des morts : archéologie et bande dessinée,* Sion, sept. 1995-janv. 1996, Sion, Musées cantonaux du Valais, p. 9-22.

GARCIA M.A., DUDAY H., COURTAUD P. (1990), « Les empreintes du Réseau Clastres », *Bulletin de la Société préhistorique Ariège-Pyrénées*, T. XLV, p. 167-174.

GARDIN J.-C. (1995), « L'éloge de la littérature et ses ambiguïtés dans les sciences historiques », *in* A. GALLAY (ed), *Dans les Alpes, à l'aube du métal : archéologie et bande dessinée*, Catalogue d'exposition *Le Soleil des morts : archéologie et bande dessinée*, Sion, sept. 1995-janv. 1996, Sion, Musées cantonaux du Valais, p. 23-33.

GEERTZ C. (1988), *Works and Lifes : the Anthropologist as Author*, trad. fr. 1996, *Ici et Là-bas. L'anthropologue comme auteur*, Paris, Éditions Métailié.

HOUOT A., GALLAY A. (1992), *Le Soleil des Morts*, Bruxelles, Le Lombard.

LAHIRE B. (2005), *L'Esprit sociologique*, Paris, La Découverte.

LE GALL O. (1984), *L'ichtyofaune d'eau douce dans les sites préhistoriques*, Éditions du CNRS, *Cahiers du Quaternaire* n° 8.

STOCZKOWSKI W. (1995), « La science inénarrable », *in* A. GALLAY (ed), *Dans les Alpes, à l'aube du métal : archéologie et bande dessinée*, Catalogue d'exposition *Le Soleil des morts : archéologie et bande dessinée*, Sion, sept. 1995-janv. 1996, Sion, Musées cantonaux du Valais, p. 35-51.

TABORIN Y. (2004), *Langage sans parole. La parure aux temps préhistoriques*, Paris, La Maison des Roches.

VERNEAU Dr. (1890), *L'Enfance de l'Humanité*, t. 1, *L'Âge de la Pierre*, Paris, Hachette, coll. « Bibliothèques des Merveilles ».

Restituer la vie quotidienne

En guise de conclusion

Alain GALLAY

Les objectifs de cet ouvrage étaient doubles : d'abord analyser les conditions et les limites de nos restitutions du passé à propos de la vie quotidienne des hommes du Paléolithique supérieur ; ensuite, présenter les questions liées à la transmission des connaissances entre scientifiques d'une part, entre scientifiques et public d'autre part. Nous nous concentrerons ici sur la première question, mais nous verrons que les conclusions auxquelles nous aboutissons permettent de proposer quelques pistes pour répondre à la seconde.

Nous pouvons prendre comme point de départ de notre réflexion les propos de Sophie A. de Beaune. Notre collègue reconnaît à juste titre l'étroite imbrication entre approches scientifiques et littéraires dans nos pratiques, et ceci dans les trois domaines qui touchent à nos propos sur la vie quotidienne : les publications scientifiques, les œuvres de vulgarisation et les romans historiques. Les trois genres répondraient à des contraintes comparables et il n'y aurait que des différences de degré dans leur scientificité. Nous ne pouvons qu'adhérer à ce constat. Nous ne pouvons en revanche la suivre lorsqu'elle conclut que les controverses entre science et littérature soulevées notamment par Wiktor Stoczkowski (1994) et Jean-Claude Gardin (1999) sont finalement de faux problèmes. D'une part, constater une situation bien réelle ne signifie pas que nous devions l'accepter comme une fatalité et c'est bien dans ce sens que vont les travaux de nos deux collègues. Distinguer ce qui est et ce vers quoi il est possible de tendre correspond d'autre part pleinement aux objectifs du présent ouvrage qui souhaite opérer une percée conceptuelle dans nos pratiques discursives.

La question se pose alors : à quel prix ? Nous tenterons de répondre en dressant tout d'abord un trop rapide bilan des pratiques de

l'archéologie, mais également de l'ethnologie, un domaine parfois
évoqué lors des interventions de ce colloque, pour terminer par quelques propositions.

NOS PRATIQUES EN ARCHÉOLOGIE

Nous en revenons toujours aux mêmes constatations, quel que soit
le domaine de recherche abordé. Deux ruptures fragilisent nos constructions comme autant de maillons faibles. La première se situe entre
les analyses de nos matériaux qui font régulièrement l'objet de progrès
considérables, cet ouvrage en est l'image, et les explications souvent
ambitieuses que nous proposons pour en rendre compte. La seconde,
plus insidieuse, se glisse entre le domaine propre de nos recherches et
les savoirs extérieurs, souvent issus de l'ethnologie, que nous mobili-
sons obligatoirement dans le domaine actualiste pour lui donner vie
(fig. 1).

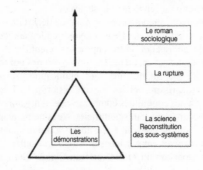

Figure 1. Nos constructions en l'état. Deux faiblesses partiellement liées
se dessinent, la première au niveau de la fragilité et du caractère linéaire
des explications de niveau élevé (rupture 1), la seconde dans le caractère
encore embryonnaire des références externes mobilisées (rupture 2).

Rupture 1 : le passage au sens

Le discours archéologique des publications scientifiques semble se dissocier en deux ensembles. Nous avons d'une part des analyses de plus en plus sophistiquées sur des matériaux de plus en plus minutieusement collectés et d'autre part des « scénarios » présentant une histoire ou une mise en scène sensée rendre compte de notre compréhension des faits. La désinvolture avec laquelle cette seconde partie est construite tranche radicalement avec les contraintes acceptées pour établir la base de faits qui est mobilisée.

Comme l'a excellemment expliqué François-Xavier Chauvière en dressant l'historique des études consacrées à l'industrie osseuse, cette situation paraît due à l'abandon d'un comparatisme ethnographique primaire jugé, à juste titre, inefficace pour des approches purement descriptives. Dans les années 1960 s'impose l'utopie des descriptions exhaustives en elles-mêmes porteuses de sens (Gallay, 1998). Dans le domaine des industries osseuses, le rejet est consommé avec la tenue en 1974 du premier colloque international sur l'industrie de l'os préhistorique de l'abbaye de Sénanque. La reconquête du sens sera longue. Elle devra passer par la reconnaissance d'une évidence : nos descriptions doivent dépendre des objectifs, limités, et toujours nouveaux, que nous nous assignons, et non d'accords consensuels sur la manière de décrire, en toute circonstance, nos matériaux. L'étude des baguettes demi-rondes proposée par André Rigaud est l'exemple même de cette reconquête. Elle nous ouvre la voie pour réduire notre premier type de rupture. On se prend à espérer que des études du même type, aussi acérée que les sagaies dont parle notre collègue, soient consacrées aux domaines économiques, sociaux ou même idéologiques. Miguel Almeida et ses collaborateurs ont montré qu'il en est de même de l'industrie lithique où on observe un bouleversement méthodologique au milieu du XXe siècle.

On a présenté, dans cet ouvrage, de nombreuses et excellentes démarches empiriques. Qu'on nous pardonne de n'en citer que quelques-unes : Élise Tartar sur les outils « opportunistes » en os dans le domaine des chaînes opératoires, Daniella Zampetti et ses collègues sur les galets ornés ayant ou non servi d'outils, Laure Fontana et ses collaborateurs ainsi que Marie-Isabelle Cattin pour les organisations territoriales et au niveau idéologique, Suzanne Villeneuve et Brian Hayden à propos de la topographie des grottes ornées.

Nous constatons à chaque fois une retenue certaine dans l'évocation des « scénarios » qui pourraient en découler. Cette prudence dans l'évocation du sens évoque pour nous la conscience de la présence de ce point de rupture non maîtrisé, au-delà duquel il convient de ne point s'aventurer, et l'embarras dans lequel se trouvent les auteurs pour le dépasser.

Rupture 2 : la prise en compte des données ethnologiques

On ne répétera jamais assez que le sens ne peut émerger des vestiges du passé que par une démarche actualiste. Nous devons nous accommoder de cette situation et rechercher les moyens de répondre à cet enjeu. Quelques communications nous permettent d'évoquer cette question et de mettre en évidence un second point de rupture.

Pierre-Yves Demars et ses collaborateurs évoquent les variations saisonnières chez les Eskimos de Marcel Mauss (1906) pour traiter de la saisonnalité des territoires en Aquitaine. Brian Hayden utilise les données des Indiens de la côte Nord-Ouest du Pacifique pour construire une vue nouvelle des populations du Paléolithique supérieur européen comme « société complexe ». Maria Estela Mansur et ses collègues nous montrent, à partir d'une étude ethnoarchéologique de fonds de cabanes Selknam en Terre de Feu, la difficulté à distinguer entre constructions domestiques et huttes à vocation rituelle.

Quelques questions se posent à propos de ces démarches.

– Un seul exemple extrait de la littérature ethnologique, dont tous les mécanismes internes ne sont pas identifiés et analysés en profondeur, et dont les relations entre situation décrite et faits matériels décelables au niveau archéologique ne sont pas précisées, constitue-t-il une bonne référence pour le préhistorien ?

– Les sociétés peuvent-elles faire l'objet de classements globaux permettant des transferts entre exemples ethnographiques et cas archéologiques, une situation qui implique des liaisons fortes entre la totalité, ou du moins une fraction, des sous-systèmes d'une culture ?

– Dans quelles conditions une étude de cas ethnoarchéologique a-t-elle valeur de généralité ?

Nous n'avons pas la prétention de répondre à ces questions ici-même, mais au moins convenons que nous ne pourrons maîtriser notre second point de rupture qu'à condition d'apporter une réponse claire aux interrogations précédentes. Thierry Tillet, en nous montrant comment des exemples ethnographiques permettent de mettre en doute la cuisson des os spongieux pour obtenir des bouillons gras, ouvre à ce sujet quelques pistes. La mobilisation des faits ethnographiques doit s'effectuer à des niveaux restreints sur des exemples dont les fonctionnements sont analysés en profondeur.

CHEZ NOS COLLÈGUES ETHNOLOGUES

Il est un sujet dont il a été peu question dans cet ouvrage, et qui pourtant est essentiel. On peut en effet se demander si les difficultés rencontrées dans la mobilisation des faits ethnologiques ne viennent pas du fait que l'optique qui guide les travaux des ethnologues ne se prête pas aux démarches des archéologues. Deux faits nous paraissent responsables de cette situation.

1. Les ethnologues éprouvent de nombreuses réticences face aux approches transculturelles et décontextualisées et polarisent leurs recherches sur les spécificités locales et les études de cas. L'archéologue ne trouve donc pas dans ces travaux les matériaux qui pourraient lui être utiles. On comprend pourquoi les travaux d'Alain Testart (1985 et 1986 par exemple) ont, dans ce cadre, plus de succès chez les archéologues que chez les ethnologues.

2. Nos collègues sont souvent des adeptes convaincus des approches empathiques dans laquelle on considère que la réalité observable n'est pas dissociable de l'expérience vécue par l'observateur. Le chemin vers une distanciation reste encore long pour reconquérir son objet d'étude que l'on soit Marcel Griaule avec *Dieux d'eau* (1948) dans lequel la part des faits, celle de l'informateur et celle de l'enquêteur sont impossibles à identifier, ou Nigel Barley dans *Un anthropologue en déroute* (1983), dans lequel l'enquêteur occupe désormais seul, et avec brio, le devant de la scène.

QUELQUES PROPOSITIONS

Peut-être n'est-il pas inutile de faire partager ici quelques convictions qui guident aujourd'hui notre travail, tant sur le plan archéologique que sur le plan ethnoarchéologique (Gallay, 2002 et 2007).

Proposition 1 : se méfier du principe de convergence du moi et de l'autre

Quelques citations qui témoignent du désir de coller aux systèmes de pensée des préhistoriques et des difficultés d'y parvenir : « Notre conception ne correspond pas à celle du Magdalénien », « Les populations traditionnelles ne distinguent pas entre vie quotidienne et vie spirituelle, nous oui ». Nous nous demandons si cet objectif, identifier la pensée de l'autre comme moteur de la réalité, est bien raisonnable et surtout accessible. Cela demande quelques rappels. Le discours que l'archéologue construit dans le cadre de sa quête du passé ne répond naturellement pas aux préoccupations de nos ancêtres qui poursuivaient de tout autres buts : se nourrir, s'abriter des intempéries, trouver des femmes pour se reproduire et assurer la survie démographique du groupe, communiquer avec le monde surnaturel… L'objectif du scientifique est tout autre, à la fois plus simple et beaucoup plus exigeant : donner prise sur les faits et avoir certains pouvoirs prédictifs sur ces derniers. Les langages scientifiques qu'il construit à cette occasion n'ont aucune raison de converger avec la pensée du Magdalénien ou du Solutréen. Le reste est philosophie ou littérature ; il s'agit d'une autre voie parfaitement respectable, mais qu'il convient de distinguer. Ceci nous amène au deuxième point.

Proposition 2 : dissociation entre science et littérature

Notre deuxième proposition rejoint notre introduction. Il existe réellement une opposition entre science et littérature malgré l'existence de certaines passerelles (Gallay, 2004). Les voies moyennes revendiquées par les sciences humaines conduisent à des impasses.

Proposition 3 : une nouvelle articulation entre démonstrations et logique du plausible

Le schéma habituel de nos travaux suit généralement une voie empirique. Sur une base factuelle plus ou moins large, nous échafaudons des inférences de niveaux plus élevés. Les inductions touchent alors souvent certains aspects fonctionnels des sociétés du passé.

Lorsqu'elles sont présentes et que l'auteur a surmonté notre rupture de type 1, ces dernières s'élèvent alors très rapidement vers une conclusion unique considérée comme seule possible (voir fig. 1). Nous savons tous néanmoins que l'indécision augmente au fil de la démonstration, l'archéologue se trouvant dans l'impossibilité de trancher entre deux ou plusieurs alternatives. Cette situation, qui fait partie du jeu, se doit d'être explicitée dans une logique du plausible assurant la dynamique de la recherche. D'où la possibilité d'échafauder des constructions en forme de sablier dont la partie haute s'élargit au fur et à mesure que l'indécision augmente et que les alternatives se multiplient (fig. 2).

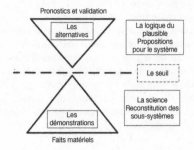

Figure 2. Nos constructions dans une perspective logiciste. La fragilité des explications de niveau élevé maîtrisée dans une perspective dynamique.

Proposition 4 : une gestion des conflits d'interprétation

Les sciences humaines admettent parfois qu'une même situation peut faire l'objet d'interprétations contradictoires sans que soit remise en cause la pertinence des approches. Les cas de multi-interprétations de phénomènes humains sont légion. Il nous semble quant à nous que cette situation doit être considérée non comme une fatalité, mais au moins comme un problème à régler. Évoquer des interprétations alternatives (proposition 3) doit nous inciter à trouver les moyens de résoudre les indécisions rencontrées. Nous nous plaçons ici dans le cadre de ce que Jean-Claude Gardin (1997) nomme dans son article sur les conflits d'interprétation la recherche des facteurs C.

Une première série de facteurs devrait faire l'objet d'une identification formelle afin de pouvoir supprimer leur influence sur les constructions. Nous trouvons dans ce premier ensemble :

– le contexte sociohistorique dans lequel est produit le travail (influence de l'observateur).

Dans quelle mesure la construction est-elle influencée par le contexte culturel et les idées dans lequel baigne l'observateur ?

– les croyances (influence de l'observé).

Dans quelle mesure les croyances des personnes étudiées déforment-elles la nature des faits ?

La seconde série de facteurs occupe un niveau stratégique dans nos disciplines car elle est au cœur de la problématique de l'ethnoarchéologie :

– Culture particulière (restrictions L, T, F)

Dans quel cadre spatial (L), temporel (T) et fonctionnel (F) une proposition est-elle recevable ? Tout recours au comparatisme ethnographique, c'est-à-dire tout transfert d'une signification d'un ensemble extérieur servant de référence à un domaine d'étude archéologique repose sur l'hypothèse que les deux contextes sont « comparables ». Cette transitivité peut avoir valeur universelle, mais elle peut également concerner des ensembles culturels plus limités dans le temps et dans l'espace ou des contextes fonctionnels particuliers dont il faut tracer avec exactitude les frontières.

Proposition 5 : des relations plus strictes
entre pronostics et retours aux faits

Toute étude devrait déboucher sur un certain nombre de pronostics susceptibles de vérifications ou de réfutations ultérieures. Ce type de présentation, où l'on explore les conditions d'un retour aux faits, est seul à même d'assurer la dynamique de la recherche et la constitution d'un savoir cumulatif.

Proposition 6 : une présentation plus stricte
des démonstrations

Nous ne reviendrons pas ici sur les contraintes techniques du programme logiciste auquel nous nous référons et sur la nécessité de présenter nos démonstrations sous la forme de propositions articulées dépouillées de leur enrobage littéraire (Gardin, 1979 ; Gallay, 1989, 1998 et 2007). Nous insisterons en revanche ici sur la convergence constatée entre le programme logiciste et les nouvelles technologies de l'information. Tout en évitant un malentendu.

On aime aujourd'hui annoncer que la mise en réseau de nos publications va résoudre nos problèmes de publication et faciliter l'accès et le traitement de l'information, une solution miracle pour résoudre les problèmes des chercheurs submergés par une information pléthorique. Rien n'est moins sûr. L'intégration des textes des publications courantes sur les réseaux informatiques et les revues électroniques ne résoudront rien. Malgré la puissance des moteurs de recherche, ces nouvelles pratiques risquent au contraire d'augmenter le degré de saturation en supprimant les limites de volume imposées par les publications traditionnelles et en augmentant les difficultés de lecture.

Le programme logiciste espère répondre à ce défi en proposant des constructions condensées réduites aux informations essentielles. Le projet ARKEOTEK piloté par le laboratoire de Préhistoire et de technologie de Paris X Nanterre étudie, à travers des exemples concrets, les conditions pratiques d'une telle réalisation (Gardin et Roux, 2004).

Bibliographie

BARLEY N. (1983), *Un anthropologue en déroute*, Paris, Payot, coll. « Petite Bibliothèque Payot, Voyageurs ».

GALLAY A. (1989), « Logicism : a French View of Archaeological Theory Founded in Computational Perspective », *Antiquity*, t. 63, p. 27-39.

(1998), « Mathematics and Logicism in Archaelogy : a Historical Approach », *in* S. TABACZYNSKI (ed), *Theory and Practice of Archaeological Research, 3 : Dialogue with the Data : the Archaeology of Complex Societies and its Context in the 90's*, Warszawa, Institute of Archaeology and Ethnology, Committee of pre- and protohistoric sciences, Polish Academy of Sciences, p. 115-137.

(2002), « Maîtriser l'analogie ethnographique : espoirs et limites », *in* F. DJINDJIAN et P. MOSCATI (eds), *Data Management and Mathematical Methods in Archaeology*, Congrès de l'UISPP, 2-8 sept. 2001, Liège, *Archeologia e Calcolatori* (Firenze), 13, p. 79-100.

(2004), « À propos du statut épistémologique des travaux publiés sur la nécropole du Petit-Chasseur à Sion (Valais, Suisse) », *in* M. BESSE et J. DESIDERI J. (eds). *Graves and Funerary Rituals during the Late Neolithic and the Early Bronze Age in Europe (2700-2000 BC)*, *Proceedings of the International Conference held at the Cantonal Archaeological Museum*, Sion (Suisse), 4-7 octobre 2001, Oxford, BAR, International Series n° 1284, p. 79-97.

(2007), « 25 ans de logicisme : quel bilan ? », Congrès préhistorique de France, XXVIᵉ session, Avignon, 2004.

GARDIN J.-C. (1979), *Une archéologie théorique* (adaptation fr. de *Archaeological Constructs : an Aspect of theoretical Archaeology*, 1979, Cambridge, Cambridge University Press), Paris, Hachette, coll. « L'Esprit critique ».

(1997), « Le questionnement logiciste et les conflits d'interprétation », *Enquête : anthropologie, histoire, sociologie*, 5, p. 35-54.

(1999), « Calcul et narrativité dans les publications archéologiques », *Archeologia e Calcolatori*, 10, p. 63-78.

GARDIN J.-C., ROUX V. (2004), « The Arkeotek Project : a European Network of Knowledge based in the Archaeology of Techniques », *Archeologie e Calcolatori*, 15, p. 25-40.

GRIAULE M. (1948), *Dieu d'eau : entretiens avec Ogotemmêli*, Paris, Éditions du Chêne.

MAUSS M. (1906), « Essai sur les variations saisonnières des sociétés eskimos : étude de morphologie sociale », *L'Année sociologique*, t. IX, p. 39-132.

STOCZKOWSKI W. (1994), « Anthropologie naïve, anthropologie savante : de l'origine de l'homme, de l'imagination et des idées reçues », Paris, Éditions du CNRS, coll. « Empreintes de l'homme ».

TESTART A. (1985), *Le Communisme primitif. Économie et idéologie*, Paris, Éditions de la Maison des Sciences de l'Homme.

(1986), *Essai sur les fondements de la division sexuelle du travail chez les chasseurs-cueilleurs*, Paris, École des Hautes Études en Sciences Sociales, Cahiers de l'Homme, nouv. série 25.

Résumés – *Abstracts*

Philippe SOULIER,
André Leroi-Gourhan et la restitution de la vie quotidienne

André Leroi-Gourhan (1911-1986) n'est pas le premier ni le seul préhistorien à avoir tenté de restituer la vie quotidienne des hommes du Paléolithique supérieur. Cependant, à la fois anthropologue, ethnologue et préhistorien, en une quarantaine d'années (de 1936 à 1976) il met en place une méthode de travail, tant d'un point de vue théorique que pratique – sur le terrain des fouilles et au laboratoire – qui le distingue de ses contemporains. Privilégiant progressivement l'observation synchronique à la lecture diachronique, il passe d'une explication extensive des phénomènes culturels humains à une description intensive des modes d'occupation du territoire, finalement restreint à l'échelle spatiale de l'habitat. Cependant, ce qu'il restreint en étendue, il l'approfondit en analyse.

André Leroi-Gourhan (1911-1986) was admittedly neither the first nor the only prehistorian to have attempted to reconstruct the daily life of Upper Palaeolithic people. However, his unique experience combining physical anthropology, ethnology and prehistoric archaeology enabled him to develop over a period of some forty years (from 1936 to 1976) a method which, in both its theoretical and practical aspects (in the field and in the lab), singles out his contribution. As he gradually came to emphasise synchronic observations over diachronic studies, Leroi-Gourhan also shifted attention from the extensive explanation of cultural phenomena to the intensive appraisal of settlement patterns, ultimately narrowed-down to the scale of the dwelling unit. And, of course, what has been reduced in terms of spatial scale has only been gained in terms of the depth of analysis. (traduction Nathan Schlanger)

Miguel ALMEIDA, Thierry AUBRY, Javier MANGADO LLACH,
Maria JOÃO NEVES, Jean-Baptiste PEYROUSE, Bertrand WALTER,
40 ans d'études technologiques. Comment et jusqu'où aller
dans la reconstitution du quotidien ?

Vers le milieu du XXe siècle, l'intérêt croissant des ethnologues pour le domaine technique eut une influence décisive sur la Préhistoire. Les deux champs scientifiques partagent depuis un même programme méthodologique : appréhender le « tout socioculturel » à partir du domaine spécifique des techniques.

Disposant de nouveaux outils analytiques créés dans le champ de l'ethnologie, les travaux initiés par André Leroi-Gourhan sur le site de Pincevent induisent un changement des objectifs des préhistoriens, qui délaissent alors le paradigme chrono-culturaliste, évolutionniste, au profit d'une approche palethnologique. Les nouvelles ambitions des préhistoriens se matérialisent par un nouveau paradigme analytique, dit « technologique », regroupant une variété d'outils d'analyse : caractérisation de l'origine des matériaux, remontages, description de chaînes et schémas techniques, reproduction expérimentale et analyse tracéologique. Les études de technologie lithique s'intéressent alors à des questions comme les techniques de débitage, la détermination de l'outillage du tailleur, les schémas opératoires et l'évaluation de degrés de compétence technique.

L'objectif est d'aboutir à une reconstitution « microhistorique » pour restituer les activités effectuées sur un site et son organisation spatiale et chronologique à l'échelle du temps de l'occupation.

Des approches régionales tentent d'établir la saisonnalité, la durée et la fonctionnalité de chaque site, afin de retracer les axes probables de déplacement des groupes et de comprendre leurs stratégies économiques d'exploitation des ressources de leur environnement.

Le potentiel scientifique de l'application combinée de ces différentes approches et outils analytiques est énorme mais l'analyse des problèmes d'application révèle que l'ambition de André Leroi-Gourhan de fonder une « Ethnologie préhistorique » n'a pas encore été réalisée.

During the XXth century, the growing interest of Ethnology for the technical aspects of production as a mean to understand a society's organisation had a major influence on the Prehistory. These two scientific fields have since shared a common methodological program : to understand the socio-cultural organisation through the study of the specific domain of the technical activities.

Using the new analytical tools developed by the ethnologists, Leroi-Gourhan's work at Pincevent induced a change from chrono-culturalist/evolutionist paradigm to a new palethnological approach. These renewed ambitions of prehistoric research would progressively materialize in a new analytical paradigm, named « technological », that includs a variety of analytical tools : raw material determination, refitting, « chaîne opératoire », experimental archaeology, functional analysis, etc.

Consequently, lithic technology studies now address questions as : the flaking techniques, the knapper's tool-kit, the reduction schemes and the knapper's know-how.

The aim is to reconstruct the site's « micro-history », through the restitution of the activities performed on site, as well as of their spatial and chronological organisation in the context of the site's occupation.

Regional approaches aim to establish seasonality, duration and function of each site, in order to recover the possible displacement axes of the prehistoric groups and to understand their economic strategies of regional resources.

Nonetheless, although the scientific potential of the combined application of all these different approaches and analytical tools is enormous, Leroi-Gourhan's ambition of a « Prehistoric Ethnology » cannot yet be considered accomplished.

François-Xavier CHAUVIÈRE,
Le travail des matières dures d'origine animale.
Concepts acquis, interprétations neuves des vestiges ?

Riches de matières et de formes, les industries paléolithiques sur matières dures animales ont très tôt retenu l'attention d'une discipline naissante qui a vu, dans leur étude, une source d'informations de premier plan pour accéder aux comportements des populations humaines passées. Après un temps certain de latence, la communauté scientifique manifeste un regain d'intérêt pour le travail de l'os, des bois de cervidés ou de l'ivoire durant la Préhistoire.

On se propose ici de dresser un panorama des attitudes scientifiques qui mobilisent la recherche en ce domaine en insistant davantage sur les options les plus récentes qui privilégient le fait technique comme fait archéologique immédiatement accessible.

Rich in raw material and forms, Upper paleolithic bone industries early attracted a new discipline which soon discerned that their analysis would offer informations about human behaviour. After some time of neglecting, scientific community shows again high interest for prehistoric worked bones industries.

In this paper, we propose to draw up a panorama of scientific attitudes which do actual research, laying stress more on options which considers technical fact like an immediatly accessible archaeological fact.

Élise TARTAR,
L'équipement en os. Une fenêtre sur le quotidien des Paléolithiques

Parce qu'il coïncide avec le développement d'un équipement en matières dures animales inédit, le Paléolithique supérieur a constitué un terrain de recherche privilégié pour la technologie osseuse. Toutefois, certains objets de facture élaborée – en bois de cervidé et en ivoire – ont bénéficié de nombreux travaux alors que d'autres, en os et souvent moins « investis », ont suscité moins d'intérêt. Pourtant, poinçons, lissoirs ou autres retouchoirs en os tiennent bonne place dans l'équipement technique et constituent de fait des témoins directs et privilégiés des activités courantes engagées par les Paléolithiques.

Nous montrerons comment l'étude de cette industrie peut participer pleinement aux interprétations techniques, économiques et sociales des ensembles paléolithiques. Nous insisterons en particulier sur le fait que la caractérisation des modalités de fabrication de l'outillage ne constitue qu'une première étape de travail. Isolées du système technoéconomique global, les opérations techniques et l'organisation de la production n'offrent en effet que peu d'informations, à plus forte raison s'il s'agit d'industries faiblement transformées. S'il reste essentiel d'identifier les comportements techniques, il faut les traduire en terme de propriétés de la matière première, d'intentions et de besoins fonctionnels. De fait, il paraît nécessaire de tenter de reconstituer l'intégralité de la chaîne opératoire : explorer en amont le processus d'acquisition de la matière première (sélection des supports) et retrouver en aval les modalités d'utilisation des outils.

The Upper Palaeolithic, which coincides with the development of an original bone industry, has constituted a favoured field of research for bone technology. However, some spectacular looking objects – made out of antler or ivory – have been the subject of numerous studies while others, made out of bone and often « less elaborated », have aroused few interest. Yet, bone awls, lissoir or retouchers represent a substantial part of the domestic tool-kit and are consequently direct records of daily tasks of Palaeolithic people.

Here we show how the study of this production contributes to the technical, economical and social interpretations of Palaeolithic assemblages. We insist in particular on the fact that, if the caracterisation of fabrication modalities constitutes an important step in the analysis, it can not be sufficient. Isolated from the global techno-economical system, technical operations give few information, especially if they concern productions that are not much transformed. It is necessary to reconstitute the complete « chaîne opératoire » : to study upstream the raw material acquisition process and downstream how the tools are used.

André RIGAUD,
Voir les baguettes demi-rondes avec le regard d'une menuisier

Les objets préhistoriques en matières dures d'origine animale sont souvent idéalisés par une vision restrictive des fiches typologiques passant sous silence bon nombre de pièces ratées, de rebuts ou d'ébauches. Le matériel de Labastide, observé avec les yeux d'un artisan recherchant des traces de fabrication puis d'utilisation, permet de replacer certaines pièces dans une suite logique et non dans un type particulier.

The prehistoric artefacts made of hard animal material are often idealized due to a restrictive vision of the typological charts that makes no mention of a good many number of flawed, rejected, roughs sketched implements. Labastide material exposed to the craftman's eyes, looking for traces of the making and then traces of wear, allow to set in place again some pieces in a logical order rather than in a special type.

Jacques COLLINA-GIRARD,
Une ethnologie du feu au Paléolithique est-elle possible ?

L'utilisation du feu est l'une des acquisitions techniques supposée différencier l'homme de l'animal. L'ethnologie, l'éthologie et la psychanalyse peuvent être convoquées pour répondre à cette question. Deux questions sur l'origine de la technique renvoient à l'archéologie : quand et comment ? la question du pourquoi restant du ressort de l'éthologie et de la psychanalyse. Les réponses à ces questions demeurent partielles. Il n'est actuellement pas possible d'écarter l'hypothèse de feux naturels et non volontaires pour les vestiges remontant au-delà de 300 000 à 250 000 ans. Le début de la production du feu est attesté par quelques briquets à percussion miraculeusement conservés indiquant une maîtrise de ce procédé dès le début du Paléolithique supérieur. Au-delà de ce constat, l'archéologue qui rêve de se transformer en ethnologue se trouve, pour l'essentiel, dans une impasse. Tout ce qui était important pour les acteurs de cette Préhistoire, organisation sociale et subjectivité individuelle, sont inaccessibles. Les reconstructions ethnologiques proposées par les préhistoriens évoquent alors les résultats de tests projectifs, où les vestiges archéologiques joueraient le rôle des taches d'encre utilisées par les psychologues.

Use of fire is one of the technical inventions often presented as opposing man and animal. When ? How ? Why ? Archaeology, ethnology, ethology and psychoanalysis could study these questions. Nowadays, it is impossible to prove seriously the use of fire before 300 000-250 000 years ago. Some fire strikers (flint and marcassite) where found in European sites of Upper Palaeolithic. Production of fire is known in early Upper Palaeolithic. Presently some archaeologists wish to interpret these kinds of data to reconstruct the life of the Palaeolithic hunters-gatherers. This ideal aim of reconstructing the ethnology of prehistoric peoples seems unrealistic because the real objects of ethnology : social organisation and individual subjectivity are missing. Contrariwise, these pseudo ethnological scenarios could be considered, as results of a psychological projective test where archaeological data take the role of ink spots used by psychologists.

Thierry TILLET,
*Les bouillons gras au Paléolithique. Un exemple de comparatisme
ethnographique critiquable*

Le fractionnement des épiphyses spongieuses pour l'extraction de
la graisse fut souvent évoqué par analogie ethnographique. Cette idée
fut proposée à la suite d'analyses de la fragmentation des os spongieux
trouvés dans certains gisements paléolithiques. S'il semble démontré et
bien acquis que la fracturation intentionnelle des os à cavité médullaire
en vue d'en extraire la moelle existe dès les temps les plus anciens du
Paléolithique, il n'en est pas de même lorsqu'il s'agit de documenter
l'idée de préparation de bouillons gras…

*On the basis of ethnographic analogies, the fragmentation of
some prehistoric bones has often been explained as due to extraction
of bone grease. In particular, this explanation has been advanced fol-
lowing observations of fragmented cancellous bone epiphyses found in
certain Paleolithic sites. While it has been satisfactorily demonstrated
– and is generally accepted – that the intentional breaking open of
marrow bones was undertaken in order to extract marrow beginning
with the earliest Paleolithic periods, this is hardly the case if one
wishes to suggest that bone grease was obtaining through boiling fragmented bones.*

Pierre-Yves DEMARS, **Olivier** LE GALL, **Hélène** MARTIN,
*Saisonnalité, mobilité et spécialisation des sites.
Une approche polythématique*

Les chasseurs-cueilleurs sub-actuels, tous nomades, effectuent
leurs déplacements suivant des rythmes saisonniers. L'emplacement
de leurs campements est choisi en fonction de paramètres (proies/
saisons/environnements) propres à assurer des prises nombreuses et
faciles. L'évolution des différentes composantes de l'archéologie préhistorique nous autorise à engager des réflexions sur les modes de
prédation des chasseurs-pêcheurs paléolithiques :
  – L'archéozoologie « classique » est à même de révéler la nature
des proies et des éléments sur la saison de capture.
  – La sclérochronologie est indispensable pour visualiser directement les saisons d'activités cynégétiques et halieutiques, et la
pyramide des âges des proies lorsqu'il s'agit d'adultes.

– L'éthologie animale permet de nous renseigner sur les comportements « migratoires », de « vigilance de l'animal »… choisis par les chasseurs-pêcheurs afin de faciliter leur prédation.

– La paléogéographie, l'environnement physique, végétal, proche ou lointain du site, peuvent nous offrir une vision du « paysage » dans lequel évoluaient les Paléolithiques.

The sub-modern hunters-gatherers, all nomads, move across territories according to seasonal cycles. They choose the placement of their habitats according to parameters (prey/seasons/environments) that insure easy and plentiful captures.

The evolution of the different components of prehistoric archaeology allows us to consider the predation methods of Paleolithic hunter-fishers :

– « classic » archeozoology reveals the nature of prey and elements concerning the season of capture ;

– sclerochronology is indispensable for direct observation of the seasons of hunting and fishing of adult animals and their pyramid of ages ;

– animal ethology informs us concerning animal « migratory » and « vigilance » behaviors selected by hunter-fishers in order to facilitate predation ;

– paleogeography and the physical and vegetal environment, near or far from the site, can give us a vision of the « landscape » in which Paleolithic groups evolved.

Laure FONTANA, François-Xavier CHAUVIÈRE,
Modes d'acquisition et d'exploitation des ressources

Identifier les modes d'acquisition et d'exploitation choisis par les sociétés de chasseurs-collecteurs du Paléolithique supérieur est un moyen de caractériser les systèmes économiques. Une telle démarche analytique implique, à l'échelle des sites, une étude réellement intégrée des données relatives à l'exploitation des ressources animales et minérales. C'est cette démarche que nous exposons en détail dans cet article.

Revealing how resources chosen by Upper Palaeolithic societies were obtained and exploited is a way to characterize their economic systems. Such an analysis is not possible, at the scale of the sites, without a real integrated study of the data relying to animal (zooar-chaeology and study of bone industry) and mineral resources. We are presenting here in detail this reasoning.

Marie-Isabelle CATTIN,
Matières premières et territoires au Magdalénien.
Exemples du Plateau et du Jura suisse

En Préhistoire, le territoire est généralement défini à partir des provenances des matières premières ; mais la façon dont était parcouru ce territoire est souvent très difficile à mettre en évidence. L'exemple des sites magdaléniens d'Hauterive-Champréveyres et Neuchâtel-Monruz permet d'évoquer quelques hypothèses de circulation applica-bles à la plupart des sites du Paléolithique supérieur.

The most common method for reconstructing past territories in Prehistory is by studying the provenance and trajectories of preserved raw materials recovered from a site or group of sites. The Magdale-nian sites of Hauterive-Champréveyres and Neuchâtel-Monruz, Switzerland, provide examples that allow several circulation models for raw materials to be discussed that may be applicable to most Upper Palaeolithic settlements.

María Estela MANSUR, **Raquel** PIQUÉ, **Assumpció** VILA,
Étude du rituel chez les chasseurs-cueilleurs.
Apports de l'ethnoarchéologie des sociétés de la Terre de Feu

Dans la pratique archéologique habituelle, seuls les témoins « exceptionnels » ont été interprétés comme rituels, interprétation souvent dérivée des sources ethnographiques. Cependant, ces mêmes sources révèlent l'existence d'activités rituelles qui ne produisent pas des vestiges exceptionnels. Dans cette approche, nous avons com-mencé des recherches etnoarchéologiques dans un site de la Terre de Feu, dont les caractéristiques s'accordaient aux descriptions ethnogra-phiques concernant l'un des principaux rituels de la société Selknam : le *Hain*. L'objectif est de vérifier le modèle d'implantation qui a été décrit, en cherchant des indicateurs strictement archéologiques qui nous permettent de reconnaître une occupation de ce genre comme rituelle.

In the archaeological practice usually only the « exceptional »
records are interpreted as ritual contexts. Interpretative hypothesis for
these exceptional contexts are frequently derived from ethnographical
sources. These same sources reveal the existence of ritual activities
that don't produce exceptional records. From this approach, we have
started an ethnoarchaeological research in a site in Tierra del Fuego,
with general characteristics matching the ethnographical descriptions
concerning one of the main rituals of Selknam society : the Hain. *The*
first goal of our research was to verify the settlement model described
in the ethnographical sources, and then to search for strictly archaeo-
logical indicators that let us recognize an occupation of this kind as
ritual.

Suzanne VILLENEUVE, Brian HAYDEN,
Nouvelle approche de l'analyse du contexte des figurations pariétales

Jusqu'à ce jour, l'art pariétal du Paléolithique a principalement été
étudié à partir de perspectives écologique et/ou fonctionnelle, de
cadres symboliques cherchant à identifier le sens de cet art, ou encore
à partir d'approches essentiellement descriptives. Ces approches ont
pour la plupart ignoré le contexte social de l'art, de même que le contexte physique dans lequel il se manifeste. De récentes tendances dans
le domaine de la théorie archéologique ont encouragé les chercheurs à
prendre en considération la complexité du contexte dans lequel l'art a
été produit et consommé. Des arguments convaincants ont été émis en
faveur de l'idée que certains sanctuaires auraient été destinés à des
visites individuelles ou par petits groupes, alors que d'autres auraient
été visités par des groupes de personnes plus importants. Cependant,
aucune analyse systématique ou quantitative de l'art des grottes les
plus grandes et les plus complexes n'a été entreprise dans une perspective sociologique. Nos résultats étayent l'idée selon laquelle il aurait
existé plusieurs domaines distincts d'action sociale derrière l'art
pariétal : au moins un domaine privé et un domaine pour des groupes
d'individus. De plus, ils indiquent que la variabilité du contexte social
peut être aussi importante à l'intérieur de certaines cavernes qu'entre
plusieurs d'entre elles.

Ce texte traite de la première application d'une nouvelle méthodologie focalisée sur l'organisation spatiale des figurations, et élaborée
afin de traiter la question du contexte social de l'art pariétal. Nous

avons mesuré les contextes topographiques à partir de données telles que les dimensions des figures, les angles propices, l'espace disponible et la posture la mieux adaptée pour les regarder (debout, accroupi). Les contextes sociaux ont été estimés par rapport au nombre de personnes pouvant regarder en même temps une même figuration (donc reflétant la taille du groupe social), aux activités possibles dans ces espaces et enfin à la qualité de ces figurations.

Cette approche engendre une vision plus dynamique de la variabilité de l'art pariétal ; elle vise donc à une compréhension plus complexe et plus nuancée de l'univers social qui se cache derrière l'art. Cette approche démontre comment des explications d'ordre général concernant l'utilisation des grottes ornées et leur distribution spatiale peuvent tirer profit d'une approche expérimentale vécue. Finalement, l'enjeu consiste à réorienter notre attention sur une étude contextuelle détaillée et sur un modèle plus hétérogène qui considère le rôle actif joué par l'ensemble des membres de la société.

Up to the present, Paleolithic cave art has largely been studied from either ecological/functionalist perspectives, symbolic frameworks that seek to find meaning in the art, or strongly descriptive approaches. These approaches have largely ignored both the social context of the art and the physical context in which it occurs. Recent trends in archaeological theory have prompted researchers to consider the physical context of the images and another level of complexity to the art. Our results support recent suggestions that there are several different domains of social action behind the art : minimally, a private domain and a more public domain. Convincing arguments have been advanced for some caves having served as sanctuaries for individual or small group visits and other caves having served as communal creations for communal purposes. However, no systematic or quantified analysis of the art in the larger more complex caves has been undertaken from a social perspective, and our results indicate that the variability within some caves can be equally as important as variability between caves in terms of the social context behind the art.

This paper discusses an initial application of a new methodology focused on spatial considerations of the images designed to address the issue of the social context of cave art. We measured the physical context in terms of such things as image size, viewing angles, space available for viewing images, and optimal viewing positions (e.g., standing, crouching). Social contexts were inferred in part from the number of people (size of social groups) that could view images at one time, possible activities in these areas, and the quality of the images.

This approach produces a more dynamic view of the variability seen in cave art, which in turn helps to provide a more complex and nuanced understanding of the social world behind the art. This approach demonstrates how « top-down » generalized explanations concerning the use of the painted caves and their distribution across geographic space can benefit from the « bottom-up » lived experience perspective. Ultimately, the issue concerns shifting attention to the detailed study of context and a more heterogeneous model that considers the active role of all participants in society.

Romain PIGEAUD,
Les rituels des grottes ornées. Rêves de Préhistoriens, réalités archéologiques

Quelle était la « vie quotidienne » dans les grottes ornées ? Autrement dit, que se passait-il autour et devant le décor des parois ? Cette question est présente dès les origines de la recherche en art paléolithique. Basée sur le comparatisme ethnographique, elle a abouti au début du XXᵉ siècle, à une série d'interprétations aujourd'hui tombées en désuétude. Avec la connaissance approfondie des parois et la découverte de grottes ornées au sol inviolé, les préhistoriens arrivent de nos jours à reconstituer des séquences d'événements. Se pose alors le problème du saut interprétatif qui consiste à solliciter le document au-delà de ce qu'il peut offrir par son observation immédiate. Nous proposons ici quelques pistes de recherches.

What was « the daily life » in the decorated caves ? To say it differently, what was going on around and in front of the decorated walls ? This question was present from the earliest beginning in the mind of the researchers in paleolithic art. Based on ethnological comparison at the beginning of the 20th century there came out different interpretations abandoned nowadays. (that are obsolete nowadays) With the better knowledge about the decorated walls and the discovery of new caves where the ground had not been violate the prehistorians succeed in reconstructing some sequences of events. Now there comes up the problem of the interpretative bound which means to ask the document more than it can give by its immediate observation. We here propose some ways of research.

Daniela ZAMPETTI, Cristina LEMORINI, Massimo MASSUSSI,
Art et vie quotidienne dans l'Épigravettien final. Les galets utilisés de la Grotta della Ferrovia

Quatre galets qui portent des stigmates d'utilisation et des décorations constituent le sujet archéologique de notre réflexion sur le rapport entre art et vie quotidienne pendant le Paléolithique supérieur. En effet les analyses tracéologiques et technologiques et les expérimentations font ressortir des comportements différents et donc des degrés différents d'intersection entre art et vie quotidienne.

The paper describes four engraved and/or utilized pebbles coming from Grotta della Ferrovia (central Italy) and attributable to the final Epigravettian. These pieces are the archaeological subject selected to illustrate the connection between the artistic activities and the daily life in the Upper Paleolithic. In fact the use-wear analyses and the technological observations show the different kinds of intersection between art and daily life.

Marcel OTTE,
La musique et les mythes

Chacun connaît les beaux travaux de Michel Dauvois, où le décor rupestre fut mis en rapport avec la qualité sonore de la salle. L'utilisation de cette résonance était prouvée par les traces de percussion sur les voiles calcitiques. La musique possède en effet cette capacité à toucher directement la sensibilité, sans transiter par l'intellect. Le mythe, au contraire, satisfait les questionnements les plus fondamentaux : leurs messages se trouvent portés autant par l'image que par le son, comme si la séduction esthétique agissait comme un vecteur de la pensée mythique. Le soulagement apporté à l'esprit par le sens mythique doit s'accommoder du plaisir produit par la beauté, plastique et sonore, tel un « opéra » des peuples chasseurs. D'innombrables vestiges témoignent de l'importance prise à la fois par la musique et par l'image dans le mode de vie paléolithique. Lorsque l'on sait la part cruciale occupée par les mythes, dans les sociétés en équilibre avec la nature, une relation ternaire s'impose entre image, son et sens. Une fois de plus, l'intensité et la qualité de la vie spirituelle se manifestent dans les sociétés paléolithiques.

Everyone knows the beautiful works of Michel Dauvois, in which rupestral art was placed in relation with the sonorous quality of the chamber. The use of this resonance was proved by traces of percussion on the calcitic veils. The music possesses, in effect, this capacity to directly touch the sensibility, without the need to pass via the intellect. Myth, by contrast, satisfies the most fundamental questions : their messages are carried as much by the image as by sound, as if the aesthetic seduction acted as a vector of mythical thought. The solace to the spirit by the mythical meaning must accommodate the pleasure produced by the beauty, plastic and sonorous, like an « opera » of hunter-gatherers. Countless vestiges evidence the importance held by music and images in the Palaeolithic way of life. When we understand the crucial role held by myths, in societies in balance with nature, a compound relationship is imposed : image, sound, meaning. The intensity and quality of spiritual life in Palaeolithic societies is once again demonstrated.

Brian HAYDEN,
Une société hiérarchique ou égalitaire ?

Il y a plus de 30 ans, le colloque *Man the Hunter* établissait un nouveau modèle pour les modes de vie des chasseurs-cueilleurs, basé principalement sur l'ethnographie de chasseurs égalitaires en Afrique. Ce modèle fut majoritairement adopté pour l'interprétation des cultures paléolithiques fondées sur la chasse, en Europe et ailleurs. Dès cette époque cependant, François Bordes se demandait si les groupes qui occupaient au Paléolithique supérieur les environnements les plus favorables ne s'apparenteraient pas plutôt aux sociétés complexes de chasseurs-cueilleurs de l'Amérique du Nord. Après avoir étudié pendant 20 ans les chasseurs-cueilleurs du nord-ouest de l'Amérique, je suis convaincu que l'intuition première de François Bordes était foncièrement correcte. Quand ils appartiennent à des sociétés complexes, les chasseurs-cueilleurs se distinguent par plusieurs traits de ceux qui vivent dans des sociétés plus simples. Ceux-ci sont égalitaires, très mobiles, pratiquement dépourvus d'objets de prestige et de ressources qui leur soient propres, ils ignorent la compétition économique et ils partagent presque tout, y compris la nourriture ; ceux-là exhibent d'importantes inégalités socioéconomiques, sont plus sédentaires, présentent des densités démographiques supérieures, s'opposent ouvertement dans des rivalités fondées sur la richesse, disposent d'objets de prestige, possèdent certaines ressources et richesses de façon exclusive, et ils partagent dans une bien plus faible mesure.

Alors que certains archéologues continuent à voir les communautés du Paléolithique supérieur en Europe comme étant égalitaires avec toutefois une certaine élaboration rituelle expliquant les développements artistiques, il apparaît que la plupart des traits qui caractérisent les chasseurs-cueilleurs complexes étaient présents dans les principaux sites du Paléolithique supérieur en Europe de l'Ouest. Je propose donc que les communautés qui vivaient dans les environnements les plus favorables au Paléolithique supérieur étaient des sociétés de chasseurs-cueilleurs complexes et hiérarchisées très semblables à celles du plateau de la côte nord-ouest. Ces similarités sont probablement dues à une production sous-jacente de surplus découlant de l'exploitation massive d'espèces migratoires ou autres : le saumon sur le plateau de la côte nord-ouest, le renne ou d'autres animaux grégaires en France.

Over 30 years ago, the Man the Hunter conference established a new model of hunter/gatherer lifeways based largely on ethnographic egalitarian African hunters. This model was widely adopted in the interpretation of Paleolithic hunting cultures in Europe and elsewhere. Yet even then, François Bordes wondered if the hunters and gatherers of the North American Northwest Coast might not be a more appropriate model for some of the European Upper Paleolithic hunters and gatherers who lived in richer environments. After having investigated the more complex hunters and gatherers of the Pacific Northwest for 20 years, I am convinced that Bordes' early intuition was essentially correct. Complex hunter/gatherers display a number of characteristics that distinguish them from the simpler hunter/gatherers of Africa, Australia, and North america. Simple hunter/gatherers are egalitarian, highly mobile, economically non-competitive, have few or no prestige items, do not own resources, and share most items including food. In contrast, complex hunter/gatherers exhibit strong socioeconomic inequalities, are more sedentary, have higher population densities, stage overt competitions based on wealth, promote prestige items, own resources and wealth, and share to a much lesser extent.

While many archaeologists continue to view Upper Paleolithic communities in Europe as egalitarian with some ritual elaboration accounting for artistic developments, the vast majority of characteristics that distinguish complex from simple hunter/gatherers can be inferred to have been present in the major Upper Paleolithic sites of

*Western Europe. I thus argue that Upper Paleolithic communities in
the richest environments were hierarchical complex hunter/gatherers
very similar to the complex hunter/gatherers of the Northwest Plateau.
These similarities are probably due to underlying surplus production
resulting from mass exploitation of migrating species : salmon on the
Northwest Plateau, and reindeer or other herd animals in France.*

Andrei SINITSYN,
Réflexions sur la parure. De l'Atlantique à l'Oural

Nous considérons ici la valeur des comparaisons à longue distance qui ne semblent pas pouvoir être considérées comme purement
accidentelles mais requièrent un autre type de signification. De tels
exemples ne sont pas rares, et les plus impressionnants mettent en lien
l'art de l'Oural et celui du Sud-Ouest français.

Par leur fréquence, ces cas curieux doivent être intégrés à de nouveaux modèles explicatifs, dans lesquels ils joueront un rôle central. Par
exemple, les pendeloques allongées et décorées de Markina Gora
(Kostienki 14), en Russie Centrale, datées de 32 000 BP, sont identiques à celles provenant de la grotte Denisova (couche 11, plus de
29 000 BP), située dans l'Altaï.

Nous proposons la notion de mécanismes culturels internes aux
origines de composantes culturelles de nature variée (outillages osseux
ou lithique, pendeloques), fonctionnant sur le mode « génératif ». Cette
orientation méthodologique correspond aux questionnements anthropologiques et fait appel aux concepts d'unités grammaticales et
stylistiques.

*Comparisons of specific components of the material culture at
sites far from one another in space and time, are considered as exceptions of accidental origin, and lack convincing explanations. The
number of such examples, the most evident of which is the similarity of
cave art at Kapova Cave (Urals) and the Magdalenian of the Franco-
Cantabrian area, is continually increasing. It has become clear that we
are approaching the limits to which such phenomena can still be considered accidental, and should be incorporated into new explanatory
models in which they would play an integral role. The example of the
obvious resemblance between the long decorated beads at Kostenki 14
(Markina Gora) (Central Russia) (cultural layer in volcanic ash :*

32 000 BP) and Denisova Cave (Altai) (cultural layer 11 : > 29 000 BP) is striking. Internal cultural mechanisms responsible for the formation of cultural elements of various categories (stone and bone assemblages, personal ornaments, etc.) are assumed to exist as the basis of common generative principles. Research directions and approaches appropriate to the aims are put in relation to the concepts of « grammatical » and stylistic units.

Fernand COLLIN,
La Préhistoire-réalité et le mythe de la Caverne

Le préhistorien ne fait-il pas de la Préhistoire ce qu'il veut en faire ? N'y voit-il pas ce qu'il veut y voir ? Faut-il montrer au public ce qu'il espère ? Comment informer le public sur les limites de l'interprétation scientifique ? Quelles sont les valeurs dissimulées dans les discours de médiation ? Que ce soit pour un musée, pour un archéosite, pour une publication de vulgarisation, le médiateur assume une « mise en image » de la Préhistoire dont il est déontologiquement responsable. Le Préhistosite de Ramioul expérimente un code de déontologie du préhistorien.

Doesn't the prehistorian make of Prehistory what he wants to make ? Doesn't he see what he wants to see ? Does the public has to see what he hopes ? How to inform the public on the limits of scientific interpretation ? What are the values that are dissimulated in the speeches of mediation ? Whether he works for a museum, an archeosite or he publishes a popularization, the mediator assumes a presentation of the Prehistory of which he is deontological responsable. The Prehistosite of Ramioul experiments out a code of deontology for prehistorians.

Marie-Chantal FRÈRE-SAUTOT,
Mise en scène muséographique de l'habitat

Il n'est pas facile de communiquer avec le public sur la Préhistoire : la rareté des documents conservés ne permet pas de se représenter la vie quotidienne des hommes du Paléolithique. Toutefois, depuis une trentaine d'années, les musées, les expositions et les parcs à thème archéologiques s'efforcent de reconstituer soit en maquettes, soit grandeur nature des habitats de cette période. Ces modèles se ressemblent tous plus ou moins. On peut se demander pourquoi et tenter de chercher l'origine de ces représentations. En même temps on voit apparaître des questions plus précises sur les conditions d'élaboration d'un habitat dans ces périodes.

It is not easy to communicate with public about prehistory ; the scarcity of records and evidences, don't allow to imagine daily life of paleolithic people. However, since the 70'th, museum, exhibition, archaeological open air museum try to reconstitute, either through models, or through life-size reconstitution, settlement from this period. All of them look alike : we must ask why and look for the origin of all those representations. At the same time arise some more precise questions about the conditions of construction during this period.

Sophie A. DE BEAUNE,
Du Bulletin de la Société préhistorique française *à Jean Auel.*
Un exercice de style

Le préhistorien dispose de plusieurs moyens de restituer au public ses connaissances : les publier dans des revues destinées à ses pairs ; en faire la matière d'articles ou d'ouvrages de vulgarisation ; les intégrer dans des œuvres de fiction, romanesques ou autres. Si différents que soient ces trois modes de publication, le traitement qu'ils font des données ne subit que des variations de degré. En ignorant ce fait, les controverses dont les tenants opposent la science et la littérature s'égarent dans de faux problèmes.

Prehistorians can publicize their knowledge in a variety of ways : by having it appear in professional journals, by using it in articles or books aimed at the general public, by incorporating it into fictional works, novels or otherwise. Whatever the differences between these three modes of publication, the data are treated in roughly the same manner. Because they overlook this fact, controversies whose parties oppose science and literature get bogged down in debating non-issues.

Alain GALLAY,
Restituer la vie quotidienne. En guise de conclusion

Le survol des communications présentées fait apparaître deux points de rupture dans les démonstrations proposées. Le premier se situe entre les analyses de nos matériaux archéologiques et les explications souvent ambitieuses que nous construisons pour en rendre compte. La seconde se rencontre aux limites du domaine propre de nos recherches et des savoirs extérieurs mobilisés pour donner du sens aux vestiges. L'ethnologie, qui se défie habituellement des approches transculturelles, n'est que d'un faible secours pour résoudre ces points faibles des problématiques. On propose quelques suggestions pour résoudre ces difficultés et pour définir, dans le cadre du programme logiciste, une nouvelle éthique de la publication adaptée au développement des nouvelles technologies de l'information.

Across the various explanations proposed in this book, we can see two gaps waiting to be bridged. Firstly, we are still at pains to match the hard archeological evidences and the grand scenarios put forth by some. Secondly, the inner and outer sciences contributing to our search for clues – namely archeology and ethnology – still lack common language and mutual trust for effective cooperation : ethnology is too often defiant of transcultural perspectives, and is here helpless vis-à-vis the difficulties we have to address. Below, we make some proposals to overcome these problems, and to define – within the logicistic framework – a novel ethics consistent with electronic media.

Les auteurs

Miguel Almeida, archéologue, Dryas Arqueologia, Coimbra (Portugal).
miguel.almeida@dryas-arqueologia.pt

Thierry Aubry, archéologue, Instituto Português de Arqueologia, Pombal (Portugal).
thaubry@sapo.pt

Sophie A. de Beaune, professeure à l'Université Jean-Moulin – Lyon III et chercheur au Centre d'Histoire des Techniques et de l'Environnement (CNAM), Paris.
sophie.debeaune@cnam.fr

Marie-Isabelle Cattin, chargée de recherches à l'Office et musée d'archéologie, Neuchâtel (Suisse).
MarieIsabelle.Cattin@ne.ch

François-Xavier Chauvière, collaborateur scientifique au Service cantonal d'archéologie de Neuchâtel et au Service cantonal d'archéologie de Vaud (Suisse) et chargé d'enseignement au CEUBA – Université Jean Moulin – Lyon III et à l'Institut de préhistoire de l'Université de Neuchâtel (Suisse).
francois-xavier.chauviere@unine.ch

Claudine Cohen, maître de conférences à l'École des Hautes Études en Sciences Sociales, Paris (France).
claudine.cohen@ehess.fr

Fermand Collin, directeur du Préhistosite de Ramioul, Flémalle (Belgique)
collin@ramioul.org

Jacques Collina-Girard, maître de conférences à l'Université de Provence Aix-Marseille I et chercheur à l'UMR 6636 ESEP, Aix en Provence (France).
collina@up.univ-mrs.fr

Pierre-Yves Demars, chargé de recherches CNRS, PACEA-IPGQ, Université Bordeaux I, UMR 5808, Talence (France)
py.demars@ipgq.u-bordeaux1.fr

Laure Fontana, chargée de recherches CNRS, UMR 6636 ESEP, Aix en Provence (France).
lfontana@mmsh.univ-aix.fr

Marie-Chantal Frère-Sautot, directrice de l'APAB, Société des Autoroutes Paris-Rhin-Rhône, Saint-Apollinaire (France).
mc.frere-sautot@aprr.fr

Alain Gallay, professeur honoraire, Université de Genève (Suisse).
alain.gallay@anthro.unige.ch

Brian Hayden, professeur, Simon Fraser University, Burnaby, British Columbia (Canada).
bhayden@sfu.ca

Laurent Lang, responsable d'opérations, INRAP Centre-Île-de-France (France).
fionalaurent@wanadoo.fr

Olivier Le Gall, chargé de recherches, PACEA-IPGQ, Université Bordeaux I, UMR 5808 du CNRS, Talence (France).
o.le-gall@ipgq.u-bordeaux1.fr

Cristina Lemorini, professeure, Università di Roma « La Sapienza », Roma (Italie).
Cristina.Lemorini@uniroma1.it

Javier Mangado Llach, archéologue, Université Paris VI – Pierre et Marie Curie, Paris (France) et Universidad de Barcelona (SERP), Barcelona (Espagne).
javiermangado@hotmail.com

María Estela Mansur, chercheur, Centro Austral de Investigaciones Cientificas (CADIC-CONICET), Ushuaia (Argentina).
estelamansur@hotmail.com

Hélène Martin, chargée d'opérations et de recherche, INRAP Grand-Sud-Ouest et UMR 5608, Talence (France).
helene.martin19@wanadoo.fr

Massimo Massussi, collaborateur, Museo delle Origini, Università di Roma « La Sapienza », Roma (Italie).
mmassussi@yahoo.com

Maria João Neves, archéologue, Dryas Arqueologia, Coimbra (Portugal).
mjoao.neves@dryas-arqueologia.pt

Marcel Otte, professeur, Université de Liège (Belgique).
prehist@ulg.ac.be

Jean-Baptiste Peyrouse, documentaliste, Lycée militaire d'Autun (Autun).
jbpeyrouse@wanadoo.fr

Romain Pigeaud, chercheur, Muséum national d'Histoire naturelle, Paris (France).
romain.pigeaud@wanadoo.fr

Raquel Piqué, professeure, Universitat Autònoma de Barcelona, Bellaterra (Espagne).
raquel.pique@uab.es

André Rigaud, collaborateur, Musée archéologique d'Argentomagus, Saint-Marcel, Indre (France).
dd.rigaud@wanadoo.fr

Andrey Sinitsyn, maître de recherches, Institut d'Histoire de la Culture matérielle de l'Académie des Sciences de la Russie (Saint-Pétersbourg, Russie)
sinitsyn@as6238.spb.edu

Philippe Soulier, directeur adjoint de l'UMR 7041 ArScAn (CNRS, Paris I, Paris X, ministère de la Culture), Maison de l'Archéologie et de l'Ethnologie, Nanterre (France).
philippe.soulier@mae.u-paris10.fr

Elise Tartar, doctorante, Université Paris – Panthéon-Sorbonne et UMR 7041 ArScAn, Nanterre (France).
elise.tartar@mae.u-paris10.fr

Thierry Tillet, maître de conférences, Université Pierre Mendès-France, Grenoble (France).
Thierry.Tillet@ujf-grenoble.fr

Assumpció Vila, chercheur, Departamento de Arqueología y Antropología, Institución Mila i Fontanals – CSIC (Espagne).
avila@bicat.csic.es

Suzanne Villeneuve, graduate Student, Department of Anthropology, University of Victoria, Victoria BC (Canada) and researcher, Department of Archaeology, Simon Fraser University, Burnaby, BC (Canada).
suzanne_villeneuve@sfu.ca

Bertrand Walter, enseignant, Musée de la Poterne, Preuilly-sur-Claise (France).
bertrand.walter@wanadoo.fr

Daniela Zampetti, professeure, Università di Roma « La Sapienza », Roma (Italie).
daniela.zampetti@uniroma1.it

BIBLIS
DANS LA MÊME COLLECTION

1.	André Latreille	*De Gaulle, la Libération et l'Église catholique*
2.	Jacques Biélinky	*Un journaliste juif à Paris sous l'Occupation. Journal 1940-1942*
3.	Clotilde Champeyrache	*Sociétés du crime. Un tour du monde des mafias*
4.	Joseph Macé-Scaron	*Montaigne, notre nouveau philosophe*
5.	Bernard Cottret	*Le Christ des Lumières - Jésus de Newton à Voltaire*
6.	Martine Sonnet	*L'éducation des filles au temps des Lumières*
7.	Jacob Katz	*Juifs et francs-maçons en Europe (1723-1939)*
8.	Philibert Damiron	*Les philosophes français du XIXe siècle*
9.	Pierre Maraval	*Lieux saints et pèlerinages d'Orient*
10.	Pierre-Marc de Biasi	*Génétique des textes*
11.	Peter Brown	*Le culte des saints*
12.	Mireille Hadas-Lebel	*Jérusalem contre Rome*
13.	Laure Fontana	*L'Homme et le Renne*
14.	Georges Gusdorf	*Mythe et métaphysique*
15.	Fred Célimène et André Legris (dir.)	*Économie de l'esclavage colonial*
16.	Maurice Vaïsse (dir.)	*De Gaulle et la Russie*
17.	Jean Richard	*L'esprit de la croisade*
18.	Francis Farrugia	*Sociologies. Histoires et théories*
19.	Xavier Raufer	*Les nouveaux dangers planétaires*
20.	Pierre-André Sigal	*L'homme et le miracle dans la France médiévale*
21.	René Treuil	*Le mythe de l'Atlantide*
22.	Emmanuel Kreis	*Les puissances de l'ombre. La théorie du complot dans les textes*
23.	Isabelle Robinet	*Histoire du taoïsme*
24.	Charles Glass	*Les Américains à Paris sous l'Occupation*
25.	Daniel Panzac	*La marine ottomane*
26.	Corine Defrance et Ulrich Pfeil (dir.)	*La France, l'Allemagne et le traité de l'Elysée (1963-2013)*
27.	Catherine Nicault	*Une histoire de Jérusalem*

28. Pierre Maraval — *L'empereur Justinien*

29. Jacques Frémeaux — *Les empires coloniaux. Une histoire-monde*

30. Henry Kraus — *L'argent des cathédrales*

31. Catherine Wolff — *L'armée romaine*

32. Gary Schaal et Felix Heindenreich — *Introduction à la philosophie politique*

33. François Sigaut — *Comment* Homo *devint* faber

34. Michel Abitbol — *Les Juifs d'Afrique du Nord sous Vichy*

35. Laurent Dandrieu — *Woody Allen. Portrait d'un antimoderne*

36. Colas Duflo — *Les aventures de Sophie. La philosophie dans la littérature du XVIIIᵉ*

37. Sophie A. De Beaune (dir.) — *Chasseurs-cueilleurs. Comment vivaient nos ancêtres*

38. Jean Tulard (dir.) — *La Contre-Révolution. Origines, histoire, postérité*

Cet ouvrage a été imprimé en France par
CPI Bussière
à Saint-Amand-Montrond (Cher)
en janvier 2013.
N° d'impression : 124659/4.
Dépôt légal : janvier 2013.